D0305854

ZIJN VERBORGEN BESTAAN

PETER CAREY

Zijn verborgen bestaan

Vertaling Hien Montijn

2008

DE BEZIGE BIJ

AMSTERDAM

Copyright © 2008 Peter Carey
Copyright Nederlandse vertaling © 2008 Hien Montijn
Oorspronkelijke titel *His Illegal Self*
Oorspronkelijke uitgever Faber and Faber, Londen
Omslagontwerp Studio Jan de Boer
Omslagillustratie Johnny Ring Photography
Foto auteur Ashley Gilbertson
Vormgeving binnenwerk Adriaan de Jonge
Druk Wöhrmann, Zutphen
ISBN 978 90 234 2890 9
NUR 302

Voor Bel

I

Van de vader van de jongen waren er in het huis aan het meer geen foto's. Die was al sinds Kerstmis 1964, zes maanden voordat de jongen werd geboren, persona non grata. Van zijn moeder waren er foto's zat. Daar was ze met kort blond haar, haar ogen heel bleek afstekend tegen haar gebruinde huid. En dat was ze ook, met zwart haar; ze leek niet eens op het blonde meisje, ofschoon ze wellicht een soort levendige oplettendheid gemeen hadden.

Ze kon net zo goed acteren als haar grootmoeder, zei men. Ze kon elk personage spelen. De jongen had geen reden daaraan te twijfelen, hij had zijn moeder immers niet meer gezien sinds hij twee was. Zij was de verloren dochter, de geschonden heilige, zoals de icoon die opa ooit uit Athene had meegebracht – glanzend zilver, muskuswierook – al had niemand de jongen ooit verteld hoe zijn moeder rook.

Maar toen, de jongen was bijna acht, in het appartement op East Sixty-second Street een vrouw uit de lift stapte, herkende hij haar meteen. Toch had niemand hem gezegd dat hij dit kon verwachten.

Dat gebeurde er nou als je bij oma Selkirk opgroeide. Je was een soort schattig beestje dat verondersteld werd dingen aan te voelen met je voelsprieten, via de caleidoscopische patronen in andermans ogen. Niemand was op het idee gekomen om te zeggen: Je moeder is weer terug. In plaats daarvan zei zijn grootmoeder dat hij zijn trui moest aantrekken. Ze pakte haar tas, zocht haar sleutels en toen liepen ze gedrieën naar Bloomingdale's alsof ze een broodje gingen eten. Zo ging het in het gewone leven. Het Park door, Lexington Avenue af. De jongen stond vlak naast de prachtige onbekende met de volgepropte kaki tas op haar rug. Het was haar bloed dat in zijn oren klopte, dat hoorde hij nu. Hij had zich haar voorgesteld als een strakgespannen veer, licht, stralend, blond, zoals oma wanneer die op het punt stond los te barsten. Ze was volslagen anders; ze was precies hetzelfde. Eenmaal bij Bloomingdale's maakte ze opmerkingen over zijn naam.

Hoe noemde u Che zonet? vroeg ze aan de grootmoeder.

Bij zijn naam, antwoordde oma Selkirk en woelde door het donkerende zomerhaar van de jongen. Zo noemde ik hem. Ze schonk de moeder een stralende witte lach. De jongen dacht: oei, oei!

Het klonk als Jay, zei de moeder.

Met een ruk draaide de grootmoeder zich om naar de verkoopster die haar ogen niet van de hippiemoeder kon afhouden.

Ik wil de Artemis proberen.

Oma Selkirk was wat men een Upper East Side-vrouw noemt – jukbeenderen, goed geknipt grijs haar – maar ze zag dat zelf anders. Ik ben de laatste bohemienne, placht ze, met name tegen de jongen, te zeggen, waarmee ze bedoelde dat ze zich door niemand de wet liet voorschrijven, tenminste niet sinds die keer dat pa Selkirk de boeddha uit het raam had gegooid en bij die lelijke heks was gaan wonen.

Daarnaast had opa nog een heleboel andere dingen gedaan zoals bijvoorbeeld zijn zetel in de raad van bestuur opgeven om op de spirituele toer te gaan. Toen opa het huis verliet, deed oma hetzelfde. Het appartement aan het Park was van haar, altijd al geweest, maar nu zaten ze er misschien één keer per maand. In plaats daarvan verbleven ze in Kenoza Lake bij Jeffersonville, New York, een stadje van vierhonderd inwoners, waar 'niemand' woonde. Oma maakte raku-potten en had een zware, houten roeiboot. Daarna zag de jongen zijn grootvader haast nooit meer, al kwamen er soms nog wel ansichtkaarten waarop in heel kleine letters geschreven was. Buster Selkirk kon op één enkele kaart volledige stand van zaken geven.

De laatste vijf jaar waren oma en de jongen alleen met elkaar geweest en zij bevestigde het levende, kronkelende aas om de forelbaars aan de haak te slaan en verder noemde ze hem Jay in plaats van Che. Er waren geen kinderen om mee te spelen. Er waren geen huisdieren omdat oma allergisch was. Maar in de herfst waren er coxappeltjes, woeste stormen, blote voeten, warme modder en een afkoelende hemel vol gebarsten glazen sterren. Dit soort dingen kun je nergens leren, zei de grootmoeder. Het was haar bedoeling hem een victoriaanse opvoeding te geven. Dat was beter dan 'het gedoe van tegenwoordig'.

Maar zijn doopnaam was toch Che?

Oma's pols was bleek en glad als de buik van een bot. De bovenkant van haar arm was bruinverbrand maar ze had de parfum op de witte kant opgebracht – blauw bloed, dacht hij, terwijl hij naar de aderen keek.

Dóópnaam? Zijn vader is joods, zei oma. Deze geur is te ouwelijk voor haar, zei ze tegen de Bloomingdale's-vrouw, die voorzichtig haar wenkbrauw naar de moeder optrok. De moeder haalde haar schouders op alsof ze wilde zeggen: Wat doe je er aan? Te bloemig, zei oma Selkirk, ervan overtuigd dat zij het kon weten.

U noemt hem dus Jay?

Oma draaide zich om en de jongen voelde een zuigende kramp in zijn buik. Wat sta je nou te zeuren? fluisterde ze. Ben je zo gevoelsdoof?

De verkoopster kneep vol nadrukkelijke sympathie haar lippen samen.

9

Ik neem de Chanel, zei oma Selkirk.

Terwijl het meisje de parfum inpakte, schreef oma Selkirk een cheque uit. Daarna pakte ze haar crèmekleurige geitenleren handschoenen van de glazen toonbank. De jongen keek toe hoe ze die vinger voor vinger aantrok, een dikke palinghuid. Hij proefde de smaak in zijn mond.

Je denkt toch niet dat ik hem in Bloomingdale's Che noem, siste zijn grootmoeder toen ze eindelijk het cadeau aan de moeder gaf.

Sst, zei de moeder.

De grootmoeder trok haar wenkbrauwen hoog op.

U moet zich niet zo druk maken. De jongen tikte zachtjes op haar heup en voelde dat ze zacht was, zonder korset.

Me niet druk maken? De grootmoeder liet een schel, geschokt lachje horen en keek boos uit haar lichtblauwe ogen. Me niet drúk maken!

Bloomingdale's, zei het meisje, bedankt u voor uw bezoek.

De grootmoeder had al haar aandacht op de moeder gericht. Is dat soms waar communisten in geloven? Che, riep ze en wuifde met haar gehandschoende handen als in een charade.

Ik ben helemaal geen communist.

De jongen wilde alleen maar vrede. Hij liep achter hen aan, met krampen in zijn buik.

Che, Che! Je niet druk maken! Moet je jezelf eens zien. Zou je je nog belachelijker kunnen uitdossen?

De jongen bekeek zijn clandestiene moeder. Hij wist wie ze was, ook al zei niemand dat hardop. Dat wist hij, zoals hij alles wat ertoe deed wist uit toespelingen en gefluister, uit wat hij uit telefoongesprekken opving, hoewel deze bijzondere gebeurtenis veel duidelijker was, vanaf het moment dat ze onverwachts in het appartement verscheen, door de manier waarop ze hem in haar armen hield en hem platdrukte en zijn hals zoende. Zoveel avonden had hij aan haar gedacht en hier was ze dan, precies hetzelfde, volslagen anders – honingkleurige huid, verwarde haren in een dozijn schakeringen. Met haar Indiase kettingen en die zilveren belletjes om haar enkels was ze een van God gezonden engel.

Oma Selkirk gaf een rukje aan de Indiase kettingen. En dit? Is dit wat de arbeidersklasse tegenwoordig draagt?

Ik ben de arbeidersklasse, zei ze. Per definitie.

De jongen kneep in de hand van de grootmoeder, maar ze trok zich los. Waar is zijn vader eigenlijk? Ze laten nog steeds zijn gezicht op de televisie zien. Hij maakt zich zeker ook niet druk?

De jongen boerde zachtjes achter zijn hand. Niemand had het kunnen horen maar zijn grootmoeder mepte in de lucht alsof ze naar een vlieg sloeg. Ik noemde hem Jay uit bezorgdheid over jou, zei ze ten slotte. Waarschijnlijk had ik hem beter Jan of Piet kunnen noemen. God sta me bij, riep ze, en de mensen vóór haar gingen opzij. Nu snap ik hoe stom het was om bezorgd te zijn.

De moeder trok haar wenkbrauwen op naar de jongen en stak eindelijk haar hand uit om de zijne te pakken. Het deed hem goed te voelen hoe haar hand zich om die van hem sloot, strelend, geruststellend. Stiekem kietelde ze hem in de palm van zijn hand. Hij keek glimlachend omhoog. Zij keek glimlachend omlaag. De grootmoeder vulde nog steeds de ruimte om hen heen met haar gefoeter.

En daarvoor hebben we nu Harvard betaald. Ze zuchtte. Net de Rosenbergs.

De jongen was doof, verliefd.

Inmiddels stonden ze buiten op Lexington Avenue en zijn grootmoeder keek uit naar een taxi. De eerste taxi zou voor hen zijn, was altijd voor hen. Behalve dat zijn hand nu in die van zijn echte moeder lag, en ze buideldieren waren die, lachend, de trap af renden naar de ondergrondse.

11

Bij Bloomingdale's was alles wit geweest en glanzend van glimmend koper. Nu renden ze de trap af. Het was alsof hij vloog.

Bij het draaihekje liet ze zijn hand los en duwde hem eronderdoor. Ze liet haar rugtas afglijden. Hij was duizelig, lacherig. Zij lachte ook. Ze hadden een andere planeet betreden en waar ze zich naar beneden naar het perron een weg baanden, zweette het plafond eigenaardige roest uit en was de vloer bezaaid met vlekken en spikkels van zwarte kauwgum – dit was dus de echte wereld die van onder de roosters op Lex naar hem had gelonkt.

Samen renden ze naar de stoptrein en zijn hart bonkte en zijn maag borrelde als een glas limonade met roomijs. Ze pakte zijn hand nogmaals en al struikelend gaf ze er een kus op.

Lijn 6 reed hem door het donker; kluwens metaaldraad rolden zich af en zijn hele leven veranderde op slag. Hij boerde weer. De wagons schommelden en kraakten, in het donker achter de ramen waren dikke bundels woeste kabels te zien. En toen was hij voor het eerst van zijn leven op Grand Central en ze gingen weer richting ondergrondse, hand in hand, samen slibberend als pasgeboren geitjes.

Mannen woonden in kartonnen dozen. Een blinde jongen rammelde met een blikje met dubbeltjes en stuivers. Lijn S stond klaar, beschilderd als een krijger en ze sprongen er tegelijk in; de deuren sloten zich meedogenloos als een val, *hak, hak, hak*, en zijn gezicht werd tegen de jasmijnjurk van zijn moeder gedrukt. Haar hand hield zijn achterhoofd vast. Hij was ondergronds, precies zoals Cameron van 5D had voorspeld. Ze komen je halen, man. Ze komen je hier weghalen.

In de tunnel tussen Time Square en Port Authority stak een hippie in het voorbijgaan zijn vuist op. Mooi zo! riep hij.

Hij kende jou, hè?

Ze trok een gezicht.

Is hij van de SDS?

Dat had ze niet kunnen weten – dat hij met Cameron op de politiek had zitten studeren.

Van de PL? vroeg hij.

Ze liet een soort lach horen. Moet je dat horen, zei ze. Weet je wel wat SDS betekent?

Students for a Democratic Society. En PL is *Progressive Labor*. Dat is de maoïstische afdeling. Je bent beroemd, weet je. Ik weet alles van je.

Dat denk ik niet.

Je bent zo iets als, eh, de Weathermen.

Ik ben wat?

Ik weet het zeker.

Foute fractie, jochie.

Ze plaagde hem. Dat moest ze niet doen. Hij had elke dag aan haar gedacht, aldoor, als hij aan de kade langs het meer lag, waar hij haar nog mooier maakte, een engel van zonlicht. Hij wist dat zijn papa ook beroemd was, zijn gezicht was op de televisie, een soldaat in de strijd. David heeft de geschiedenis veranderd.

Ze stonden in de rij. Er was een man met een koffer die dichtgebonden was met helgroen touw. Nog nooit eerder was hij op een dergelijke plek geweest.

Waar gaan we heen?

Er was een man wiens gezicht doorgroefd was met lijnen die getrokken leken door de draad waarmee oma haar bijenwas sneed. Hij zei: Deze bus gaat naar Philly, kereltje.

Maar de jongen wist niet wat Philly was.

Blijf even hier, zei de moeder en liep weg. Nu was hij alleen en dat vond hij niet fijn. De moeder stond aan de andere kant van de gang te praten met een lange, magere, treurig kijkende vrouw. Hij ging kijken om erachter te komen wat er aan de hand was en zij greep zijn arm en kneep er hard in. Hij gaf een gil, niet begrijpend wat hij misdaan had.

Je doet me pijn.

Hou je kop, Jay. Ze had hem net zo goed een schop tegen zijn benen kunnen geven. Zo kende hij haar niet, met die dikke donkere wenkbrauwen als bogen boven haar gezicht.

Je noemde me Jay, riep hij.

Hou je kop. Niet praten.

Je mag niet hou je kop zeggen.

Haar ogen sperden zich wagenwijd open. Ze trok hem weg uit de rij voor de kaartjes en toen ze haar greep liet verslappen was hij nog steeds razend op haar. Hij had best kunnen wegrennen, maar hij volgde haar door een piepende draaideur een lange gang in met witte B2-blokken waar het overal naar pis stonk en toen ze bij een deur kwam waarop TOILET stond, draaide ze zich om en ging op haar hurken voor hem zitten.

Je moet een grote jongen zijn, zei ze.

Ik ben pas zeven.

Ik ga jou niet Che noemen. En jij moet niet tegen me tekeergaan.

En jij moet niet hou je kop zeggen.

Goed.

Mag ik je mama noemen?

Ze aarzelde, met open mond, probeerde zijn blik te peilen.

Noem me maar Dial, zei ze ten slotte; ze had een hoogrode kleur gekregen.

Dial?

Ja.

Wat is dat voor een naam?

Het is een bijnaam, jochie. Kom nou maar mee. Ze drukte hem stevig tegen zich aan en nogmaals snoof hij haar verrukkelijke geur op. Hij was doodop, voelde zich enigszins misselijk.

Wat is een bijnaam?

Een geheime naam die mensen je geven omdat ze je aardig vinden.

Ik vind jou aardig, Dial. Noem mij ook maar bij mijn bijnaam.

En ik vind jou aardig, Jay, zei ze.

Ze kochten de kaartjes en vonden de bus en kort daarop kropen ze door de Lincoln Tunnel naar de tolwegellende van New Jersey. Het was voor het eerst in zijn herinnering dat hij samen met zijn moeder was. Hij hield de Bloomingdale's-tas stevig op zijn schoot, dacht nergens aan, was alleen maar perplex en sprakeloos dat hij had gekregen wat hij altijd het allerliefste had gewild.

2

Heel veel vergat hij, maar dit herinnerde hij zich, jaren later, nog – het was een goede zitplaats met een armsteun tussen hen in die de moeder omhoog had geklapt zodat de jongen zijn gezicht tegen haar bovenarm kon laten rusten. Toen ze haar grote rugtas tussen haar benen had gepropt, kriebelde ze, haar nagels naturel zeeschelproze, haar vingers bruin, stiekem een woord in zijn handpalm.

Ik weet best wat je schreef, zei hij.

Dat denk ik niet.

Hij haalde de inhoud uit de achterzak van zijn korte broek en pakte zijn afgekloven gele potlood. Hij legde het visitekaartje van Camerons vader op zijn knie en schreef ingespannen DAJEL achterop. Toen ze het had gelezen, stopte hij alles weer terug op z'n plaats.

Wauw, wat heb jij veel bij je.

Mijn papieren, zei hij.

Ik wist niet dat jongens papieren hadden.

De jongen kon niets bedenken om te zeggen. Ze zwegen een tijdje. Hij keek het middenpad af. Hij had nooit eerder in een Greyhound gezeten en hij was bepaald in zijn nopjes toen hij achterin de wc zag.

Wat ben je lang, Dial, zei hij na enige tijd.

Lang voor een vrouw. Niet wat iedereen mooi vindt.

Maar wel wat ik mooi vind, Dial.

Ze lachte plotseling hardop en hield haar prachtige hand voor haar mond. Wat zou hij haar graag mama noemen.

Wat heb je veel kleuren, Dial. De oren van de jongen

gloeiden. Hij begreep niet waar al die woorden vandaan kwamen. Oma zou stomverbaasd zijn hem zoveel te horen praten.

De moeder pakte een pluk haar, legde die als een masker over een oog en gluurde erdoorheen, een korenveld, waarvan elke korrel en elke halm een net iets andere kleur hadden. Ze had een grote neus en brede lippen. Ze was heel mooi, dat zei iedereen ook altijd, maar dit was nog geweldiger dan ze hadden gezegd, nog beter.

Ik ben een halfbloed, zei ze.

Wat is een halfbloed, Dial?

Plotseling gaf ze hem een zoen op zijn wang.

Half dit en half dat.

Hij werd weer verlegen, keek het middenpad af. Het glas van de voorruit zat vol zonlichtsterren.

Dial zocht iets in de enorme rugtas tussen haar benen. Er zaten een heleboel boeken in, zag hij, en ook snoepjes, een paar gele sokken.

Hoe weet oma waar ik ben?

Op de omslag van het boek dat ze nu pakte stonden twee vechtende honden, met overal bloed, en ze gaf hem een reep Hershey. De chocolade was zacht en kneedbaar. Dank je wel, zei hij. Hoe weet ze waar ik ben, Dial?

Ze sloeg het vreemde boek open aan het begin. Afkeurend merkte hij op dat ze de rug knakte.

Wist oma dat we zouden weglopen?

Mm-mm, zei ze en sloeg een bladzijde om.

Hier dacht hij over na terwijl hij de gesmolten chocolade proefde.

Smaakt het? vroeg ze.

Ja, Dial. Dank je wel. Het is mijn lievelingschocola.

Ze liet het hondenboek op haar schoot zakken. Je kunt heel gauw met haar praten, zei ze. We gaan haar bellen.

Waar gaan we heen?

Dat heb je gehoord – Philly.

En verder.

Dat is een verrassing, lieverd. Kijk niet zo bezorgd. Het is de grootste verrassing die je maar kunt krijgen.

Ze verdiepte zich weer in haar boek. Hij dacht: als oma had geweten dat ik wegging, zou ze me een afscheidszoen gegeven hebben. En – ze zou hem zijn eigen koffer hebben laten pakken en hem laten beloven dat hij zijn tanden zou poetsen. Dus was zijn grootmoeder het hier helemaal niet mee eens. Een goed teken, veronderstelde hij.

Wat voor verrassing? vroeg hij. Hij kon maar één verrassing bedenken die hij echt wilde. Zijn hart begon weer sneller te kloppen.

Echt een heel, heel grote verrassing, zei ze zonder op te kijken.

Is het een motel? vroeg hij, niet dat hij ook maar een seconde had gedacht dat het dat zou zijn.

Iets veel beters, zei ze. En sloeg een bladzijde om.

Het strand dan? vroeg hij, maar ook dat was niet wat hij in gedachten had. Bij het woord strand liet ze haar boek nogmaals zakken. Zwem je graag in het Kenozameer?

Weet je van het meer?

Jochie, jij en ik zijn daar samen geweest.

Nee, zei hij, niet-begrijpend.

In het Kenozameer.

Maar in Kenoza Lake had hij nooit een moeder gehad. Dat maakte het juist zo belangrijk. In zijn herinnering was het altijd zomer, langs de wegen volop guldenroede en de vrouwen uit het dorp die stiekem de witte hortensia's kwamen plukken, net zoals hun moeders dat vóór hen gedaan hadden. De ganzen trokken naar Canada en de Boeings trokken hun witte strepen door de koude blauwe lucht – eenzaamheid en hoop, die uitzetten als papieren bloemen in water.

Het was altijd zomer, altijd afgekoeld door de herfst, de afwezigheid van de moeder alomtegenwoordig, in de esdoornbladeren bijvoorbeeld, met hun zilveren onderzijden omhoog in de bries die het oppervlak van het meer deed rimpelen, terwijl zijn grootmoeder van de kade naar een plek midden in het meer zwom, waarvandaan ze in één lijn de middelste schoorsteen en het oranje knipperlicht op de 52 kon zien, en dan weer terug. Later zou hij zich meer vragen stellen over zijn afwezige grootvader en die lelijke heks, die ooit een vriendin van oma was geweest, maar dat zou een ander personage zijn die zich die vragen stelde, als eenmaal alle oude cellen waren afgestorven, afgeworpen, tot stof geworden in de stad New York.

Hij kon ook zwemmen. Ook toen al had hij stevige schouders, maar het water van het meer was modderig en kleverig en zijn huid ging ervan plakken en dat ging zelfs niet weg onder de brandende zon. Hij had het nooit gevraagd, maar hij wist zeker dat het ontelbare kleine dode dingen waren en hij dacht aan de jammerende geluiden op de radio en lag op zijn buik op de kade en zijn rug werd zwart en zijn buik was bleek en schimmig als een vis.

Bijna overal waren kleine zwarte mieren. Sommige drukte hij zomaar dood.

Hij keek op naar Dial. Ze had heel grote donkere ogen, als een actrice op een reclamebord op Times Square. Met haar had hij wel elke dag willen zwemmen.

Zou je zin hebben om naar een strand te gaan? vroeg ze hem nu.

Maar dat was niet wat hij wilde.

Overnachten we in een motel?

Ze keek hem verwonderd aan. Nou zeg, jij bent wel een heel merkwaardig manneke, zei ze. Het zal eerder een vies, rommelig huis zijn. En waarschijnlijk zullen we op de grond moeten slapen.

Misschien is er tv, zei hij. Maar niets van dit alles was wat hij eigenlijk bedoelde. Hij was opgevoed om 'niet te zeggen'.

Iets veel beters dan tv, zei ze.

Is daar de verrassing, Dial? In het vieze, rommelige huis?

Ja, Jay.

Hij was zo gelukkig dat hij dacht dat hij moest overgeven. Hij nestelde zich tegen haar aan, liet zijn hoofd op haar volle borsten rusten en zij streelde zijn hoofd, onderaan bij de nek, waar allemaal korte haartjes groeiden.

Misschien kan ik raden wat de verrassing is, zei hij na een poosje. In het vieze, rommelige huis.

Ik zeg het toch niet als je het raadt.

Hij hoefde het niet te zeggen. Hij wist precies wat het was. Precies wat Cameron had voorspeld. Nu begon zijn echte leven. Hij zou zijn vader ontmoeten.

3

Behalve op één foto had de jongen zijn vader nooit gezien, zelfs niet op televisie. In oma's huis in Kenoza Lake werd geen televisie gekeken, dus wanneer hij in de herfst had meegeholpen de vuren aan te steken, zocht de jongen de hoge planken met muffe paperbacks af – sommige woorden waren glad als kiezels, maar de meeste woorden bewaarden hun geheimen zoals de knisterende lijfjes van wespen of sprinkhanen. Sommige woorden kon hij lezen, en dat zei hij maar al te graag. Op de bovenetage was een echte bibliotheek met een schuifladder en zware boeken met gravures van vissen en elanden en kleine bloemen met Duitse namen die hem een verdrietig gevoel gaven. Waarschijnlijk slingerde er op de grote versleten fauteuils waarin hij in deze schatten zat te bladeren nog een Kipling of een Rider Haggard of een Robert Louis Stevenson, waaruit zijn grootmoeder verder zou lezen wanneer het donker werd. In deze met gewaterd satijn behangen kamer waarvan uit je door de jaloezieën heen over het meer kon kijken, stond een grote gloeiende buisradio die voortdurend stoorde en een jammerend, afwisselend hard en zacht atmosferisch geknetter liet horen, een diep, verborgen verdriet dat in zijn verbeelding afkomstig was van het diepe onstuimige water dat beneden tegen de kade klotste.

In het Belvedere in New York was een roze draagbare televisie van het merk GE, die altijd op het marmeren keukenaanrecht stond; één keer, toen hij dacht dat zijn grootmoeder was ingedut, zette hij hem aan. Dat was de enige keer dat zij hem pijn had gedaan, zijn arm had verdraaid en zijn kin zo had vastgehouden, dat hij haar blik niet kon ontwijken. Ze siste van woede – hij mocht geen televisie kijken. Nooit en te nimmer.

De reden die ze hem opgaf was even kronkelig als een oude nylon vislijn, vol met knoopjes van haken en spinners en wit geoxideerde loodjes, maar de ware reden dat hij niet mocht kijken was kort en krachtig en had hij van Gladys gehoord, de Haïtiaanse meid – zodat je niet zult schrikken als je je mammie en je pappie in handen van de pelie-sie ziet. Zoiets vergeet je nooit meer.

Cameron Fox was de zoon van de kunsthandelaren in 5D. Hij was van Groton afgestuurd vanwege zijn haar dat hij niet wilde laten knippen, en misschien ook vanwege iets anders. Oma betaalde Cameron om op hem te passen. Wist zij veel.

In Camerons kamer zag de jongen een poster van Che Guevara en kreeg te horen wie dat was en waarom hij geen vader en moeder had. Zelfs Gladys vertelde hem dat soort dingen niet. Nadat zijn moeder en de Bende van Dobbs Street de bank in Bronxville hadden beroofd, had een rechter Che aan de permanente zorg van zijn grootmoeder overgedragen. Dat had Cameron verteld. Het is je goed recht om dat te weten, man. En hij vertelde: Je grootvader heeft een boeddha uit het raam op de D-etage gegooid. Een bóeddha nog wel, man. Die ouwe is te gek. Ik heb gezien dat hij buiten op de trap wiet zat te roken. Ga je nog weleens naar hem toe?

Dat had je gedacht. Geen schijn van kans. Die ene keer dat ze opa en die lelijke heks aantroffen op Sixty-second Street, vertrokken de jongen en zijn grootmoeder naar het Carlyle.

De jongen, zei Cameron, was een politieke gevangene die opgesloten zat in Kenoza Lake. Hij moest mens-erger-je-niet met zijn grootmoeder spelen, een spel uit de vorige eeuw of zo. Cameron gaf hem een paginagrote foto van zijn vader uit *Life*. Cameron las hem het onderschrift voor. Kent God noch gebod. Zijn vader zag er blits uit met zijn wilde blonde haren. Hij hield zijn vingers in een V.

Hij lijkt op jou, zei Cameron Fox. Eigenlijk moet je dit laten inlijsten. Je vader is een geweldige Amerikaan.

Maar de jongen verliet 5D via de Clorox-trap en voordat hij de keuken van zijn grootmoeder binnen ging, vouwde hij zijn vader heel zorgvuldig op en bewaarde hem in zijn zak. Dat was min of meer het begin van zijn papieren.

De zak van de jongen bevatte heldere stukjes en mysteries. Soms probeerde Cameron hem dingen uit te leggen, maar dan hield hij op en zei: Dit is nu te theoretisch. Of: Daarvoor moet je meer woorden kennen. Cameron was ruim één meter tachtig lang, had een grote rechte neus en een lange kin en één oog dat ietwat naar opzij stond. Hij las Che voor uit *Steppewolf* totdat ze er allebei genoeg van kregen, maar ook van hem mocht hij geen televisie kijken. Hij zei dat televisie de duivel was. Ze pokerden om centen. Cameron zette Country Joe and the Fish op en zat met skisokken aan voor de elektrische radiator, om daardoor de huiduitslag, die hem naar hij hoopte voor Vietnam zou behoeden, erger te laten worden.

De jongen keek altijd of er ergens een televisie aanstond, maar erg veel zag hij nooit. Eén of twee keer hadden ze ergens gegeten waar de televisie aanstond, maar oma had ervoor gezorgd dat die werd uitgezet. Ze was iemand om rekening mee te houden. En zei dat ook.

Dus toen Dial en Jay het Greyhound-station van Philadelphia binnen reden, was het een hele belevenis om de zwart-wittelevisie te zien, die hoog in een hoek van de wachtkamer hing. De 76'ers waren aan het verliezen van Chicago. Oude mannen zaten te kijken. Ze kreunden. Ze spuugden. Verdomme. Ook de jongen keek, in de hoop dat

23

later misschien *Rowan and Martin* zou komen, nog zoiets dat hij van horen zeggen had, *Say good night, Dick*. Hij was opgewonden toen de moeder naar buiten ging om een telefoon te zoeken.

Je moet met niemand praten, zei ze, oké?

Oké, zei hij. Hij keek naar de blauwe duivel en wist dat er hierna iets prachtigs stond te gebeuren.

De Bulls werden driemaal uitgevangen voordat de moeder terugkwam.

En nu? vroeg hij; hij zag dat ze somber was. Ze ging voor hem op haar hurken zitten.

We gaan naar een hotel, zei ze. Wat zeg je daarvan?

Maar je hebt gezegd dat we naar een vies, rommelig huis gingen, zei hij.

De plannen zijn veranderd, zei ze en ze was druk in de weer met een sigaret.

Met roomservice? Hij deed alsof hij het prachtig vond, maar nu was hij heel bang, van haar geur, van hoe ze deed – alsof ze haar gevoelens achter de rook verstopte.

Ik heb geen geld voor roomservice, zei ze en trapte haar sigaret met haar hak uit.

Vanuit zijn ooghoeken zag hij een tekenfilm. Maar dat interesseerde hem nu niet.

Luister je naar me, Jay?

Er is niemand anders, zei hij. Hij bedoelde, naar wie anders kon hij luisteren, maar zij begreep het verkeerd en drukte hem stevig tegen haar aan.

Wat is er aan de hand?

Ik vind je lief, Jay. Haar ogen waren nat.

En ik vind jou lief, Dial, zei hij, maar hij wilde niet achter haar aan naar buiten, waar het somber en donker was, naast enorme bussen die hun uitlaatgassen in de pizzeria's loosden. Ze liepen de trap op en in zijn verbeelding gingen ze ergens heen waar het niet pluis was.

Wat is dit?

Een hotel, jochie.

Het leek niet op het motel in Middletown, New York, waar ze tijdens de sneeuwstorm hadden overnacht, en helemaal niet op het Carlyle. Hij voelde zich leeggehaald als een forelbaars. Iets was misgegaan.

Ze moesten de trap op om bij de lobby te komen. De balie was bekleed met rood leer. Erachter zat een vrouw die aan een zuurstoftank was aangesloten. Met haar dikke beringde hand nam ze vijftien dollar aan – geen bad, geen enkel muziekinstrument bespelen. Daarna liepen ze door groene gangen met aan de plafonds lange lichtbuizen en uit de kamers het geluid van applaudisserende televisies. In de gang was Dials gezicht groen en binnen in de kamer donker en gekrompen. Er hingen kanten gordijnen, een rood neonbord zei CHEQUES VERZILVERD. Een eenpersoonsbed met een televisie vlak bij het plafond.

Nog niet, zei ze, toen ze zag waar hij naar stond te kijken.

Maar je hebt het beloofd.

Ja, inderdaad. We kunnen vanuit bed televisie kijken, maar je moet wachten tot ik terug ben.

Waar ga je nu heen?

Ik moet nog een paar dingen doen, in verband met het geheim.

Is het geheim in orde?

Ja, dat is in orde.

Mag ik dan mee?

Lieverd, als je meekomt, is het geen geheim meer. Ik ben zo terug.

Ze knielde. Keek naar hem. Bleek. Veel te dichtbij.

Jij blijft hier. En je laat niemand binnen.

En ze zoende en knuffelde hem veel te hard.

Nadat de sleutel in het slot was omgedraaid, ging hij voor de televisie staan. Het scherm was stoffig, vlekkerig. Iemand was er met zijn vinger overheen gegaan.

25

Hij ging op het bed zitten en hield ondertussen de deur in de gaten. De beddensprei was lichtblauw en nogal kreukelig, groezelig. Op een bepaald moment liep er iemand langs. Toen kwamen ze van de andere kant terug. Hij bleef uit de buurt van het raam, maar hij kon het rode schijnsel van het bord met CHEQUES VERZILVERD zien.

Dial had haar rugtas op een stoel laten liggen. De opening was dichtgebonden met een stuk touw, maar je kon nog enkele spullen binnenin zien – haar boek en een doosje met iets kleins en glimmend als snoepjes. En daar ging het hem natuurlijk om en hij viste het er met twee vingers uit. Uno is een van de meest populaire gezelschapskaartspellen ter wereld – las hij – en de spelregels zijn makkelijk voor kinderen, maar uitdagend en spannend voor alle leeftijden. Hij stopte de Uno-kaart weer terug in het pakje en bedacht dat zij niets van haar zoon wist.

Hij kon niet bij de televisie.

Hij sleepte er een stoel bij en ging erop zitten, zijn blik nog steeds omhooggericht. Hij zag het kleine rode knopje. AAN.

Op de gang liep een vrouw op hoge hakken voorbij, lachend, of misschien huilend. Hij klom op de stoel en drukte het knopje in.

Hij stond er ongeveer met zijn neus boven op toen de foto op de buis kwam, uitzette en opzwol totdat hij bijna in zijn ogen explodeerde.

Hij zag de foto, begreep niet door wie hij daarheen was gestuurd – dat was hij, Che Selkirk, in Kenoza Lake, New York, terwijl hij een forelbaars omhooghield en opzij keek. Het geluid was bulderend. Alles was goud en vloeide aan de randen oranje uit. Hij zette de televisie uit en hoorde hoe het beeld terug in de buis werd gezogen.

Er was iets heel ergs gebeurd. Maar wat het zou kunnen zijn wist hij niet.

4

Wat er mis was gegaan werd hem niet verteld. Kwam het door de tv of niet? Alles wat Dial zei was: We moeten weg.

Morgen?

Nu meteen.

Toen ze uit Philly wegvluchtten had hij nog steeds zijn verrassing niet gekregen of zijn oma gebeld. Hij had nog nooit in een vliegtuig gezeten en ineens hopte hij door de lucht boven de aarde, in een zwarte hemel die nergens bij hoorde. Hij was naar Oakland gevlogen naar een motel dat best goed bleek te zijn. Hij wist niet precies waar hij was. Ze keken geen televisie maar zij las hem hardop voor uit haar boek, dat met de vechtende honden. Volgens hem moest *The Call of the Wild* het beste boek zijn dat ooit was geschreven. Dial zei wel niets, maar zij had in Kenoza Lake gewoond en wist dat hij uit een huis afkomstig was dat bijna identiek was aan dat van de hond Buck. Het huis van de rechter lag van de weg af, half verscholen te midden van bomen, waartussen je een glimp kon opvangen van de brede koele waranda die helemaal rondom liep. Aldus Jack London.

Ze staken rennend de snelweg over naar de pizzeria en weer terug. Ze aten zoveel pizza dat de hele kamer ernaar rook, en ze speelden samen Uno, dat veel leuker bleek te zijn dan je zou verwachten. Pokeren had hij nog niet ter sprake gebracht, maar ze speelden Uno om Days Inn-lucifers.

Dial probeerde grootmoeder te bellen, maar die nam niet

op. De jongen luisterde zelf naar de telefoon. Die bleef maar overgaan.

Toen ze bijna geen geld meer hadden, gingen ze naar Seattle, waar Dial een heleboel geld kreeg en daarna vlogen ze naar Sydney, in Australië. Ze had hem gezegd dat het een eind weg was. Hij vroeg of het geheim nog steeds oké was. Ze zei ja. Dus vond hij het niet erg. Hij versloeg haar met pokeren. Toen leerde ze hem patience. En verder had ze heel veel spelletjes en puzzels in haar tas, ringen die je uit elkaar moest halen, nog een boek van Jack London, en de hele weg naar Australië was hij gelukkig. Zijn ouders hadden hem helpen uitbreken, precies zoals Cameron voorspeld had.

Sydney bleek een grote stad te zijn, dus namen ze een bus naar Brisbane. In de bus verveelde hij zich, verveelden zij zich allebei. In Brisbane was het vreselijk heet. Dial ging op zoek naar een headshop en hij nam aan dat het met zijn vader te maken had, maar ze ontmoetten er alleen maar een dik hippiemeisje en kregen te horen dat als ze naar het noorden reisden, ze in plaatsen zouden komen die niet eens op de kaart stonden.

Turn on, tune in, drop out, zei het dikke meisje.

Later zei Dial: Dat soort hippie-onzin wil ik nooit meer horen. Hij vertelde haar niet dat Cameron dat ook altijd zei.

Maar Cameron had geen idee dat deze jongen hier liftte in een wereld ver van de Clorox-trap – de vreemde hemel, beurzig blauw als jukbeenderen, in de verte een dik gordijn van stromende regen. Er scheen een schimmig geel licht op de snelweg, en overal was fijn heet stof, droog aan de voeten van de jongen, modderig op zijn nu thuisloze tong, poeder op de naalden van de plantages met *Pinus radiata*.

Het was ongeveer dertig graden Celsius. Ze liepen en liepen en liepen.

Twee zwarte rijstroken naar het noorden, twee rijstroken naar het zuiden, in het midden onbekende grassen. Naar het oosten en westen keurig gemaaide, bijna tien meter brede bermen en vervolgens de monotone groene muren van de Pinus radiata-plantages, weliswaar onderbroken door gele brandgangen maar doodstil – geen opossum of slang, niet eens een huppende zwarte kraai, kon daar ooit leven.

De jongen had geen idee waar ter wereld hij was. Ongeveer alles was onbekend voor hem, hijzelf inbegrepen.

De enige die hij op het hele continent kende was de grote moeder met het grote gezicht en haar tas vol met spelletjes. Ze liep twee grote passen voor hem uit – heel lange hippierok, T-shirt, plastic teensandalen, veel te snelle passen. Wat hij echt van haar wist had hij op de wikkel van een snoepje kunnen schrijven. Ze was een radicaal, maar dat was net zo duidelijk als het bord voor de afslag vóór hem.

De jongen spelde het bord. Caboolture?

Een stad, zei ze. Stelt niets voor. Ze hield haar pas niet in.

Wat voor stad?

Zijn dikke haar was nu vermomd, zwart geverfd, rondom afgeknipt, zodat in zijn nek een streep bleke niet-gebruinde huid zichtbaar was. Hij wreef over zijn kruin en tuurde omhoog naar het bord – CABOOLTURE – stomme zwarte letters op een stom wit bord, vast een afschuwelijk oord vol *rednecks*, stelde hij zich voor.

Wat voor soort stad, Dial?

Toe nou, zei ze. Een Australische stad.

Hij had haar andere dingen moeten vragen. Waar is mijn vader, waar is oma, maar soms leek het alsof ze nu al genoeg van hem had.

Imbecielen, schreeuwde ze naar de passerende auto. Ik hoop dat jullie verzuipen. Ze was zo groot, zo mooi, met haar grote passen alsof ze van het platteland kwam. Wat hij mooi vond, zijn vlees en bloed, voor altijd.

Niemand die ons hier meeneemt, Dial, ze gaan allemaal de andere kant op.

Dank je wel, zei ze. Dat was me nog niet opgevallen. Ze was geen kleine kinderen gewend.

De auto's in zuidelijke richting reden bumper aan bumper, hun gele koplampen deden het gekleurde Pan Am-gebouw in het halfduister opgloeien. Het was ongeveer twaalf uur. Vond ze maar een plek waar ze konden bijkomen van hun jetlag.

We kunnen toch naar die stad gaan, zei hij, of woorden van die strekking. Misschien is daar een motel. Dat deed hij het liefste, dicht tegen haar aan liggen terwijl zij hem voorlas en haar haren zijn gezicht kietelden.

Daar is geen motel, zei de moeder.

Wedden van wel, zei hij.

Ze bleef staan en draaide zich om.

Wat dan? zei hij. Wat dan?

Haar haar had zoveel verschillende kleuren, dat je nooit wist welke kleur het had, maar haar wenkbrauwen waren egaal zwart, en wanneer die, zoals nu, haar ogen omlaag duwden, was ze een enge heks.

En nu, zei ze, is het genoeg geweest.

Eén keer had ze dat in Port Authority gedaan. Toen had ze hem ook bang gemaakt.

Op dat moment stopte er bij de uitrit van het Golden Fleece-tankstation, aan de Brisbane-kant van Caboolture, een aftandse Ford stationcar uit 1964 waarvan het lakwerk door de zon en de jaren volslagen verpulverd was. De chauffeur liet de motor eenmaal brullen en een wolk van olieblauwe rook verspreidde zich over de benzinepompen en dreef af naar een miezerig veldje, waar twee schurftige paarden stonden met hun schonkige schoften in de richting van de wegrijdende auto's.

Moet je die stomme lemmingen zien, zei Trevor.

De jongen kende Trevor niet, maar zou hem snel genoeg leren kennen, en ook nog voor een verdomd lange periode daarna, en hij zou die naam altijd in verband brengen met dat bijzondere lichaam – een sterke kerel, glanzend soepel als een dolfijn, omhuld in een centimeter dikke laag vet die zijn strakke bruine huid leek te voeden en het een gezonde visolieachtige glans gaf. Hij had een bloemkooloor, kortgeknipt haar, net zo kort als van een soldaat, rossig bruin, en hij rook naar marihuana, papaja en mango. Als Trevor niet naakt was, en hij was naakt zodra hij de kans kreeg, droeg hij een slobberige Indiase pyjamabroek, en als hij lachte, zoals nu naar de vluchtende toeristen, onthulde hij een afgebroken tand.

Ze hebben een dodelijke wind vanuit Caloundra van tweehonderd kilometer per uur voorspeld, zei de chauffeur. Zijn naam was John the Rabbitoh, maar eigenlijk heette hij Jean Rabiteau, zogenaamd van Franse komaf. Niemand wist waar hij vandaan kwam, maar hij was een adembenemend knappe man van misschien vijfentwintig jaar. Hij had hoge jukbeenderen, lang zwart haar, bruine ogen en een lenig lichaam met brede schouders en smalle heupen. Hij had een sterk, nasaal accent en rook naar gemaaid gras, radiatorslangen en tweetaktolie.

Pang! Met zijn handen die even breed en stevig waren als zijn massieve lijf, vormde Trevor een pistool. *Pang! Pang!* Hij onblootte zijn afgebroken tand en schoot de bestuurders een voor een neer.

De Rabbitoh draaide de weg op in de richting van de storm en reageerde niet op Trevors moorden. Hij had zijn eigen gedachten en die behelsden verdoemde zielen en Gods toorn. Hij boog zich over het stuur en tuurde omhoog naar de zakkende hemel en het gemene gele licht in de vale verte.

We zijn terug in de vallei tegen de tijd dat hij losbarst.

Het was een juiste gok die echter fout zou blijken te zijn, omdat, toen de Ford de afrit richting Caboolture passeerde, ze de moeder en de jongen zagen die noordwaarts sjokten.

Het was Trevor die stop riep, Trevor die in een fort boven aan een steile onherbergzame weg woonde, wiens favoriete uitdrukking was: 'Je wekker is je sleutel naar vrijheid', die elke ochtend om vijf uur opstond en zich schuilhield in de jungle totdat het zeker was dat de politie geen jacht op hem maakte, Trevor die overal spionnen en verraders zag, zei: Neem haar mee.

Inmiddels waren ze al bijna tweehonderd meter de weg op, maar John stopte.

Achteruit.

Niet nodig.

Trevor draaide zich om en zag Dial op hem af komen rennen, haar gele haar als kronkelende slangen, haar tieten als stoeiende puppy's in haar hemd.

5

In de Ford hingen geuren die de jongen niet had kunnen benoemen of kunnen ontleden – volle vlagen van WD-40 en marihuana, vluchtige vleugjes van spul waarbij je moest denken aan hippies die alles zelf repareren, slingers van stof en moleculen autoplastic die opdwarrelden in de drukkende hitte, 1961, 1964, 1967.

Muf papier, boeken met vergeelde bladzijden, de rottende bladeren laat in november, de geur van de melkkoeien aan de andere kant van de weg, dat was wat hij kende in Kenoza Lake. Terwijl hij over de kapotte, ingezakte, slappe achterbank van John de Rabbitoh's auto klauterde, deed hij zijn best tevreden te zijn met zijn huidige situatie. Wie weet rook zijn vader precies eender, ondergronds.

Gaat het, jochie?

Prima, zei hij.

Toen de eerste dikke regendruppels als dril tegen de voorruit spatten, trok de moeder hem dicht tegen haar volle boezem aan. Voorlopig was zij alles wat hij had.

Trevor, zei de passagier met de afgebroken tand zonder naar de jongen te kijken. Zijn huid was zacht en strak, maar alles wat aan hem uitstak was ruw en schraal, alsof hij door een afvoerpijp was gekropen om hier te komen.

Dial, zei de moeder.

Trevor bood een stickie aan en de jongen wist nu zeker dat hij door de deur was gegaan die zijn hele leven op hem gewacht had. Hier had zijn grootmoeder altijd over zitten tobben, dat revolutionairen hem weer zouden weghalen.

Ze sneed het onderwerp nooit rechtstreeks aan, dus moest hij stiekem afluisteren – zijn geschiedenis in fluisteringen, vegen, krassen op het glas.

In zijn vaart tilde de storm de auto op als een katje in zijn bek. De chauffeur keek in zijn achteruitkijkspiegel. Waar ga je heen? vroeg hij aan de moeder die al bezig was kaarten uit te delen.

Naar het noorden, antwoordde ze, waardoor de jongen zeker wist dat het niet waar kon zijn. Hij had drie jokers die heel waardevol waren. Hij haalde zijn vinger over zijn keel om haar te laten weten dat hij ging winnen.

De lemmingen gaan naar het zuiden, zei Trevor.

Wat houdt dat in? Ze schikte de stapel overgebleven kaarten, rood op rood.

Een cycloon, zei Trevor. Die Noosa Sound terug de zee in drijft. *Pang! Pang!* Die huizen zullen als krabben over het zand lopen.

Strand, dacht hij. Hij had nog maar drie kaarten. De hand van de moeder werd steeds zwaarder.

Amerikaanse? vroeg Trevor haar. Wat bij ons een cycloon is, noemen jullie een orkaan.

Uno, riep de jongen triomfantelijk.

Ik kan niet lezen of schrijven, liet Trevor weten en keek fronsend naar de kaart. Hoe ver naar het noorden? vroeg hij aan de moeder.

De moeder drukte de jongen tegen zich aan en hij keek weg van Trevors onderzoekende blik. Ik plan nooit vooruit, zei ze.

Ze deelde niet opnieuw uit. In plaats daarvan hield ze de jongen vast terwijl ze door de storm reden en terwijl ze zijn hoofd streelde, fluisterde ze dat ze van hem hield.

Toen hij wakker werd, stond de auto stil. Het regende op zijn benen en de moeder was er niet. Drie openstaande portieren klapperden wild in de wind. Buiten was het donker en de wind kwam binnen, tilde de Uno-kaarten op en kwakte ze tegen de ruiten.

Dial!

Hij was alleen, clandestien, 'aan de haai'. De regen prikte in zijn benen als naalden.

Dial!

Hij trok zichzelf overeind op de bank, zijn blote benen ingetrokken, zijn rug rechtop, zijn handen tot vuisten gebald. Hij was veel te bang om te huilen, maar toen de moeder eindelijk terugkwam, schreeuwde hij naar haar.

Waar was je?

Sst, zei ze en stak haar armen naar hem uit, maar hij keerde zich af van haar knokige, koude handen. In het donker achter haar ranselden en zwiepten de struiken.

Je liet me helemaal alleen!

De weg staat onder water.

Waar is de chauffeur? Hij was bang van zijn eigen stem, zo hard, net die van iemand anders.

Dial was niet bang. Ze wachtte en kneep haar ogen toe, terwijl ze haar doorweekte haren die over zijn gezicht dropen naar achteren streek.

Hij komt terug, zei ze kalmpjes. We komen allemaal terug. Goed?

Goed, zei hij.

Hij keek zwijgend toe terwijl zij in haar grote, volgepropte kaki tas graaide en hij besloot dat hij geen snoep zou aanpakken, zelfs geen chocola.

Wat gaat er nu gebeuren? vroeg hij, maar hij begreep al dat zij het niet wist, niets te bieden had, zelfs geen snoepje, alleen maar een grote blauwe trui die ze om zijn benen wikkelde.

6

Nog niet zo lang geleden zat Dial nog in een mooie kamer in de buurt van Poughkeepsie, New York. Ze droeg bij die gelegenheid een zwarte kasjmier trui met een eenvoudige grijze rok en haar Charles Jourdan-pumps, die al hun eerste dure blaren op haar hiel hadden geproduceerd. Op de vloer van dit bijzonder behaaglijke kantoor lag een Tabriz-tapijt en aan de muur ertegenover hing een schilderij, duidelijk een Roger Fry. Mocht het een raadsel zijn dat de directeur van de vakgroep Engels, wier werkplaats dit was, een zo waardevol kunstwerk bezat, dan duidde de locatie van het kantoor, aan de ingang van de Vassar Universiteit, op een geschiedenis die dit alles zou kunnen verklaren. Dial was weliswaar socialist, maar snob genoeg om dit allemaal zeer indrukwekkend te vinden.

Het was aan het begin van een maandagmiddag halverwege oktober. De rompslomp met de benoemingscommissie, de zogenaamde P & B, was achter de rug. De Pound-specialist, die de eerste keus van de commissie was geweest, was zo aardig geweest naar Yale te gaan, de Austen-professor had zich daartoe laten ompraten, de stekelige decaan had zich laten vermurwen en nu hoefde ze alleen nog maar van deze thee met veel melk te genieten en eventueel het verhaal los te krijgen hoe deze staalblauwe Roger Fry aan deze Amerikaanse muur was beland waar het hem lukte saai en erotisch tegelijk te zijn. In de haard brandde een zacht houtvuur, en Dial keek uit op de gemaaide gazons die ondanks de inspanningen van de tuinmannen – op dat moment waren er drie te zien – bedolven waren onder de warme gemêleerde kleuren van de herfst. Het verschafte Dial een verrukkelijk gevoel van rijkdom, iets wat je nooit overkomt bij een door de overheid onderhouden park.

Zoals de staf de hele dag al had opgemerkt, was de vuurrode oostkustherfst, de 'rode piek', nog maar een weekend weg. Het was een opwindend gevoel dat ze in Dorchester nooit had gekend, waar de vergelende bladeren op de middenbermen aan dood door vergiftiging deden denken en pijnlijke herinneringen opriepen aan te dunne jassen, tocht op enkelhoogte in de gang van haar ouderlijk huis, haar 'studeerkamer'.

Dials gezelschap nestelde zich in haar donkerblauwgroene oorfauteuil en bracht nogmaals de rode piek ter sprake. Dit was Patricia Abercrombie, een Chaucer-specialist van vijftig, plomp, met een bol gezicht en kromme benen en een bleek treurig uiterlijk met diepe verticale lijnen in haar bovenlip. Dial had het idee dat er iets aan haar ontbrak, iets karakteristieks waardoor ze er wazig uitzag, alsof ze onder water zat. En inderdaad, als Dials verbazing die ze toonde over de ophanden zijnde rode piek op dit moment onoprecht was, deed ze dat hoofdzakelijk in de hoop dat – als ze maar genoeg belangstelling, genoeg welwillendheid toonde – ze door het harde pantser van Abercrombie kon breken en op de een of andere manier kon doordringen tot haar zachte merg.

Patricia Abercrombie, al dertig jaar docente aan Vassar en veel scherpzinniger dan ze eruitzag, maakte een einde aan de beleefdheidsfrasen.

Ik geloof, zei ze ten slotte, en trok haar bleekrode wenkbrauwen op terwijl ze haar theekopje oppakte. Ik geloof dat we een gemeenschappelijke vriendin hebben.

O? zei Dial, die iets dergelijks voor onmogelijk hield.

Susan Selkirk, zei de directeur.

Nu was Dial in haar merg getroffen, en niet aangenaam.

Je weet over wie ik het heb?

Ja, ik heb met haar gestudeerd.

Het ontging de directeur allerminst hoe dit bedoeld was: een lafhartige poging tot ontkenning van een vriendschap. Susan was bevriend met onze zoon, zei ze zachtjes. Maar eigenlijk was ze ons weeskind.

O.

Ik denk dat ze vreselijk eenzaam is, zei de directeur.

Vast wel, zei Dial, en hoorde in haar valse medeleven een soort geloei.

Dat is de keerzijde van de medaille, zei de directeur, haar strak aankijkend. Vreselijk treurig en vreselijk eenzaam. Arm kind.

Patricia Abercrombie wendde haar blik af om iets in een hoekje van haar *New York Times* te schrijven. Dial keek totaal verdoofd toe; ze had de gehele sollicitatieprocedure doorlopen in de veronderstelling dat dit aspect van haar leven onbekend was en haar, mocht het aan het licht komen, onmiddellijk gediskwalificeerd zou hebben. Ze keek toe hoe de directeur een klein reepje van de *Times* afscheurde. Dial wist wat het was. Het leek hoogst onwaarschijnlijk, maar toch zou het Susans telefoonnummer zijn.

Aan de andere kant van de wereld zou ze zich de vreemde combinatie van angst en voldoening herinneren die ze ervoer toen ze dat stukje papier aannam. Patricia Abercrombie glímlachte naar haar. Ditmaal zag Dial niet de lijnen op haar lip – maar de glinstering in haar groene ogen. Godallemachtig, dacht ze, wie ben je eigenlijk?

Het stukje papier kwam verder niet ter sprake, en kort daarop liep ze met Patricia Abercrombie over het gras waar ze met haar geheime blaar op haar hiel werd 'overgedragen' aan de zorg van de decaan.

Wat voor akkoord het ook was, er werd op geen enkele

wijze op gezinspeeld. Niet eens een extra handdruk bij het afscheid en pas jaren later, toen ze *Vassar Girls* las, kreeg ze een vaag idee van de ongewone macht waar ze zo terloops mee in aanraking was gekomen.

En wat ga je nu doen? vroeg de decaan haar toen Patricia Abercrombie vertrokken was, er een kopie van haar verzekeringskaart was gemaakt en ze haar verzekeringspolis had gekozen.

Ik geloof dat er om twee uur een trein naar de stad gaat.

Nee, ik bedoel tot het voorjaarssemester.

Ach, zei ze, en op dat moment was ze ijdel genoeg om zich bewust te zijn van haar jeugd, haar schoonheid, haar vooruitzichten. Ach, zei ze, weet u, ik heb geen flauw idee.

Wat een weelde, zei de decaan die voorheen haar grootste obstakel was geweest. Wat heerlijk.

En die namiddag, op het spoorwegstation van Poughkeepsie, haalde Dial, die in werkelijkheid Anna Xenos heette, dat wat ooit de rugtas van haar vader was geweest uit het depot en sleepte hem naar de wc waar ze haar schoenen uitschopte en uittrok wat ze beschouwde als een soort verkleedkleren voor de schone schijn. Op de rand van de wc gezeten pakte ze opnieuw in, zodat haar sollicitatiekleren helemaal onderop lagen. Ze trok een panty aan, een hemdje, niet zozeer voor de warmte als tegen het schuren van de lange Nepalese jurk die gemaakt was van rode en bruine lapjes met spiegeltjes. Naar het sollicitatiegesprek had ze een Harvard-boekentas meegenomen, nonchalant over een schouder op haar rug, precies zoals de Cliffy-meisjes die dat jaar droegen. Nu stopte ze de tas in het vak waarin haar vader ooit zijn patronen vervoerde en, nog steeds zittend op de rand van de wc-pot, trok ze een paar ruimzittende, met bont gevoerde laarzen aan. Zo deed haar blaar minder pijn, en zich met een hand in evenwicht houdend, maakte ze haar haar los en schudde het uit zonder zich erom te bekommeren, ondanks het feit dat ze vaak het tegendeel beweerde, dat ze er daardoor nogal verwilderd uitzag.

Ze stond net op perron 2 toen de trein uit Albany binnenreed en bij het instappen bevond ze zich recht tegenover een telefoon die op haar wachtte. Anders had ze Susan Selkirk misschien nooit gebeld. Maar ze was dronken van het leven, van haar vooruitzichten, en ze was al bij de telefoon nog voordat ze een zitplaats had gezocht ... 215? Philly? Ze wist het niet zeker. Het kostte haar zes kwartjes. Belachelijk. Alsof je naar een rockster belde of een beroemde schrijver die een bekende van je tante was geweest, iets wat je alleen maar deed omdat je het kon, omdat je niet niemand was.

Hoi Susan. Je spreekt met Dial.

Geef je nummer, zei iemand, niet Susan. Dan word je teruggebeld.

Er was ook een nummer. Ze gaf het op, niet ontevreden te zien dat enkele kwartjes terugkwamen.

Ze wachtte op de beroemde boosdoenster alsof ze zelf een rol had in een film, en terwijl ze haar hoofd tegen de ruit liet rusten keek ze hoe de hoogspanningskabels als bladmuziek over de weerspiegeling van haar bijzondere jurk dansten. Ze stond op het punt te praten met Amerika's meest gezochte vrouw. Vanmiddag ging ze naar het MoMA voordat het dichtging. Ze logeerde bij haar vriendin Madeleine op West Fourteenth Street. Dat was alles wat ze van haar toekomst wist. Ze had geen minnaar, geen vader of moeder, geen thuis, behalve Boston dat zich af en toe manifesteerde in haar 'zeien' en 'lijen'. Ze keek hoe de hoogspanningskabels langs de Hudson op en neer bewogen en dacht: onthoud dit moment, hoe mooi en vreemd de wereld is.

Ze zag de weerspiegeling van haar haren in de lucht toen de telefoon ging.

Hallo.

Nou, zei die bekende schrille meisjesstem, als dat niet het 'g'nie' is.

Hoi, zei ze, niet in het minst beledigd door het 'g'nie'. Eerder aangenaam getroffen.

Te gek, riep Susan. Dial was vergeten hoe ze klonk, de schrille toon.

Wat toevállig, zei Susan. Moet je horen, ik ga op vakantie, snap je. Ik zat me juist af te vragen waar jij zou zijn.

Dial zag de conducteur door de trein lopen. De conducteur zag haar. En zij zag Susan Selkirk in *The Boston Globe*, gefotografeerd vanaf het plafond van de Bronxville Chase Manhattan. Met wat misschien wel of geen revolver was in haar hand. Dat was er nou van de SDS geworden. Students for a 'Democratic' Society?

Echt waar, zei Susan. Ik had het juist met mijn moeder over jou. Ik bedoel, eh, daarnet.

Weet je moeder dan nog wie ik ben?

Ze weet eerder wie jij bent dan wie ik ben. Maar moet je horen, ik wilde eigenlijk het joch gedag zeggen.

Welk joch?

Hij was ook jouw joch.

Terwijl ze door Croton-on-Hudson raasden, bloosde Dial, door de telefoon, trok aan haar haren en keek in de ruit naar haar starende gezicht.

De baby, zei Susan Selkirk. Jezus. Ik bedoel mijn zoon.

O.

Bel terug, zei Susan plotseling. Vanavond. Wil je dat voor me doen? Alsjeblieft. Alsjeblieft. Het komt nu niet uit, nu niet.

Ik ga vanavond met Madeleine naar *The Godfather*.

Jij gaat naar *The Gódfather*.

Ja, waarom niet?

Er viel een stilte en Dial haastte zich niet die te vullen.

Inderdaad, zei Susan. Waarom ook niet!

Weer een stilte.

Je moet iets voor me doen, zei Susan ten slotte. Als je het niet voor mij doet, doe het dan voor de Beweging.

Dial was altijd te lijmen. Susan wist dat je haar kon lijmen. Ze liep terug door de trein, zeulend met haar vervaarlijk zware bagage en lachte ongelovig om zichzelf, om Susan Selkirk die nog steeds orders uitdeelde alsof de revolutie een familieonderneming was. Voor de Beweging! Toe maar.

Ze stopte het nummer in haar portemonnee en stelde haar gemoed ontvankelijk voor zaken van hogere orde, de fantastische luxe van vrije tijd, een zonnige herfstdag en de Hudson roerloos als glas. Als Susan Selkirk haar al iets deed, was het slechts om de volheid van haar nieuwe leven te benadrukken die met de dag groter werd – Vassar, MoMA, Manhattan, al haar mogelijkheden voor de toekomst opgeroepen door deze schitterende rit langs de Hudson terwijl de zon op de gouden kliffen scheen.

Tegen de tijd dat de trein bij de 125th Street ondergronds dook was ze Susan Selkirk vergeten. En het was pas 's avonds heel laat, toen ze haar uitgaven narekende en het geld wat ze nog in haar portemonnee overhad telde, dat ze het papiertje vond. Toen ze belde, was dat niet uit diepe vriendschap voor Susan. Maar ze had alle tijd van de wereld, dus maakte ze een afspraak om haar in de buurt van Clark Street in Brooklyn te ontmoeten.

Het was typisch Susan om twee onbekenden te sturen die haar moesten ondervragen en opnieuw was ze te nieuwsgierig om echt beledigd te zijn.

Alles wat ze zich er later van zou herinneren waren hun tanden, lang en groot bij de een, klein en vierkant bij de ander, maar beide monden van de jonge vrouwen zaten vol volmaakt rechte tanden, een duidelijk teken van afkomst dat in tegenspraak was met hun slonzige kleren, die een soort neerslachtig portret waren van de ongelukkige arbeidersklasse. Hun haren waren slordig geknipt met een keukenschaar en ze straalden zo'n moralistisch bewustzijn uit, dat Dial zich in hun aanwezigheid te groot, te knap, te frivool voelde.

Dus jij kent de jongen? Haar zoon?

Vroeger heb ik hem gekend. Toen ik eerstejaars was.

Ze wil haar zoon zien.

Susan?

Wij noemen geen namen. Ja.

Die met de lange tanden was groot en mager. Haar groezelige korte trui was van grijze kasjmier. Ze stak een sigaret op en rookte die met beide handen diep in de zakken van haar tweedehands jas.

Goed, zei Dial. Ze schoot er niets mee op dat ze het bevoorrechte gebit had opgemerkt, de dure trui. Geen van beide dingen deed afbreuk aan de morele autoriteit die ze geleerd had te respecteren. Ze kon nooit links genoeg zijn voor Susan, de SDS, haarzelf. Ze vond de linkse studenten fantasten, maar toch was ze geneigd te geloven dat het waar was dat ze na de revolutie neergeschoten zou worden zoals de maoïsten haar vertelden.

Ze gaat op vakantie, snap je?

Dial begreep dat 'vakantie' een code was voor iets anders, maar ze staarde naar het blonde sliertige haar van het meisje en vroeg zich af of er iets in dat onopgemaakte gezicht, iets onder die zware donkere wenkbrauwen was waardoor er een persoonlijk contact kon ontstaan.

Het is gevaarlijk, zei het meisje en keek achterom naar een miezerige, verwaaide plataan alsof zijn bevende takken misschien een afluisterapparaatje zouden onthullen. De grootmoeder zal hem met jou mee laten gaan.

Mevrouw Selkirk heeft geen idee wie ik ben.

Jawel. Je moet om elf uur bij haar zijn en de jongen om

twaalf uur terugbrengen. Dat is alles. Meer vragen we niet. Jij hebt dan jouw kleine bijdrage geleverd.

Kleine bijdrage, dacht Dial. Arrogante trut. Ken je Phoebe Selkirk eigenlijk? vroeg ze aan de kleine. Heb je haar weleens ontmoet?

Luister nou eens. Susan smeekt het je. Man, ze sméékt het je echt.

Stomme koe, dacht Dial, je noemde haar naam. En sinds wanneer ben ik een 'man'.

Dat zal wel, zei ze.

Weet je waarom de oude dame jou vertrouwt? Wil je dat weten? Of wil je alleen maar sarcastische opmerkingen maken?

Dial haalde haar schouders op. Maar natuurlijk wilde ze het wel weten.

Omdat jij nooit met de *Post* hebt gepraat.

En dat was natuurlijk ook helemaal waar. En niet alleen de *Post*, maar ook de *News*, de *Globe*, zelfs de *Times*. En daarom zou ze oma Selkirk bellen, omdat de oude dame tenminste had opgemerkt dat Dial uit het juiste hout gesneden was, en dat zij, hoewel ze die Upper East-trut van een Phoebe Selkirk niet kon uitstaan, nooit haar vertrouwen zou beschamen. Zo was ze nu eenmaal.

Dial stopte een dubbeltje in het toestel op Brooklyn Heights en op Park Avenue ging de telefoon over. Hallo, zei ze, u spreekt met Anna Xenos.

Ja. Dit wordt opgenomen.

De Selkirks waren als dieren in een dierenpark. Het feit dat ze hen kende was op zich al verbazingwekkend.

Ja. Met Anna. Hallo.

Hebben ze je mijn adres gegeven?

Ik weet waar u woont, mevrouw Selkirk. U moet niet vergeten dat ik voor u gewerkt heb.

Tegen de tijd dat je zo oud bent als ik heeft iedereen voor je gewerkt.

Wat wilt u dat ik doe?

Dat hebben ze je gezegd.

Ja, in grote lijnen, zei Dial en dacht: toe nou, je hoeft niet zo lullig tegen me te doen.

Goed, zei de oude dame. Kun je alsjeblieft morgen om kwart voor elf bij me zijn. Je dient hem binnen een uur terug te brengen.

En dat is het dan? Ze dacht: díent.

Wil je een vergoeding?

Alstublieft, hoort u wat u zegt, zei ze en gaf de telefoon terug aan de zorg der Puriteinen. Het was zo simpel om het niet te doen. Ze stond boven de stoffige snelweg van Brooklyn naar Queens en vroeg zich af waarom ze, terwijl er zoveel fantastische dingen in New York te doen waren, haar tijd op deze manier zou verspillen.

Het ging natuurlijk om de jongen, maar wie wist nog dat ze van mei tot september 1966 belast was geweest met dat spartelende wezentje – de allang genezen gemene oorinfecties, de puntige tandjes die als kwartsscherven van binnenuit aanvielen, de hoge koortsen, koude baden, al die luchtjes van kruidnagel, poep, jasmijnolie die ze combineerde met Johnson & Johnson, zodat hij altijd rook als een zojuist gezalfde prins. Ze geloofde toen dat ze van hem hield.

Je gaat met haar naar Bloomingdale's, zei de lange, die weigerde gezellig mee over de leuning te hangen. Ze wil een cadeau voor Susan kopen. Jij vergezelt haar terwijl ze dat koopt. Dan neem je het cadeau aan en pak je lijn 6 naar Grand Central, daarna de shuttle en vervolgens loop je door de tunnel naar Port Authority. Daar wacht Susan op jullie.

Maar het nummer dat ik heb gebeld was in Philly.

Ja, dat klopt.

Ik kom uit Boston. Ik ken Port Authority niet.

Je loopt gewoon, Dial. Goed? We houden je in de gaten.

Wat Dial voornamelijk dacht was: wacht maar totdat ik dit aan Madeleine vertel. Madeleine was een Joodse uit Long Island met een communistische vader. Bij wie anders kon ze terecht met dit klotegevoel dat in haar borst zwol, haar minachting voor de kasjmier trui, de schuldbewuste overtuiging dat deze vreugdeloze bankrovers aan de goede kant van de oorlog stonden.

Als je het niet voor mij wilt doen, doe het dan voor de Beweging, had Susan Selkirk gezegd.

Steeds trapte ze daar weer in, steeds weer.

7

In de lobby van het Belvedere was er niets dat ze herkende van haar bezoek lang geleden – niet het schreeuwerige schaakbord van marmeren tegels, noch de enorme namaak-Griekse vaas. Dat was in mei 1966 geweest, zes jaar terug, toen ze nog een zwaar Bostons accent had. Vandaag herinnerde ze zich alleen nog aan wat voor teleurstellende zaken het Selkirk-geld was uitgegeven – tuttige banken met bijpassende palissanderhouten bijzettafeltjes. Het was waar dat er aan de muur in de woonkamer een De Kooning had gehangen, maar ze was te zenuwachtig geweest om ernaar te kijken. In grote lijnen wekte het appartement de indruk dat er die hele eeuw geen vernieuwing op meubilair gebied was geweest.

Ze liep van de portier naar de liftbediende en voerde, met haar grote rugtas en grote passen, aan dat ze het volste recht had daar te zijn.

De blik waarmee de liftbediende haar tieten bekeek deed haar denken aan haar vaders donkere ogen van een *displaced person*.

Efcharisto, zei ze.

Tot uw dienst, zei de *displaced person* en verplaatste zijn aandacht naar de lichten.

Toen de lift openging in het appartement werd ze getroffen door en herkende ze de misplaatste geur van verbrande toast. De erg kleine, erg gewone keuken links van de hal was gedeeltelijk zichtbaar. De lucht boven Park Avenue was recht voor haar uit en de zon was op dat tijdstip van de ochtend zo fel dat het even duurde voordat ze het kleine wezen zag, met zijn gloeiende nimbus, als een opgeschrikte vos in een ochtendweide.

Dag, zei ze. Ben jij het?

Tot haar grote verwondering schoot hij op haar af en, niet voorbereid op zes jaar gestage groei, werd ze overrompeld door zijn gewicht, zijn brede borstkas, zijn stevige beendergestel, één bonk nooit eerder getoonde hunkering.

Dat je nog weet wie ik ben, riep ze opgetogen uit, terwijl ze haar rugtas liet afglijden.

De jongen gaf geen antwoord, drukte zich alleen maar tegen haar aan als een prachtig klein diertje en schuurde met zijn kin tegen haar been.

Misschien had Phoebe Selkirk daar al die tijd al gestaan, maar het duurde even voordat Dial haar in de gaten kreeg.

De bezoekster deed een vergeefse poging zich van haar bewonderaar los te maken.

Toe maar – de oude vrouw stak een hand uit – kennelijk hebben we opnieuw de juiste persoon voor deze klus.

Ze was oud geworden en Dial, die dacht haar botten te kunnen voelen, liet prompt de hand los en glimlachte te bereidwillig.

Phoebe Selkirk leek minder zelfverzekerd, maar ze was natuurlijk nog steeds mooi, met haar hoge jukbeenderen en dikke staalgrijze haar dat zo soepel in het ogenschijnlijk simpele model viel – opgeknipt in de nek, en de langere dikke haren over haar misschien te wilskrachtige kaak.

Nu meteen! zei ze en bij dit enkele commando liet de jongen los en rende, zonder achterom naar Dial te kijken, de hal uit.

Dial merkte dat ze stond te vertellen hoe blij ze was dat ze gekomen was en ze realiseerde zich met enige verbazing dat ze volkomen oprecht was.

De jongen verscheen weer vanachter de boekenkast vandaan. De blauwe? Hij glimlachte naar haar.

48

Die met de rits, zei zijn grootmoeder.

Toen hij weer verdwenen was, trok de oude dame een bruine papieren zak tevoorschijn uit de boekenkast en hield die Dial voor.

Pak aan, beval mevrouw Selkirk. Vlug.

In de zak zag Dial boeken, een kaartspel, chocoladerepen.

Vlug. Stop weg.

Dial aarzelde en mevrouw Selkirk knielde voor de rugtas van de bezoekster en gespte hem los.

Ze zal te laat zijn, zei ze terwijl ze wat erin zat opzijduwde. Ze was nooit op tijd. Je zult hem bezig moeten houden.

Dial trok een wenkbrauw op.

Ja, erkende de oude dame het standje. Ik ben een tiran.

Deze goed? riep de jongen.

De spleetjes in zijn grijsfluwelen ogen reflecteerden blauw, teweeggebracht door het Cambridge-blauw van zijn trui.

Wat heb je mooi haar, zei Dial, en vond het vervolgens dwaas dat ze zoiets aardigs had gezegd.

Maar hij stak zijn kin naar haar op alsof hij haar uitnodigde die aan te raken.

Het was geen echte glimlach van de grootmoeder, maar haar lippen krulden en als een grove kam trok ze haar bruine handen door haar haar. Hij heeft jouw haar, dacht Dial. Goede genen. De blauwe trui was eveneens eersteklas kwaliteit, de dikke, enigszins vette Nieuw-Zeelandse textuur, de herinnering aan vele akkers opgeslagen in het breiwerk.

Zullen we dan maar gaan? zei mevrouw Selkirk opgewekt en stak haar hand uit naar de jongen terwijl ze tegelijkertijd zachtjes Dials elleboog aanstootte. Met dit en andere kleine gebaren gaf Phoebe Selkirk blijk Dial goedgezind te zijn, maar in de lift, in de lobby, was het onmiskenbaar duidelijk dat ze het te kwaad had. Het was met een zekere treurigheid dat ze de schouder, het hoofd van de jongen aanraakte, de mouwen van zijn trui bij zijn polsen omsloeg.

De bedoeling is dat deze 'speelafspraak', en bij die woorden rolde ze met haar ogen, van twaalf tot één duurt.

Dat weet ik.

Ze zal wel te laat zijn. Maak je dan niet ongerust.

Ze hebben twaalf uur gezegd.

Geloof me nu maar, ze komt te laat. Zorg dat je om twee uur weer terug bent. Of zelfs halfdrie, dat is ook goed. Ik had liever gewild dat ze hier kwam, weet je. Dat had best gekund. Er zou niets gebeurd zijn. Zeg dat maar tegen haar. Vlug, die lichten springen zo weer op rood.

Dial merkte tot haar verbazing dat ze medeleven wilde tonen, maar ze had het gevoel dat ze daar te lomp, te grof voor was, als een pop van ruwe klei naast iets teers.

Ze had best naar huis kunnen komen, vervolgde mevrouw Selkirk, enigszins buiten adem omdat ze op een holletje Park Avenue was overgestoken. Het personeel zou liever doodgaan dan haar verraden. Ze kennen haar al van toen ze klein was.

Deze veronderstelling leek nogal gedurfd, maar Dial gaf er niet meteen commentaar op. Het is uw dochter, zei ze, blij dat dit van alles kon betekenen.

Helaas, zei mevrouw Selkirk. En ook de dochter van haar vader.

Op Lex had de oude dame de jongen voor de eerste keer Jay genoemd. Het maakte Dial niets uit. Eigenlijk had ze er alle begrip voor. Ze had Che altijd al een belachelijke naam gevonden, een symbool van alles wat mis was met de zogenaamde Beweging. Als je rondloopt met foto's van voorzitter Mao zul je het sowieso helemaal nooit maken. Maar ze wist niet zeker of ze het goed had gehoord. De keer daarop verstond ze Che en toen ze, bij Bloomingdale's, de vraag over de naam stelde, was dat vrij onschuldig bedoeld. Dat soort stekeligheden lokte ze uit. Alsof ze per ongeluk een giftige kwal had aangeraakt.

Dial was niet langer een straatarme beursstudente. Ze hoefde niet alles te pikken. Ze was docent aan Vassar, maar dat kon dat ouwe mens natuurlijk niet weten, net zomin als ze zou bedenken om te vragen wat ze deed. Anna Xenos had zo haar eigen manier om haar ergernis te luchten en ze zou met alle plezier zijn weggelopen, als dit schattige jochie er niet geweest was die vermoedelijk geen behoefte had aan nog meer ellende in zijn leventje. Dial bekeek hem met medelijden, zag hoe zijn hand angstvallig de arm van zijn grootmoeder streelde terwijl dat stomme mens Chanel kocht. Dial kon zich moeilijk een nog perverser of kwaadwilliger cadeau voorstellen – Chanel voor een vrouw die haar kind Che en haar ouders klassenvijanden noemde.

Met het ingepakte cadeautje in haar handen geklemd keek ze Dial recht in de ogen. Even aarzelde ze, keek naar het cadeau en besefte misschien wat ze gedaan had. Toen drukte ze het ruw in de handen van de koerier.

Je denkt toch niet dat ik hem in Bloomingdale's Che noem.

Deze vrouw is gek van verdriet, dacht Dial.

Bij de deur voelde ze een ruk aan haar arm.

Nu, siste Phoebe Selkirk, nu moet je gaan. Als hem ook maar iets overkomt, vermoord ik je.

En daarop pakte Dial de jongen bij zijn hand en zette het op een lopen, hysterisch lachend. Mijn god, dacht ze, terwijl de rugtas tegen haar ruggengraat bonkte. Mijn god, hoe moet het zijn om Susan Selkirk als dochter te hebben, een kind dat voor niets wat jij bezat respect had, zelfs niet voor dit volmaakte jochie met zijn volmaakte jongensbeentjes, afzakkende sokken, geblutste knieën, een dure trui van merinoswol, en het gezicht, het gezicht van de vader, mijn god.

Hij wierp haar vluchtige blikken toe, vol bewondering, glimlachend. Ze bedacht hoe heerlijk het was als iemand van je hield, zij Dial, van wie niemand hield. Ze voelde hoe zij dit jochie in zich opnam, hoe zijn kleine klamme hand oploste in de hare.

Ze liepen buiten adem door de tunnel van Times Square naar Port Authority toen er een medehippie op hen afkwam, glimlachend, lange lokken, badges op zijn spijkerjasje. Hij stak zijn hand op om haar te begroeten.

Was dit een gluiperd?

Toen hij haar hand raakte, voelde zij het stukje papier. Wat belachelijk allemaal.

Was hij van de PL? vroeg de jongen.

Moet je dat horen, zei ze. PL!

Je bent beroemd. Ik weet alles van je.

Nee, helemaal niet. Volgens mij weet je niets meer van mij.

Ze keek naar het kleine mensje. Schattige papegaai. Wat kon hij nou van de PL weten, die stomme maoïsten met hun kasjmier truien, schreeuwende kerels, die dertigseconden-orgasmes.

Ze vouwde het papiertje in haar hand open.

Wat is dat, Dial?

Aanwijzingen, jochie.

Waarvoor?

Ze keek naar zijn gretig opgeheven gezicht en besefte dat hij geen idee had wat er stond te gebeuren. Niemand die hem iets verteld had. Zo ging dat soort mensen nu met hun kinderen om, ze stopten ze hier, sleurden ze daarheen, lieten ze afpakken door rechters en aan grootmoeders overdragen, en nu hield hij haar hand vast. Nou, het was niet haar taak met zijn opvoeding te beginnen. Zij deed wat haar gezegd was, vond uitgang 10. Er vormde zich een rij en door de donkere ruit heen zag ze een bus, en de chauffeur die van verfrommeld aluminiumfolie at.

Wanneer komt de bus? vroeg ze aan niemand in het bijzonder.

Geen idee over wanneer welke bus komt. Dit was een zwarte man, met diepe lijnen in zijn gezicht. Hij was minstens zeventig en in zijn lippen stond duidelijk de moet van zijn trompet.

Waar gaan we heen, Dial?

Deze bus gaat naar *Philly*, jongeman.

Dial liep weg naar de andere kant van de drukke gang en daar gingen zij en de jongen op hun hurken zitten en hielden door het bewegende woud van benen de uitgangen 9, 10 en 11 in de gaten. De rij bij 10 werd langer. Ze wachtte, zoals voorspeld. Ze had zin hem chocola te geven, maar wie wist hoelang ze hier nog moesten blijven. En hij leek volmaakt tevreden, zijn kleine lijfje tegen haar dijbeen gedrukt.

Heb je enig idee waar we op zitten te wachten?

Hij boog zijn hoofd en keek naar zijn schoenen. Ik vind het heel spannend, zei hij.

Ze glimlachte nog steeds toen ze aan het einde van de rij gebogen schouders in een London Fog herkende. Het was het soort jas dat je op Howard Street vond, opgevouwen op het trottoir naast snoertjes en schoenen.

Blijf jij even hier, zei ze tegen de jongen.

De lelijke revolutiezuster stond op haar te wachten en stak haar een enveloppe toe toen ze bij haar was.

Alsjeblieft.

Toen Dial de enveloppe aanpakte, voelde ze de hand van de jongen die aan haar jurk trok. Aan de andere kant van de gang bevond zich haar rugtas, haar portemonnee, haar Vassar-brief, alles zat daarin. Ze greep de jongen bij zijn schouder. Hier blijven, zei ze vinnig. Niet weggaan. Tegen de tijd dat ze terug was, was de lelijke zuster verdwenen en was de jongen boos op haar.

Jay, zei ze, en haar hart bonkte, je mag de tas niet alleen laten. Daar zit mijn portemonnee in.

Je doet me pijn, zei hij.

Verdomme, dacht ze.

Ze keek naar twee retourtjes Philadelphia.

Hou nou even je kop, Jay.

Je noemt me Jay, huilde hij.

Hou je kop. Je moet even niets zeggen.

Je mag niet hou je kop zeggen.

Ze ging verdomme niet naar Philadelphia.

Kom hier. Ze sleurde hem weg van de rij voor het loket naar een smalle gang opzij van de hal. Het stonk er. Stank alsof er iemand woonde.

De jongen sputterde tegen. Ze probeerde te lezen wat er op de kaartjes stond. Ze was zo gespannen dat ze bijna de met potlood in onduidelijke, kinderlijke hand geschreven tekst over het hoofd zag. *Plannen gewijzigd. Mevr. Selkirk wil dat je naar Ph gaat en vanavond terugkomt. Je kosten worden vergoed.* Er stond een telefoonnummer in Philadelphia bij.

Nu moest ze dus naar Philadelphia. Zomaar. Nou, ze konden de pot op. Die rijke stinkerds. Zij ging vanavond uit eten met Madeleine.

De passagiers begonnen in te stappen. Ze keek nogmaals op de kaartjes. Ze zouden niet voor middernacht terug zijn in Port Authority. Dus zo ga je met je kind om, rijke, verwende trut.

Je bent geen baby meer, zei ze tegen de jongen, terwijl ze op haar hurken voor hem ging zitten zodat hij kon zien dat ze het meende. Je moet een grote jongen zijn.

Ik ben pas zeven, zei hij. Zijn lip trilde. En je mag niet hou je kop zeggen.

Goed. Het spijt me.

Want dat hoort niet.

Ja. Je hebt gelijk. Ze stak haar hand uit en hij pakte die.

Wil je me Che noemen? vroeg hij toen ze rechtop stond.

Natuurlijk. Che. Afgesproken. Maar hij aarzelde nog steeds.

Wat is er?

Mag ik jou mama noemen?

8

Australië. Een boom valt om. De auto van de hippie boorde zich in de kruin als een steen die met geweld in een schoen wordt geduwd. Takken kraakten en knapten onder de banden; je kon ze als verbrijzelde botten of splinters onder je blote voeten tegen de bodem voelen opspringen en krassen.

Stop! riep de moeder.

De jongen klampte zich vast aan de voorbank en tuurde over de viesvette schouder van de chauffeur. Bladeren wervelden tegen de voorruit en dropen van de regen, als in een autowasserij. Toen een schok. Hij beet in de stoel en proefde bloed. Hij zag een enorme, gebogen, witte tak, het geraamte zichtbaar door een rok van gebladerte.

Een echte luchtboog, zei de Rabbitoh, degene met het lange zwarte haar.

Verlamd van angst drukte de moeder de jongen tegen zich aan. Hij voelde de zwaarte van de boom, die kreunend op het dak drukte als een boot die tegen een kade lag gemeerd. De lucht bulderde met een keel die al vol was van een luider, harder gedreun. Konden ze nu maar naar huis gaan.

Trevor stak een joint op en toen de vlam tot halverwege opflakkerde, zag de jongen hoe hij zich omdraaide en hem aan zijn moeder aanbood, maar haar armen maakten zich los van zijn borst en ze sloeg ernaar. Nee toch.

Straks word je stoned!

Met de hand waar de vonken van afsprongen sloeg ze tegen de stoel. Even later pakte ze de hand van de jongen en wreef erover alsof ook die in brand was gevlogen. Ze moest oppassen.

Kalmpjes repareerde Trevor zijn beschadigde stickie. De jongen kon niet zien of hij boos was of niet. Hij zei geen woord maar maakte een neuriënd geluid als Jed Schitcher die in de herfst hertenvlees verkocht. De naam van Jed Schitcher stond op de pakjes in oma's vrieskast, maar nu dacht de jongen aan Jeds vildersmes, aan hoe hij door zijn mond ademde, aan de dampende blauwwitte buik die nooit eerder door ogen aanschouwd was.

Ik heb een jochie bij me, zei de moeder.

Hallo jochie, zei Trevor. Je bent tussen de wilde hippies beland, zei Trevor. Wat vind je daarvan, jochie? Zijn stem schoot uit, terwijl hij de rook inhield.

De jongen vond het niet leuk geplaagd te worden.

Er viel een tak op het dak en de moeder slaakte een soort gil.

Regel één, zei Trevor, neem nooit AM's mee.

De jongen wist niet wat AM betekende behalve dat het kennelijk grof bedoeld was tegen zijn moeder of tegen hem.

Je bedoelt zeker alleenstaande moeder? vroeg Dial.

Trevor peuterde tussen zijn tanden.

Breng ons gewoon naar een plek waar we kunnen schuilen.

Dit ís een plek om te schuilen, zei Trevor. Een betere plek dan deze bestaat niet.

Alsjeblieft, zei de moeder. Ik weet dat we je last bezorgen. Dat spijt me.

Ik denk dat je ons naar de stad moet rijden, zei de jongen.

Dit produceerde een enorm gat van stilte in de auto. De jongen wachtte terwijl zijn hart in zijn oren bonkte. Toen werd de motor gestart en Dial kneep heel hard in zijn hand. De auto reed schurend weer terug de weg op. In een ommezien bereikten ze het stadje Yandina waar slechts diepe duisternis was. Overal bladeren en takken, het leek alsof de weg gevild was, vol rimpels als gesmolten tin.

Hier vind je geen plek om te schuilen, jochie, zei Trevor.

Maar toen zagen ze een helder licht branden.

Kijk nou, zei Trevor. Daar is verdomme de ster van Bethlehem.

De Rabbitoh boorde de gele koplampen in de oprit van het Yandina Caravanterrein. Ga je gang als je je kind dood wilt hebben.

Met ons gaat het goed, zei de jongen. Dank u wel.

Hij voelde dat de moeder aarzelde. Toen drong het tot hem door wat zij door de voorruit zag – een oude man en een oude vrouw met blote benen in zwarte regenjassen, arme donders, die bezig waren hun heen en weer schuddende caravan vast te maken aan het waslokaal. De ouwe had spataderen. Hij had ook een lang, blauw nylon koord – gewichtloos, glanzend, slingerend in de harde wind.

Een geel papier sloeg tegen de voorruit en toen het weer wegvloog was er nog een man te zien – rood gezicht, honderdtien volt blauwe ogen, lange witte haren die alle kanten uit stonden in het donker.

De moeder draaide haar raampje naar beneden en de wind sprong naar binnen als een kater, nam bezit van de achterbank en sproeide de binnenkant van de voorruit nat.

Vijf dollar voor jeluitjes, schreeuwde de man. Plaats voor iedereen. Ik heb een mooie schone Globetrotter.

De jongen begon zijn Uno-kaarten bij elkaar te zoeken, maar de moeder trok hem naar buiten voordat hij klaar was. Alstublieft, zei ze tegen de man. Hier heeft u vijf dollar.

Trevor en de Rabbitoh gingen er als hazen vandoor; ze draaiden plotseling om naar de snelweg en het grind prikte pijnlijk tegen zijn blote benen. De jongen en zijn moeder renden naar een stacaravan die stond te schudden op zijn blokken.

Toen viel de generator uit, zoals de jongen zich herinnerde toen hij alleen nog maar bestond in de herinnering van een man.

Onder hypnose op East Seventy-sixth Street zag hij nogmaals hoe de eigenaar met de spookogen twee propaanlichten ontstak die raasden als straalvliegtuigen op een hoogte van 13.000 meter. Op dat moment werd hij herkend, dat wist hij zeker, en hij keek recht terug. Jaren later begreep hij het – hij had gewild dat ze opgepakt werden. Na de hypnose dronk hij een armagnac in het Carlyle en flirtte luchtig met de serveerster. U komt me bekend voor, zei ze.

In een oogwenk klommen ze allebei de ladder op onder het ingedeukte metaal en in het schommelende bed drukte de moeder hem tegen zich aan.

Dit is beter, Dial, zei hij. Hier zijn we veilig.

Ik ben trots op je, zei ze. Je kwam voor ons op.

Gewoonlijk viel hij in slaap met de gedachte aan zijn moeder die hem zou komen bevrijden. Nu was zij bij hem, was hij veilig in de zwoegende boezem van de storm; hij viel in slaap en toen hij omkantelde was het uren later en viel hij weer terug op aarde.

9

De hele nacht hield het gebonk en gebeuk tegen de caravan zo onvoorspelbaar en met zo veel geweld aan, dat het er alle schijn van had dat ze dit echt niet zouden overleven. Dial kon niets anders doen dan de jongen vasthouden, luisteren naar de nasale geluiden die hij in zijn slaap maakte, terwijl haar benen pijn deden van alle angst die ze uit haar omhelzing wist te weren.

Er waren momenten dat het kalmer was, maar bij iedere hervatting leek het geweld nog tomelozer. De caravan werd opgetild en neergekwakt en algauw was de herrie zo oorverdovend dat de materiële wereld elke samenhang verloren leek te hebben en Dial het gevoel had zich vast te klampen aan de assen van een spooktrein. Ze kon niet loslaten, kon het niet laten ophouden. Ze lag verstijfd in bed, fluisterde tegen de jongen – gebeden, gedachten, wensen, dingen die naar zij hoopte als mooie ideeën in zijn slapende hersenen zouden weten door te dringen.

Ze zag geen maan, geen lichtflitsen. Toen ze omsloeg, was dat in een zee van inkt, haar lichaam om het slapende kind heen.

Haar hoofd kraakte. Ze zag sterretjes. Net een stripverhaal, dacht ze.

Alles is in orde, jochie, alles is in orde. Ze was niet buiten bewustzijn; terwijl de caravan voortschoof over de grond voelde ze met haar ruggengraat hoe het plafond over de aarde gleed en over stenen schuurde; zelf bleef ze roerloos, in afwachting van een of andere verschrikking, een mes dat

toestak, een schoffel die tijdens de nacht in een moord-
werktuig was veranderd.

Jochie. Che.

Hij gaf geen antwoord en ze dacht: hij is dood.

Wat is er gebeurd, mam?

Sst, zei ze; zelfs te midden van alle andere angst vervulde
dit woord haar met paniek. Stil maar. Het stormt alleen
maar.

Zijn wij veilig?

Sst, beval ze.

Toen klonk een naamloos geluid, alsof een enorme Mexi-
caanse kraai met zijn vleugels tegen de muren sloeg. Wat
maakt het ook uit wie zijn moeder is, dacht ze. Dit is ons
einde.

Wij zijn veilig, jochie. Nog even en dan is het voorbij.

Toen was hij heel stil.

Che?

Hij sliep.

De dekens waren met hen gevallen en ze wikkelde hem
stevig in, hield haar oor vlak bij zijn mond, zodat ze wist
dat hij nog leefde. Ze probeerde zijn pols te voelen, maar
hij trok geïrriteerd zijn arm los en sliep met zijn neus naar
beneden en zijn billen omhoog.

Misschien was hij in coma – doodslag, dacht ze. Ze werden de lucht in geslingerd en heen en weer geschud, de wie-
len de lucht in, de zachte buik naar de hemel gekeerd totdat
eindelijk het moment aanbrak waarop de beweging niet erger was dan wanneer je in een rubberbootje zit dat te strak
is aangemeerd om mee te kunnen deinen op de golven. Iets
wat scherp en wit was maakte een einde aan haar slaap, een
vlijmscherp licht drong door haar oogleden. Ze opende
haar ogen, zag de donzige donkere vormen en toen de bliksem. Nee, geen bliksem. Acetyleengas, dacht ze. Een red-
dingsploeg. Ze maakte zich voorzichtig los van de jongen,

liet hem liggen met zijn armen wijd uiteen, zijn lippen die nu paarsbruin waren.

Ze zat op het plafond en zag door de bovenste helft van de deur hoe exploderende vonken omhoogspoten in de regen, een elektriciteitskabel als een dansende slang op een Kombi-woonwagen. In vuilniszakken gehulde mensen stonden bij dit op hol geslagen ding terwijl het water aan hun voeten klotste, kronkelende geëlektriseerde wormen midden in een stroom van naar het leek gesmolten plastic.

Dial zocht haar rugtas en besefte toen dat die vlak onder een lek lag. Nou en, dacht ze. Ze leefden allebei nog. Haar sjaal was kletsnat, maar de paspoorten zaten veilig opgeborgen in hun plastic hoesjes. Onderop vond ze enkele papieren, een doorweekt mengelmoesje van dienstregelingen van treinen en aanwijzingen voor Vassar, en ook haar benoemingsbrief. Niets aan de hand. Krijg zo weer een nieuwe, maar toch ging ze met gekruiste benen bij het flikkerende licht zitten, haalde de enveloppe eruit, maakte heel voorzichtig de vier hoeken los, zodat de brief zelf blootlag, doorweekt en beschadigd, maar godzijdank intact. Het was onbelangrijk, maar toch hield ze hem met beide handen vast alsof ze bang was zijn geheime ziel te beschadigen. Voorzichtig legde ze hem op het aluminium plafond dat nu haar vloer was. Vervolgens probeerde ze hem met haar natte sjaal glad te strijken maar toen ze de laatste bobbel wegdrukte, scheurde het papier in tweeën. Verdomme. Ze balde hem in haar vuist samen tot een prop en perste hem uit, wrong het water in haar schoot. Verdomme verdomme verdomme. Die verdomde professor had haar wel Susans telefoonnummer gegeven, maar niemand had gezegd dat ze moest bellen. Ze vond de Selkirks niet eens aardig. Vassar moest haar weer aannemen, klotemensen, klotezooi. Ze besefte niet eens dat ze huilde. Maar de jongen zag het wel.

Gaat het? fluisterde hij.

Ze had geen keus. Het móest gaan. Ze kwam terug naar het bed en hield hem vast.

Huil je, Dial?

Niets aan de hand, jochie. Ik heb niet veel geslapen, dat is alles.

Waarom huil je?

Om niets, jochie, om iets dat heel lang geleden is gebeurd.

10

Wat heel lang geleden was gebeurd was dat ze een volslagen idioot was geweest. Dat was heel lang geleden en nog
maar pas. Ze geloofde mensen, altijd al gedaan – bijvoorbeeld het handschrift op het kaartje. *Plannen gewijzigd.
Mevr. Selkirk verwacht je vanavond terug.* Het ergste was
– ze had het geloofd omdat het zo'n star, saai, fantasieloos
handschrift was geweest. Ze was zo'n snob dat ze de leugen niet eens doorhad. En zo was ze hun instrument geworden, had ze zich laten gebruiken om het kind te ontvoeren.

Hij was een lief kind, in vele opzichten, maar hij was niet
haar kind. En dit was beslist niet haar leven.

In het Greyhoundstation in Philadelphia was het rommelig en vies en ze had hem met grote tegenzin in de wachtkamer achtergelaten. De telefoon was net naast de deur, bij de
wc's, bij de achterdeur naar de pizzeria. Ze wist nog niet
dat ze zich had laten gebruiken. Ze was nog steeds een aardige meid en een snob. Ze belde het nummer in Philadelphia dat op haar kaartje stond geschreven. De lijn was bezet. Toen het muntje terugkwam, kwam er uit de pizzeria
een junkie, heel bleek met eng blond haar en opgezwollen
ogen. Hun blikken ontmoetten elkaar voordat Dial weg-
keek.

Kijk eens, liefje.

De vrouw hield een streng parels omhoog. Ze miste een
nagel. Doe eens een bod, schatje. Ik zal je matsen.

De lijn was bezet. Ze schudde nee tegen de parels. Over
het been van de vrouw liep een rode streep vanaf haar

schoen tot aan haar knie. Ze boog zich over haar portemonnee, pakte vier kwartjes en besefte dat ze verkeerd begrepen werd.

Ze stopte de vier kwartjes in het toestel en luisterde hoe de telefoon op Park Avenue overging. De vrouw stond vlak achter haar. Ze rook oudbakken brood en ontsmettingsmiddel.

De telefoon werd opgenomen.

Hallo.

Een geluid als van rammelende ijsblokjes. Hallo. Het was een man. Op de achtergrond kwam een vrouw tussenbeide.

Met wie spreek ik? vroeg de man, misschien omdat hij moest. Dial hoorde door het donker vanuit Park een drie martini's-lunch overkomen.

Met Anna Xenos.

Anna Zeno, zei de man. Sukkel, dacht ze, toen hij zijn hand over de hoorn legde.

Er was een soort geschuifel, een snelle, hartgrondige vloek. Ze merkte opgelucht op dat de parelvrouw naar de wc-deur was gegaan, waar ze de ketting leek het in een krant wikkelde.

Waar ben je? explodeerde Phoebe Selkirk in haar oor.

In Philadelphia natuurlijk.

Een lange stilte.

Mijn jongen is bij jou.

Natuurlijk.

Weer een lange stilte en toen ze weer sprak had haar stem een andere toon. Wat wil je? vroeg mevrouw Selkirk.

Wat ik wil? vroeg Dial. Ze had moeten zeggen: Zij hebben me een kaartje en een telefoonnummer gegeven. Maar het nummer geeft geen gehoor. Wat moet ik nu doen? Maar ze keek toe hoe een vrouw die er heel vreemd en ziek uitzag, voorbijschuifelde, haar blik op Dial, haar nylon jas raspend schurend langs de muur.

Wat wil je verdomme.

U hoeft niet zo'n toon tegen me aan te slaan, mevrouw Selkirk. Ik ben uw dienstmeid niet meer.

Het was niet de afspraak dat je New York zou verlaten. De afspraak was dat je hem hier zou terugbrengen. Waar ben je nu? Vertel op.

Ik probeer verdomme steeds dat nummer te bellen dat ik heb gekregen. Dat probeer ik de hele tijd. En ik word lastiggevallen door een junk en uw kleinzoon zit alleen, nou goed? Ziezo. En vertelt ú mij nu maar wat ik moet doen.

Het gevolg was een enorme huilbui, iets waarop Dial niet was voorbereid. Opnieuw gekibbel tussen de man en mevrouw Selkirk. Opnieuw de hand over de hoorn.

Hallo, zei hij.

Wilt u alstublieft zo vriendelijk zijn te zeggen wat ik moet doen.

Als je maar weet, juffie, dat wij weten wie je bent en dat dit gesprek is getraceerd.

De vrouw met de parels stond nu te wachten, bij de ingang naar de wachtruimte. Niet naar binnen gaan, dacht Dial, maar ze ging wel, schuifelend, ze had zichzelf niet helemaal onder controle.

Heb je enig idee met wie je te maken hebt, zei de man; zijn slome manier van spreken zorgde ervoor dat hij dom klonk.

Ik bel nog wel, zei Dial.

Ze haastte zich naar de wachtruimte en zag dat de jongen zijn papieren tevoorschijn had gehaald en bezig was ze naast hem op zijn stoel uit te leggen. Boven zijn hoofd werd geluidloos een foto van Susan Selkirk getoond: PHILLY BOMEXPLOSIE. 2 DODEN.

De vrouw met de parels stond naast haar, haar ogen eveneens op de televisie gericht.

Wat is er gebeurd? fluisterde Dial.

Stomme trut heeft zichzelf opgeblazen.

Hier?

Bij Temple. Wat een sukkel.

Wanneer?

Ze schudde haar hoofd, waarmee ze wilde zeggen: Wie zal het zeggen. Ze hield het krantenpakketje voor zich uit alsof ze het met elkaar eens waren geworden. Gehypnotiseerd door haar onheilspellende blik opende Dial haar portemonnee met kleingeld en gaf haar drie biljetten van een dollar.

God zegene je, zei de vrouw en stopte het pakje in Dials hand.

Je hebt een bloedvergiftiging, zei Dial.

De vrouw schrok, vervolgens trok ze, bij wijze van een lach, haar bovenlip op.

Je been, zei Dial.

De vrouw schudde haar hoofd en barstte in een ongecontroleerde lach uit; toen liep ze enigszins wankelend naar buiten de straat op.

Dial vouwde de krant open en was helemaal niet verbaasd te ontdekken dat er niets in zat.

Wie was dat, vroeg de jongen toen ze terugkwam.

Susan Selkirk maakte bommen! Ze wilde dat ik haar kind naar een bommenfabriek bracht.

Ik moet New York bellen, zei ze.

Ze maakte een prop van de krant en wierp die in de prullenbak. Toen ze opkeek zag ze haar jaarboekfoto op de televisie. Ze dacht: ze denken dat ik opgeblazen ben. De jongen was nog steeds bezig zijn papieren te sorteren. Ze pakte een van de papieren op. Wat is dat? vroeg ze en dwong hem ernaar te kijken.

D-a-j-e-l, zei hij, en hield haar kaart op.

Nu stond de foto van de jongen op het scherm.

Weet ik, zei ze. Die papieren van jou zijn echt te gek.

Haar hart bonkte. Haar ogen waren overal, op de kaart, het scherm, de vrouw in de straat die nu naar een man met een koffer liep.

Het nieuws was afgelopen. Ze zei: Ik ben zo terug, jochie. Alles in orde?

Hij keek op. Wat een eigenaardig beheerst wezentje was hij, zoals hij zijn papieren opvouwde zodat de meeste even groot waren als een pakje sigaretten en ze zorgvuldig op elkaar legde. Ja hoor. Hij glimlachte naar haar, hield zijn linkerhand omhoog om haar zijn gespreide vingers te laten zien en zijn elastiekjes. Ik voel me prima, zei hij.

In het Belvedere hadden ze het nieuws gezien, of niet. Ze wisten dat Susan Selkirk dood was, misschien. De telefoon werd opgenomen door een andere man, koeler, duidelijker, met een Brooklyn-accent. Kon de politie zo snel al geweest zijn?

Hallo, ja Anna. Zeg het maar.

Ze had niet eens haar naam gezegd.

Ik kreeg de opdracht naar Philadelphia te gaan, zei ze tegen wie het verder ook was. Ik heb alleen maar gedaan wat de familie me vroeg te doen.

Anna, mevrouw Selkirk had het kind twee uur aan jou toevertrouwd.

Zou een politieman zoiets zeggen? Zou hij niet weten dat zoiets haar zou afschrikken? In gedachten zag ze het buskaartje, het handschrift. Nu drong het tot haar door: Susan had haar gebruikt om het kind te ontvoeren.

Nou, zei de man, en natuurlijk was het een politieagent. Nou Anna, wat denk je nu te doen?

Ik kom terug met de bus, zei ze en dacht aan de cheque met haar studietoelage van de staat Massachusetts – tweeduizend dollar – die in haar tas zat.

Hm-mm. Terug naar de stad. Hoe laat, Anna?

Eh, ik neem de eerstvolgende bus, zei ze. Boven de weg

was een kronkelig rood neonlicht: CHEQUES VERZILVERD.

Je bent nu dus in de buurt van het busstation, zei de man.

Ze zag het schijnsel van het politielicht op de glanzende vloer van de gang.

Tot straks, zei ze. Ze hing op.

En nu? vroeg de jongen toen ze terugkwam. Hij was al bezig zijn elastiekjes om zijn papieren te doen, toen ze voor hem neerhurkte. Was het niet vreemd dat zo'n jong kind zo netjes was? Over zijn schouder heen zag ze de straat. De vrouw met de parels zat op de motorkap van de politieauto.

We gaan naar een hotel, zei ze. Wat zeg je daarvan?

Maar je hebt gezegd dat we naar een vies, rommelig huis zouden gaan, zei hij, maar hij glimlachte weer naar haar, en zijn ogen waren zo open en vol vertrouwen dat ze zin had om te zeggen: Kijk niet zo.

Plannen gewijzigd, zei ze. Ze zei niet: Je mammie heeft ons allebei genaaid.

Toen hij zijn papieren op hun plaats had opgeborgen, nam ze hem mee naar de toiletten, en via de pizzeria naar een andere straat. Ze had geen idee waar ze nu was, maar toen ze voor een hotel stonden, wist ze dat dit het moest zijn. De trap rook zoals de vrouw met de bloedvergiftiging, naar ontsmettingsmiddel en datgene wat het ontsmettingsmiddel geacht werd te verhullen. Ze betaalde met haar eigen geld. Ze nam de sleutel die vastzat aan een enorme ring en liep met hem door de gang langs genummerde deuren, en achter elke deur, zo stelde ze zich voor, zat een smerig of zielig persoon.

Er waren geen schaduwen in hun kamer.

Waar ga je nu heen? vroeg hij en ze drukte hem te hard tegen zich aan en vervolgens deed ze alsof er niets aan de hand was en zocht in haar tas naar het geld uit Massachusetts. Het enige wat ze wist was dat ze in de problemen zat. Ze was erin geluisd. De enige getuige die haar had kunnen redden had zich, slordig als ze was, zojuist van kant gemaakt. Slonsje noemde Dial haar altijd al, achter haar rug natuurlijk. Slonsje liet vette vingers achter op de toonbanken in Somerville. Ze kon nog geen bed opmaken, laat staan een revolutie organiseren.

Het speet haar dat ze de jongen moest achterlaten. Ze gaf hem een kus en sloot de deur achter zich. Ze was de Alice May Twitchell-docent. Ze doceerde aan Vassar. Het kon dus niet waar zijn, dat ze als schijnbaar voortvluchtige wegholde uit een naargeestige lobby in Philadelphia.

11

Samen in een caravan, met haar Harvard-boekentas tussen hen in geklemd, waren de moeder en de jongen op drift; de jongen deed alsof de schuimende regen gewoon opspritsend water was van boten op het Kenozameer, in zijn gezicht en over zijn voeten, en de moeder was een warme wolk en hij klampte zich aan haar vast, zijn lippen tegen haar arm, wat er ook gebeurde. Hij sliep en toen hij wakker werd was het licht net zo grijs als de mist boven de East River en de caravan schokte nog wat na, maar deinde niet meer heen en weer. Naast hem druppelde water en vormde een plas in de lichtgroene dekenberg.

Hoe was het mogelijk dat hij zich gelukkig had gevoeld? Dat was bijna in alle opzichten onmogelijk. Hij was weggerukt van zijn basis, de lucht in gegooid. En toch herinnerde hij zich jaren later, heel levendig, een korte periode van diepe rust.

De deur zat in het plafond en keek uit op een bleekgrijze hemel. De angst was van hem af gewassen, hij was weer helemaal de oude.

Toen kraaide een haan. En vervolgens probeerde iemand een kettingzaag aan de praat te krijgen. En daarna kwam er een jong katje, en het katje was absoluut niet rustig.

Eerst herkende de jongen het niet eens als een schepsel met een hart, maar leek het iets mechanisch, van metaal, van plastic, met een krassend geluid dat hij eerst moest zien voordat hij wist wat het was, een piepklein ribbenkastje met het vel van een verzopen kat en wilde, groene ogen en het kwam langs de bovenkant van de keukenkast waarop hij en Dial lagen en de jongen zag hoe bang het was en maakte zelf een snorrend geluid en deed zijn mond open, o.

Arm poesje, hoe kom jij hier nu verzeild?

Hij trok zijn T-shirt uit en wikkelde het om het katje – het vragende roze bekje, de beschuldigende groene ogen, de met wraak dreigende scherpe tandjes.

Dial gaf haar vest om de kat in te vervoeren, grijs met blauwe strepen, één zak groot genoeg voor een boek, de andere voor een kat. Zo droeg de jongen hem door de omgekeerde deur met de ruit in het onderste paneel. Zie je dat? Gehavende bomen waren totaal ontbladerd, een elektriciteitskabel was gevallen, gele vonken spoten omhoog in de regen. De brave burgers deden eigenlijk niets anders dan met hun armen over elkaar staan voor de kolkende bruine rivier die nu langs de wc's klotste.

Hij boft dat hij ons heeft gevonden, Dial.

Wie?

Buck.

Buck?

Dial zou het nooit weten, maar de jongen had de kat bijna Kipling genoemd, ter ere van de Kat Die Zijn Gangetje Ging, ter ere van oma, ter ere van het rood met gouden boek op de bovenverdieping, ter ere van de geur van honderd jaar oud papier. Maar in plaats daarvan noemde hij hem Buck, ter ere van de hond in het boek van Jack London – Hij was plotseling midden uit de beschaving weggerukt en midden in de oertijd geslingerd.

Wat is oertijd, Dial.

Ze beet op haar lip. Je bent een rare, zei ze. Oertijd.

Maar wat is het.

Wilde dingen, had ze gezegd, de wet van de wildernis.

Die naam past bij hem, zei hij.

12

Haar leven lang zou Anna Xenos zich dat moment herinneren, aan de telefoon op het Greyhoundstation, toen ze alles nog had kunnen uitleggen aan degene met wie ze sprak, wie dat ook mocht zijn. Maar elke keer van de ontelbare keren dat ze die weg insloeg, kwam ze uit op hetzelfde punt waar helemaal geen weg was – ze verongelukte en vloog in brand nog voor Philly, op Vassar, in het bureau van de directeur, toen ze zich het hoofd op hol had laten brengen vanwege het feit dat ze Susan Selkirk kende, toen ze het telefoonnummer aannam, toen ze neerkeek op de werklui en de herfstbladeren en dacht dat ze erbij hoorde. Dat was de zwakke plek die haar fataal was geworden en die was net zo diep als de ontstoken snee in de hiel van haar voet, een gemeen kloofje dat helemaal doorging tot op het bot. Toen ze Susan Selkirk belde, toonde ze zich een ware dochter van haar moeder, die thuiskwam met het tafelzilver van haar werkgever en er trots op was beroemde mensen te kennen.

Hoi g'nie, had Susan Selkirk gezegd, de arrogante trut.

Hoe voelt dat?

Volslagen onbekend, blootsvoets midden op een verlaten autoweg in de richting van Yandina, in Queensland, Australië, aan één hand een rijkeluiskind en in haar zak een stomme kat en al haar wereldse bezittingen binnen handbereik. Het asfalt was verlaten, bezaaid met bladeren en takjes, enkele grote takken, maar voornamelijk glad en eigenaardig soppend in de regen. Als er al een uitweg was, zag ze die niet en opnieuw had ze er spijt van dat ze hem niet had achtergelaten in die hotelkamer. In de ogen van dierenliefhebbers en romantici misschien wreed, maar hij zou zo onderhand wel bij zijn grootmoeder zijn geweest, veilig in bed aan de andere kant van de wereld.

Zij kwam uit Boston-Zuid. Dit stadje leek in niets op wat ze kende. Nergens een buurtwinkel of broodjeszaak te bekennen, alleen maar een popperig postkantoor, kleine gewone huisjes met schuttingen en afbladderende verf. Er was een kroeg die leek op de visserskroegen langs de Delaware in Callicoon, ramen met glurende rednecks, vuil glas als schild tegen halvegaren met hun hitsige praatjes.

Dial, kijk eens.

De jongen had een volle fles melk gevonden en was al bezig met zijn vieze nagel de aluminium dop eraf te peuteren.

Niet doen.

Ze griste de fles uit zijn handen. Haar hart sloeg over, plotseling doodsbang een overtreding te begaan.

Waar heb je die vandaan?

Van de stoep.

Jochie, zei ze, het wemelt hier van de rednecks. Snap je? We stelen niet, want we willen niet gearresteerd worden.

Hij keek haar aan, boos en beschuldigend.

We kunnen enórm in de problemen komen, vervolgde ze.

Omdat we melk drinken? Hij had het lef zijn wenkbrauwen op te trekken.

Ja, omdat we verdomme melk drinken. Zíj wilde geen moeder worden. Haar leven lang had ze de Ierse meisjes voor ogen gehad, elk seizoen een nieuwe oogst, buiken die uit hun jeans barstten.

Je mag niet schreeuwen, zei hij.

Toe nou! Ze zette de betreffende fles terug op de betreffende verweerde stoep en zonder haar hand naar hem uit te steken, stak ze schuin de verlaten straat over naar het postkantoor, een houten gebouwtje met een verhoogd, witgeschilderd portaal. Hij kwam achter haar aan gerend en ze genoot op een belachelijke en primitieve manier van haar overwinning.

Zullen we dan kattenvoer kopen, Dial?

Ondanks zichzelf moest ze lachen en ze kuste hem.

Nee, zei hij. Heus. Alsof hij een dergelijke intimiteit niet kon accepteren. Ja? vroeg hij.

Ze trok een wenkbrauw op.

Er was niemand te zien op een vreemd uitgedoste, waggelende vrouw na; ze kwam uit de straat waar de bar was, maar dat was bijna honderd meter verderop.

Buck heeft honger, zei de jongen, maar Dial, die haar contactlenzen niet in had, probeerde erachter te komen wat ze zag, en dat was zeker geen vrouw. Kon best de hippie zijn. De rok was een sarong. Zijn vreemde borsten ontpopten zich algauw als om zijn nek hangende broekspijpen die volgestopt waren als worsten. Ze had Trevor nog nooit eerder zien lopen, maar zo liep hij dus – een soort heteroseksueel heupwiegen.

Dial trok haar vest uit en gaf het aan de jongen terwijl het katje luid protesterend heen en weer werd geschommeld.

Vertroetel hem maar totdat we eten voor hem hebben gevonden.

Ze zag Trevor hun kant uit komen. Ze dacht: mijn oksels stinken.

Waar kom jij vandaan? vroeg ze.

Ze waren niet vriendschappelijk uit elkaar gegaan, vanochtend leek dat echter vergeten te zijn. Hij antwoordde met een glimlach, tersluiks, zoals je pruimtabak kauwt, opzij weggestopt in zijn mond.

Hallo knul, zei de hippie en trok de uitpuilende broek van zijn nek af. Hallo poes.

Weg uit die vreselijke auto zag hij er anders uit, zijn ogen groter, waarschijnlijk minder stoned, en hij straalde een opmerkelijke goede gezondheid uit. De regendruppels lagen op zijn naakte bruine huid zoals op een mooie oliejas of gezond fruit. Uit de losgeknoopte broekspijp haalde hij een papaja tevoorschijn, een handvol banaantjes waarvan de steeltjes een bleek wit vocht uitzweetten, een enorme groene courgette, nog een papaja, deze had een heldergroene vlek, en een paarse aubergine; elk exemplaar was nat en glimmend.

Én, zei hij.

Een fles melk.

De jongen keek Dial aan en zij wreef ruw over zijn hoofd als om te kennen te geven dat hij deze ronde gewonnen had. Met een zeker genoegen zag ze hoe hij toekeek hoe Trevor de zilveren dop eraf haalde. Hij hield oplettend zijn hoofd schuin terwijl de hippie zijn vierkante vingertop in de melk doopte en deze aanbood aan het geopende, scherp getande bekje van het katje.

Geef je hand eens, zei hij tegen de jongen met dat muzikale accent dat ze hier hadden. Ze keek goedkeurend toe hoe hij de vinger van de jongen in de dikke romige melk doopte en het naar het radeloze tongetje van de kat bracht. Op dat moment vond ze hem aardig, aardiger dan ze voor mogelijk had gehouden.

Trevor ging hen voor op de treden naar het portaal. Hij was niet groot, zelfs vijf centimeter kleiner dan Dial, maar tot haar opluchting zag ze dat hij onmiskenbaar fysiek gezag uitstraalde toen hij op zijn hurken ging zitten en de melk rechtstreeks in zijn tot kom gevormde hand goot.

Onze caravan is omgeslagen, zei de jongen.

Als ik het niet had gedacht, zei hij. Was te verwachten.

Trevor hupte naar zijn broek, haalde er een zakmes met houten handvat uit en draaide het lemmet om in de papaja die zich opende als een boek – kleurplaat *Carica Papaya*. Met een snelle beweging schepte Trevor de zwarte zaden eruit en liet ze in zijn vuist druipen.

Ik heb mijn arm bezeerd, zei de jongen. Ik ben uit bed gevallen.

Eten, commandeerde de man.

Trevor wierp de zaden over de balustrade.

Gewoon je tanden erin zetten, zei hij tegen de jongen en gaf de andere helft aan Dial. Hij keek haar niet aan, maar toen zij de druipende vrucht aannam, ervoer ze een zekere dubbelzinnigheid die haar helemaal niet aanstond en haar deed aarzelen. Tegelijkertijd besefte ze echter dat ze zat te denken aan haar uiterlijk, dat haar haren vet waren en tegen haar hoofd plakten. Ik heb een enorme neus, dacht ze voordat ze die in de papaja duwde. Maar toen die op was, was er niets meer, geen plan, geen strategie, en toen de postbeambte arriveerde om het postkantoor te openen, zag ze hoe deze haar geringschattend opnam, haar gezicht dat nat was van de papaja, haar grote Griekse neus die in de lucht stak.

13

De jongen at zes banaantjes, misschien zelfs acht, en zijn buik stond bol als een trommel. Bij de onderste trede was een kraan en toen hij zijn handen waste, zag hij de zwarte zaden glimmen in de modder. Hij pakte ze op, waste ze en legde ze op het betonnen trottoir. Toen hij er tien had, draaide hij ze om zodat ook de onderkant kon drogen en vervolgens stopte hij ze in zijn achterzak bij zijn spullen. Ook waren er enge beestjes met een heleboel pootjes.

Terug in het portaal goot hij meer melk uit voor Buck, die eraan snuffelde maar vervolgens wegliep omdat hij de zoom van Dials lange hippiejurk interessanter vond. In het Best Western in Seattle had de jongen gezien hoe Dial die zoom naaide, paars met blauwgroen wasgaren. Dat was de periode na Bloomingdale's, maar ze waren inmiddels al begonnen aan *White Fang*. Hij had nu een paspoort. Zijn haar was heel kortgeknipt en geverfd en hij geloofde dat zijn moeders zoom het belangrijkste was, niet alleen voor haar maar ook voor hem. Bij de douane dacht hij de inhoud te horen ritselen. Hoogstwaarschijnlijk was het voor volwassenen niet hoorbaar, maar Buck hoorde zeker wel iets, misschien zoiets als een stapel knisperende kaarten die werden uitgedeeld, of twee groene blaadjes die tegen elkaar werden gewreven. Zijn grijsgestreepte oren spitsten zich. Hij tripte voorzichtig over de vloer van het portaal van het postkantoor. Hij haalde eenmaal uit naar de zoom, maar Dials hand zwiepte omlaag als Gods hand uit de hemel en bedreigde in een cirkelende beweging zijn troetelbestaan en zijn lijfje.

Buck pieste. De jongen gaf hem melk om hem te laten weten dat hij toch wel van hem hield, maar de kat hield zijn kop schuin omhoog en keek toe hoe het wegdroop.

Buck. Buck. Buck. Hij probeerde hem te pakken. Buck maakte een schijnbeweging naar links en sprong toen naar de zoom.

Nu greep Dial hem en Buck krijste. Dial maakte zijn nagels los en hield hem op voor de jongen; die stopte het tegenspartelende diertje in het vest en maakte een losse knoop.

Ga een eindje met hem lopen.

Hij liep met Buck de treden af, liet hem de zaden zien en waste er twee voor hem. Hij leerde hem tellen. Buck probeerde de beestjes te pakken, raakte de kluts kwijt en liep de treden weer op; de jongen waste nog een paar zaden en legde ze op een rijtje, ongeveer dertig, voordat hem weer werd opgedragen Buck weg te halen.

Waar moet ik dan naartoe?

Wat hij bedoelde was: ik wil bij jou blijven.

Er is een heel interessant oorlogsmonument, zei Trevor.

Ik vermaak me hier best, zei de jongen.

Ga nou maar, riep Dial.

Hij stopte Buck in het vest en hing het vest om zijn nek. Helemaal aan het einde van de straat, voor de Wild West kroeg, zag hij een eenzaam standbeeld omringd door hoog groen gras. In de oude kapel bij de 116th Street had hij witte marmeren platen gezien met de namen van de studenten van de Columbia Universiteit die in de Burgeroorlog waren omgekomen. Zijn grootmoeder nam hem daar naartoe. Deze kinderen willen weer een burgeroorlog, had ze gezegd.

Ze doelde op zijn vader en moeder. Hij was oud genoeg om te weten dat ze dat soort dingen eigenlijk niet tegen hem moest zeggen.

Ze denken dat ze onsterfelijk zijn, zei ze en in haar stem klonk een hapering, een soort opwinding die ze voor dit soort zaken bewaarde. Zij wist niet hoe vreselijk dat voelde. Zij wist niet dat hij 's nachts luisterde naar haar ademhaling.

Weet ik, zei hij – opdat zij ophield bohemien te zijn, opdat zij haar mond hield.

Toen de jongen de treden van het postkantoor af liep, moest hij over de Rabbitoh heen stappen die zijn lange bruine benen introk.

De hemel was grijs, dik en nevelig. Damp steeg op van het asfalt. Aangekomen bij het gedenkteken zag hij een kleine, bronskleurige hagedis over de blinde ogen van de soldaat lopen.

Gele lichten die flitsten als van een politieauto naderden – een vrachtwagen. De chauffeur keek naar hem en stak vanaf het stuur een vinger op. Het was een lokale groet, maar de jongen kende dit teken niet. Hij was niet bang, maar toch haastte hij zich terug naar het postkantoor waar Buck ontsnapte en op de balustrade sprong. Hij was ongeveer twintig centimeter groot, een en al roze bekje en opstaande haren.

Dial lachte hem toe en Buck sprong in de lucht. Zijn weerhaakachtige klauwtjes vonden de heerlijke paarse zoom en toen Dial overeind sprong, hing hij daar nog steeds. Niemand die bedacht dat hij zich geen raad wist. Trevor leunde achterover op een elleboog, maar hij hoefde zijn hand niet ver uit te steken om die om het van melk verzadigde middeltje te leggen. Hij gaf een ruk en Buck gilde.

Laat los, stom beest.

De klauwen bleven haken. Trevor trok harder. De jurk scheurde en braakte in de grijze orkaanlucht een stroom groene biljetten van honderd dollar uit.

De moeder liet haar spikkelogen snel over de straat gaan

en richtte ze toen op de donkere openstaande deur van het postkantoor. Met haar lange rechte tenen raapte ze een biljet op.

Trevor ging op zijn knieën zitten; hij maakte de klauwen los van de gescheurde zoom en gaf de kat aan de jongen.

Opdonderen, zei hij.

De keel van de jongen was droog. Hij ging dichter bij Dial staan, naast haar, en toen achter haar.

De Rabbitoh kwam naar voren als een hurkende aap in een dans terwijl hij met zijn grote handen de gevallen biljetten opraapte; hij maakte er een stapeltje van en wapperde daarmee terwijl hij dichterbij kwam.

Niets om je druk over te maken, zei hij. Alles in orde. Zonder iets te zeggen gaf hij zijn buit aan de moeder. Met een hand beschermde ze wat er nog in het gehavende fluweel zat.

Als je ons kende, zei Trevor, zou je niet zo kijken.

Hoe kijk ik dan? vroeg de moeder.

Alsof je zojuist in je broek hebt gescheten, zei Trevor.

Dial gooide haar hoofd achterover en haar lach was volslagen fout, net als die van een dikzak op zijn eerste schooldag.

Haar gezicht kon de jongen niet zien, wel de schittering in de ogen van beide mannen.

14

Trevor trok zijn broek aan maar verloor de moeder geen ogenblik uit het oog.

Ga mee een eindje lopen, zei hij.

Dial verroerde zich niet.

Voor een babbeltje, drong Trevor aan; zijn linkermondhoek opende zich.

De jongen zag alles; zijn keel was kurkdroog.

De moeder hield de gescheurde zoom vast om aan te geven dat de honderddollarbiljetten eruit zouden vallen als ze opstond. Van dit geld hing hun leven af; dat had ze hem duidelijk te verstaan gegeven toen ze het kregen van de vrienden van zijn vader. Met geld kon je de smerissen betalen, een kamer met bad nemen, een echt hotel. Als iemand het je lastig maakte, dan gaf je hem iets dat opgevouwen was. Net zoals opa de conciërge betaalde, de huisbewaarder, Eduardo, elke Kerstmis een enveloppe. Denk je dat ze je echt aardig vinden?

Lopen gaat niet, opperde Trevor.

Uh-uh. Dials wangen waren kauwgumroze.

Geef hem het geld toch, dacht de jongen. Zorg dat hij weggaat. Hadden ze zijn vader maar gevonden in Sydney, maar het kraakpand waar ze geweest waren zat vol junks die nooit van hem gehoord hadden. Kwam zijn vader maar de straat in rijden, nu, meteen.

Trevor riep: Hé Rabbitoh.

Jean Rabiteau was weer op de treden van het postkantoor gaan zitten en maakte zijn nagels schoon met een zilveren zakmes. Het mes zag er scherp uit. Hij besteedde verontrustend veel aandacht aan zo'n simpel karweitje.

Wil je de wagen gaan halen, maat?

De Rabbitoh rekte zich uit. Toen hij rechtop stond, nam hij zijn hoed af, schudde zijn glanzende zwarte haren uit zijn ogen. Hij zette de hoed weer op, met de rand omlaag, zodat zijn gedachten niet te zien waren. Toen liep hij weg naar de Wild West-kroeg, zonder haast, maar met lange blootsvoetse passen.

John en ik, zei Trevor, kunnen voor jouw spullen zorgen.

Geef hem het geld toch, dacht de jongen. Zorg dat ze weggaan.

Wij zijn tenminste met ons tweeën, zei Trevor.

Dial lachte, maar haar hand was klam en glibberig.

Trevor trok een bleke wenkbrauw op en toonde een oud, in het midden geknikt litteken.

Het verplicht je tot niets, zei hij ten slotte. Hij wachtte en keek toe hoe de zon over de prachtige lange benen van de moeder gleed. We kunnen je naar de bank in Nambour rijden, zei hij. De grote stad met de suikerfabriek.

Het was een afschuwelijke stad; de jongen had de dreigende zwarte schoorstenen gezien, de vrachtwagens met suikerriet die door het onweer reden, een enge droom aan de donkere zijde van de wereld.

Nambour, zei Trevor. Daar was je gisteren.

Terwijl hij sprak, reed de Ford voor, en de banden schuurden langs de stoeprand. De elleboog van de Rabbitoh stak uit het raampje, maar wat de jongen het meest opviel was een snelle zilveren flits in zijn verborgen hand.

Je kunt teruggaan naar Nambour, zei Trevor. Als je dat liever wilt, schat, zetten we je daar meteen af.

De moeder keek over haar schouder naar de treurig kijkende postbeambte die de post sorteerde. Kunnen we dit niet ergens op een wat minder openbare plek bespreken? zei ze.

De jongen was liever onder het wakend oog van de post-beambte gebleven, maar Trevor pakte de moeder bij haar hand en nam haar mee, de treden af. Ze hield de zoom omhoog als een bruidsmeisje op de bruiloft van zijn neef Branford.

Op de vloer van de auto stond een laagje smerig zwart regenwater. De jongen hield Buck in zijn wollen zak. Het stel, kat en jongen, keek samen omlaag toen het water opspatte en klotste. Toen de auto op de snelweg harder ging rijden, dreven er vijf doorweekte Uno-kaarten onder de voorbank vandaan. Buck stribbelde tegen en werd toen rustig.

Trevors arm lag als een wurgslang over de bovenkant van zijn stoel. Ze verlieten de snelweg, passeerden vijf kleine huisjes. Toen hield het asfalt op en Trevor draaide zich om en keek naar Dial die haar voeten had weggestopt onder haar hibiscusrok.

Je kunt de zoom best repareren, zei hij. Heb je een naald?

Dial keek hem net zolang aan totdat hij zijn ogen neersloeg.

Ja?

Dial gaf geen krimp.

Je kunt ook uitstappen, zei Trevor ineens. Hij wendde zich af. Wat kan het mij ook verdommen, zei hij. Maar het verdomde hem wel, want hij draaide zich opnieuw om. Als je naar de bank in Nambour gaat, zei hij, bellen ze de politie al voordat je de deur uit bent. Jezus, gebruik je verstand toch eens.

De maag van de jongen smaakte als de binnenkant van een tonijnblikje.

Toe, zei Trevor en liet zijn onregelmatige tanden zien, je hebt geen flauw idee waar je bent en wie ik ben, dus doe verdomme niet zo uit de hoogte. Je bent Amerikaanse. Je hebt géén idee.

84

De auto minderde vaart en stond stil. Niemand zei iets. Toen hadden ze moeten uitstappen.

Het spijt me, zei Dial.

Als antwoord reed de auto langzaam tussen de junglemuren door en de Uno-kaarten verdwenen onder de bank en nu kwamen er maar drie terug, twee rode en een gele.

Wat gebeurt er? vroeg de jongen. Maar niemand die nog naar hem luisterde.

De auto verliet de onverharde weg voor iets wat nog erger was, een soort karrenspoor over een bergrug waarin banden diepe groeven hadden achtergelaten.

De moeder greep de bovenkant van de voorbank. Wat zijn jullie van plan?

Dial, geef ze toch gewoon geld, dacht de jongen.

Klaaglijk mauwend wrong Buck zich in bochten. Trevor zei dat hij zijn kop moest houden. De auto botste tegen de zijkant van de weg en een acacia stak door het open raam aan Dials kant naar binnen en liet een lange bloedstreep achter van haar oog tot haar mond. Zigzaggend gingen ze de heuvel af over een lange glimmende gele streep modder – steil naar beneden, misselijkmakend glibberig, terwijl John aan het nutteloze stuur draaide en de jongen nu braaksel in zijn keel proefde.

Nog een laatste schok en toen knalde er iets zwaars tegen de metalen bodem. Ze kwamen tot stilstand op een vlak gedeelte waar mensen een rondje hadden gereden.

Waar zijn we? vroeg de moeder.

Bij de bank, zei Trevor.

Misschien hoefde hij toch niet over te geven, dacht de jongen. Hij hoorde kraaien, zag uitgebrande auto's, veel desolaat uitziende houtskool, gedoofde vuren.

Wij laten je even alleen zodat je kunt tellen, zei Trevor.

De buik van de jongen was een voetbal vol bedorven lucht. Hij bleef bij de moeder toen ze het geld uit de zoom trok.

Ga je het hun geven?

Wat denk je dan?

Maar wij dan?

Ze sloeg haar armen om hem heen en gaf hem een kus in zijn nek. Hij had een wee gevoel in zijn buik en maakte zich los.

Hier heb ik geen tijd voor, zei ze.

Kort daarop gaf ze de hippies het geld. Eerst legde ze het op de motorkap. Trevor telde. Toen John. Het was achttienduizend en één honderd Amerikaanse dollar.

Ik moet overgeven, zei de jongen.

Goed, zei Dial. Waar is de kluis eigenlijk?

Trevor knikte naar achteren, in de richting van het bos.

Is het ver lopen?

Laat dat maar aan mij over, zei Trevor. De jongen keek toe hoe hij zich tussen de jonge boompjes begaf, geen heupen, geen kont in zijn pyjamabroek. Toen ging hij erachteraan, en terwijl hij rende, draaide zijn maag zich om.

15

Hij braakte in de *lantana*-struiken en over zijn voeten. Hij hield het katje opzij en gaf over langs een soort pad – omgehakte stammen, afgesneden takken, banaan en papaja. De bramen werden bedolven door spul uit zijn maag, spul dat hij niet eens gegeten had.

Hij had niets om zich mee schoon te vegen behalve het vest. Hij spuugde. Een brede pas voorbij de braamstruiken was volledig begroeid met varens die op visgraten leken. Hiervan plukte hij er een paar om zichzelf zo goed als hij kon schoon te maken.

Braken was smerig, beschamend, had te maken met wat hij voelde bij doorweekte Uno-kaarten en zaden. Hij zei tegen de kat dat hij het erg vond van de stank. Hier stonden de bomen ver uit elkaar. Over hun grijze bast liepen kronkelige ribbels. Hoog in hun kakikleurige koepel van gebladerte zaten verschillende vogels, maar er was nog een geluid, van water, of misschien wind.

Hij aaide het magere kopje van het katje, maar zelfs zijn vingertoppen leken vuil en vies. Hij hoorde een rivier, of misschien was het de wind hoog in de bomen, of een combinatie van beide.

Hij rook damp. Damp was iets wat hij kende. Esdoornbossen in de zomer, dingen die vergingen, zwarte modder. Hij liep een klein stukje verder langs de linkerkant van de pas. Dit moest de grillige rode oever van een rivier zijn. Op de grond lag een grote boom, zijn wortels, aangekoekt met modder en steentjes, naakt in de lucht als uitgedroogde ingewanden. De stam die een brug vormde tussen de hoge en de lage oever was bijna even breed als een man lang is en algauw vond hij een plekje, vlak onder de omgewoelde aarde, waarvandaan je op zijn brede rug kon springen, de rug van een olifant of een glibberige zeehond en terwijl het katje nu zachtjes mauwde liep hij eroverheen naar waar het versplinterde en gespleten hout zich in de aarde boorde. De damplucht was zwaar van rotting.

Stalen scharen boorden zich in zijn huid.

Hij gilde.

Hij sprong op de mulle aarde en bezeerde zijn voet. Hij liet de kat los en scheurde zijn hemd open.

Sta stil, zei Trevor, die uit het niets opdook, een gemeen aardvarken, volledig naakt, bedekt met modder en aarde. Sta stil.

De jongen gilde het uit van angst.

Trevor trok het hemd van de jongen over zijn hoofd uit. De pijn hield maar aan, zonder oorzaak.

Hebbes, zei Trevor.

In zijn hand hield hij een glimmende mier, vijf centimeter lang, een gemeen, nijdig, zwart, zieltogend Australisch iets met een plastic schild.

Een buldogmier, zei hij.

De jongen stond verstijfd, stinkend naar braaksel, beschaamd, nog steeds met een stekende pijn, terwijl Trevor door het brede hoge gras naar Buck liep die iets stond te drinken. Trevor vond ook water, voldoende om wat modder van zijn lichaam te wassen. Hij schudde zich uit als een hond. Toen greep hij de kat en stopte hem onder zijn arm.

Was je soms op zoek naar mijn geheime bergplaats? Hij had lichtblauwe ogen, even scherp als gebroken badkamertegels.

Het katje was bang, met zijn bekje wijd open en roze als het werk van een tandarts.

Nee meneer.

Trevor gaf de kat terug en legde toen beide handen op de vierkante naakte schouders van de jongen. Hij kneep niet en deed hem geen pijn, maar hij drukte hard, met zijn volle gewicht en onverzoenlijk.

Daar zou je spijt van krijgen.

Ik wilde me alleen maar afspoelen.

Je snapt toch wel dat het foute boel is om te gaan kijken?

Ik heb overgegeven, zei de jongen. Ik wilde me wassen.

Nog niet zo lang geleden had hij in zijn broek gepoept. Een gemene man met laarzen had hem waar iedereen bij was schoongespoten.

Kom hier, zei Trevor.

De jongen merkte tot zijn opluchting dat hij vriendelijk bij de hand werd genomen.

Kijk, zei Trevor.

De jongen keek omlaag naar de grond – het was de damp die hij geroken had, een doorgelopen regenboog, dikke kluiten bruin gras.

Slangen.

Maar hij zag geen slangen. Hij zag alleen maar water.

Daar. Weet je wat dat is?

Een bot? dacht hij.

Als je het maar uit je hoofd laat op zoek te gaan naar mijn geheime bergplaats. Begrepen?

En op dat moment kreeg de jongen de bergplaats in de gaten, in de omgevallen boom. Aan de onderkant was een vermolmde plek waarin heel duidelijk blauw plastic te zien was.

Begrepen? Trevors ogen waren koud genoeg om pijn te doen.

Ja meneer.

En noem me niet meneer, zei Trevor.

De jongen waste zijn armen en benen en zijn borst. Hij keek niet naar de plek waar het geld lag.

Gaat het weer?

Ja, dank u wel.

Je gaat hier niet naartoe zonder mij, begrepen. De stem klonk niet onvriendelijk.

Vanuit zijn ooghoek zag de jongen de blauwe plastic flap. Het viel net zo op als een onderbroek door de openstaande rits van een korte broek.

Altijd naar de grond kijken, zei Trevor, toen ze omhoog naar de pas liepen.

De jongen deed wat hem gezegd werd.

Waar is je vader?

Wat?

Waar is je pa? Trevor imiteerde spottend hoe de jongen zijn schouders ophaalde. Wat bedoel je daarmee?

Ik weet het niet, meneer, zei hij en in zijn oren klonk zijn hart als een wasmachine. Hij had gedacht dat zijn vader in Sydney zou zijn, maar niemand had daar van hem gehoord.

Trevor pakte de jongen bij zijn kin en hield die zo omhoog dat hij zich niet aan de ondervraging kon onttrekken.

Het bloed van de jongen suisde en bonkte in zijn oren. Hij keek recht in Trevors koude ogen en liet alles wat in hem was aan hem zien.

Zo is het, zei Trevor en liet hem los. Zo is het.

De jongen begreep dat hij was doorgedrongen tot zijn geheim. Er had een soort gesprek plaatsgevonden.

16

Levend op chocoladerepen en Coca-Cola was ze door Sydney en Brisbane getrokken, vertrouwend op haar wilskracht en energie om de andere kant te bereiken. Dat was ze gewend te doen en natuurlijk was er meer aan te pas gekomen dan Hershey-repen. In de dagen na Susan Selkirks dood had ze gerekend op de hulp van de mensen uit Harvard. Ze kende beroemde mensen, Dave Rubbo, Bernadine Dohrn, Mike Waltzer, en natuurlijk Susan Selkirk. Op de vlucht met Che had ze op de Beweging vertrouwd, en in het bijzonder op die Harvard-afgevaardigde van Students for a Democratic Society wiens zijdezachte penis ze ooit zo graag tussen haar lippen had genomen. Hij was de man die, met zijn grote hand licht rustend op haar onderarm, haar ervan had weten te overtuigen dat ze in Australië veilig zouden zijn en dat er voor hen gezorgd zou worden.

We hebben daar mensen, had hij gezegd.

Dat bleek dus gelul.

De Beweging had voor de paspoorten gezorgd, zo had men haar te verstaan gegeven, hoewel waar de Beweging voor stond in 1972 afhing van degene met wie je sprak. Sommigen, zoals Waltzer, voerden nu campagne voor de Democraten; Bernadine Dohrn had met anderen de Weather Underground opgericht. Susan Selkirk was lid geweest van een splinterpartij die gedreigd had Mike Waltzer dood te schieten. In plaats daarvan was ze ondergedoken en had zichzelf opgeblazen.

Dave Rubbo had gezegd dat hij in contact stond met de

Zwarte Panters. Hij had Dial een AK47 laten zien en haar tickets gegeven voor Australië, van San Francisco via Honolulu naar Sydney. Ze was bang voor hem. Ze had de stapel dollars aangepakt zonder de transactie te begrijpen. Ze had wel noten en snoep en stripverhalen gekocht voor de vliegreis. Maar ze had geen reisgids, geen Australisch geld. Ze had zelfs geen idee wat Australië inhield. Ze zou nooit op het idee zijn gekomen dat er tomaten in Australië groeiden, of komkommers. Ze had niet één naam uit de Australische literatuur of muziek kunnen noemen. En waarom zou ze? Het was maar tijdelijk. Aan dit idee hield ze zich de hele reis naar Yandina vast, gedurende de orkaan, toen het geld werd gestolen. Pas toen Trevor met de jongen de jungle in rende en ze in haar eentje achterbleef en geconfronteerd werd met de bobbel in Jean Rabiteaus broek, besefte ze dat ze in een kuil was gevallen waaruit ze niet zo gemakkelijk zou opkrabbelen.

Ze pakte een stevige afgebroken, misschien wel een meter lange tak.

Slik je de pil?

De tak was door vuur verschroeid, als zwart fluweel in haar handen. Ze keek in de opgewonden ogen van de Rabbitoh en dacht: hij heeft geen idee waartoe ik in staat ben.

De Rabbitoh deed een stap naar voren en ze wist dat dit altijd haar bestemming was geweest. Haar vader had schotwonden in beide handen. Daardoor had ze beter moeten weten.

Rustig maar, meisje.

Ze zag zijn breekbare sleutelbeen; ze voelde de hitte van de tropische zon op haar rug, hoorde de vliegen die in haar oren probeerden te kruipen.

Ze haalde naar hem uit en hij stapte wankelend achteruit. Haar hele leven had ze op dit moment gewacht. Dit moest eens gebeuren, maar wie had dat kunnen weten?

Wie had haar dat kunnen vertellen? Toen ze in 1957 ineengedoken bij de deur van de middelbare meisjesschool wachtte tot de conciërge zijn werk kwam doen, was dit wat haar stond te wachten aan de andere kant van de glanzend heldergroene deur, niet het tafelzilver dat haar moeder voor haar gewenst had. Visvork, slavork, grote vork. De visvork is korter, met bredere tanden om de graten eruit te halen. De slavork is korter dan de grote vork en heeft links een tand die dikker is dan de rest. Zo kan je sla snijden zonder mes. Ze had geen tijd voor tafelzilver. Indien nodig zou ze dat klotesleutelbeen breken. Ze had geen idee hoe het verder zou gaan. In New York had ze zich niks kunnen voorstellen bij Philly. In Philly had ze zich niks kunnen voorstellen bij Seattle. En in Seattle had ze zich niks kunnen voorstellen bij de Federatie van Australische Bouwvakkers waar ze met de jongen hulp was gaan zoeken. Onder de neonlampen had ze zich afgevraagd wie het voor het zeggen had in de Australische kledingindustrie, wie besloten had dat er Chinese ritsen in de donkerbruine en vuilgroene overalls moesten. Zo moet het in Albanië zijn, dacht ze.

Maar zij was lief. Ze glimlachte naar hen. Het spijt me, had die ene jongeman gezegd. Hij was lang en onopvallend, met zorgwekkend kort haar. Ze waren naar een koffiehuis in Harris Street gegaan, Ultimo. Che strooide suiker in zijn Coca-Cola. De jongeman sprak haar ernstig toe, zijn blik gericht op een punt iets boven haar schouder.

Hier kunnen we ons niet mee inlaten. Zo praatte hij, beleefd, toonloos. In Dials oren klonk hij Engels en toen hij zijn theekopje in beide handen nam, zag ze hem als iemand uit een film die 'baas' zei.

Hij was zo uitgestreken, zo recht voor zijn raap, met zijn haar van een dienstplichtige.

Je weet toch wel wie Dave Rubbo is? En ze had gelijk gehad te denken dat hij dat wist. Die jongens hadden een lange weg afgelegd sinds Somerville, van een politiek spel naar de ware revolutie. Zij was hier omdat ze met elkaar in contact stonden, Dave had het zelf gezegd. Deze Australische klootzak werd geacht een voorman te zijn, maar hij wuifde dat allemaal weg.

Het kader zal hier niet achter staan, Dial. Het is niet zo dat je je niet hebt gemeld toen je werd opgeroepen en dat wij je nu moeten verbergen.

Opgeroepen waarvoor? vroeg ze terwijl ze toekeek hoe Che's cola opborrelde en op de tafel morste. Ze besefte dat de jongeman haar nu recht in de ogen keek.

Waarvoor?

Dat meen je niet! zei hij en veegde zelf de cola weg.

Ligt Australië dan in Vietnam?

Zijn wangen waren rood, zijn ogen blauw en kil.

O, natuurlijk! Ze probeerde het goed te maken. Vietnam.

Maar hij was al opgestaan, een ernstige, slungelige jongen, met een scherpe kaaklijn, zware werkmanslaarzen en een geruit hemd. Het is schandalig, zei hij, jullie weten niets af van de landen waarmee jullie rotzooien.

Maar hij had niet begrepen wie ze was. Ik ben lid van de SDS, zei ze. Een vriendin van Dave Rubbo.

Hij stond met zijn grote handen om de rugleuning van de stoel geklemd en keek op haar neer, de jurk, het goudkleurige haar dat ze die ochtend had gewassen. Hij lachte door zijn neus. Succes, knul, zei hij tegen Che.

Dank je wel, zei de jongen.

Pas bij Bog Onion Road kon ze niet langer de reikwijdte van Dave Rubbo's valse voorstelling van zaken ontkennen, maar toen had ze alweer met andere griezels te maken.

Trevor kwam terug op de open plek en ze smeet het stuk hout naar Rabbitoh's voeten en liep op de jongen af. Zijn hand plakte, maar ze hield hem stevig vast.

Waar gaan we heen?

Er was altijd een weg voorwaarts. Ze trok de tegenstribbelende jongen mee naar de weg.

O, toe nou. De Rabbitoh liep stilletjes achter haar aan, zijn handen uitgespreid. Je moet niet zo snel op je tenen getrapt zijn.

We brengen je, zei Trevor. Hij moest zijn stem verheffen, omdat ze al een heel eind de eerste heuvel op waren. Wil je een kwitantie?

Een klotekwitantie voor een beroving, dacht ze. Maar ze had nog geld over, wie z'n geld dat dan ook was. En ze zou het hard nodig hebben, en het enige wat ze wist was dat ze een kaart moest kopen en erachter moest zien te komen waar ze was. Ze moest ergens naartoe waar niemand op de hoogte was van deze schat, van dit geld dat ze niet kon wisselen.

Haar naam was Anna Xenos. Xenos betekende displaced person, vreemdeling, een man die jaren voor Christus' geboorte op het eiland Zákinthos kwam.

Trevor riep: Wil je niet weten waar ik woon? Hij riep het uit volle borst en zijn stem weerklonk door de diepe vallei met de afschilferende bomen. Ze bleef even staan, keek vanaf het pad naar de twee mannen.

Je moet eigenlijk zijn adres vragen, zei de jongen kalm.

Als ze een betere bui had gehad, zou ze erop in zijn gegaan, maar er ging te veel tegelijk door haar hoofd. In gedachten zag ze hoe hun lichamen, dat van haar en dat van Che, in staat van ontbinding in het bos werden gevonden.

Maar ons geld dan, Dial? Moeten we niet zijn adres hebben?

Hou je kop, zei ze. Begrepen?

Ze liet hem los en met moeite volgde hij haar enorme, razende woede.

Kun je je er voor één keer eens niet mee bemoeien? Jezus, je bent pas zeven.

Ze verwachtte dat hij zou zeggen dat hij bijna acht was, maar hij zei niets. Ze liepen nog een eindje door, iets langzamer.

Hij kent mijn papa, zei hij.

Toen bleef hij staan, vóór haar, zijn armen recht langs zijn zij, dusdanig tegen haar gepantserd dat zijn kleine grijze ogen speldenprikken in zijn gezicht waren.

Niet waar, zei ze. Hij kent hem niet.

Ik geloof van wel, Dial. Ik weet het bijna zeker.

Je zult hier nog eens gek van worden, dacht ze, dat je niet weet wie je bent.

Dan kent hij mijn vader van horen zeggen, zei hij. Hij stak zijn handen in zijn kleine nauwe zakken en keek naar haar omhoog, op zijn gezicht een afschuwelijk starre glimlach.

Nee jochie.

Hij kan mijn papa laten weten waar wij zijn.

Lieverd, maak het jezelf toch niet zo moeilijk.

Het was niet haar bedoeling geweest hard tegen hem te zijn, maar nu begon zijn kin te trillen en hij zou in huilen zijn uitgebarsten als hij niet gehoord had hoe de Ford zwoegend tegen de heuvel op hun kant uit kwam rijden. Ze trok de jongen weg van het pad, zijn gezicht tegen haar buik gedrukt, maar toen de auto naast hen tot stilstand kwam, rukte hij zich los.

Kom op, riep Trevor, zijn dikke arm lag in het open raam. Stap in.

Nee, dank je wel, zei ze, maar de jongen was al ingestapt.

We doen je niets, zei Trevor. Hij heeft er spijt van. Hij knikte naar de chauffeur. Het is een klootzak.

Ik ben heus een fatsoenlijk mens, zei de Rabbitoh en zijn ogen glommen als die van een dier in zijn donkere schuilplaats.

Toe, Dial, zullen we?

Ze deed het portier open en de jongen en zij gingen dicht naast elkaar zitten met het katje in het vest tussen hen in.

Zeg dat je er spijt van hebt, zei Trevor. Ze vond het niet onaangenaam, zijn blijk van gezag, zijn buldoglichaam, zijn brede nek.

De Rabbitoh bood zijn excuses aan en ze zag hoe hij zich over het stuur boog. Ze dacht aan het genot van overgave, een onderwerp waar ze meer vanaf wist dan ze wilde toegeven.

Stil maar, zei ze tegen de Rabbitoh alsof hij een kind was dat vergeven moest worden, en niet een klootzak met een levensgevaarlijk mes, die dacht dat hij recht op seks had.

Trevor draaide zich om op zijn stoel en hield haar blik vast. John heeft een kwitantie voor je geschreven, zei hij langzaam. Mij best als je het niet wilt aanpakken, maar kan ik het dan aan deze meneer hier geven? Staat mijn adres erop? vroeg hij aan de chauffeur.

Ja, zei deze.

Trevor gaf het stukje papier aan de jongen, die het leek te lezen, maar het was niet duidelijk in hoeverre hij maar deed alsof. In elk geval vouwde hij het uiterst zorgvuldig op voordat hij zijn elastieken losmaakte en het bij zijn spullen stopte.

Toen ze waren afgezet op de snelweg zagen ze hoe de Ford terugreed naar de achterafweg en zijn blauwe uitlaatgassen op het asfalt achterliet. Ze waren alleen in de schaduwloze hitte; in het gedaver van enorme vrachtwagens die wolken stof naast hen opjoegen.

Wanneer hoeven we nou eens niet meer steeds ergens anders heen te gaan, Dial?

Binnenkort, zei ze.

17

Eerlijk gezegd had hij het in Oakland het fijnst gevonden, toen ze gewoon samen in het motel zaten, pizza aten en kaartspeelden. Toen las ze hem voor, wel vier uur achterelkaar en ook 's nachts. Hij kon zich niet herinneren ooit zo gelukkig geweest te zijn, om haar eindelijk, eindelijk helemaal voor zichzelf te hebben plus het vooruitzicht van zijn vader, die elektrische wolk van verrassing die boven hem hing als stoom uit een openstaande badkamerdeur. Zij zat met gekruiste benen op het bed en stopte haar rok in haar schoot. Ze had een grote mond waarmee ze hem vele kussen gaf, en haar adem was zacht en asgrijs.

Hoeven we nou niet meer steeds ergens anders heen te gaan, Dial.

Hij zag hoe ze bleef staan om echt naar hem te luisteren, terwijl ze hem ernstig aankeek.

Binnenkort, zei ze. Eerst moeten we naar Nambour, jochie.

Misschien is het niet nodig, Dial.

Ze nam kalmpjes zijn doorweekte Uno-kaarten over die hij behoedzaam gered had van onder de achterbank van de auto, ging langs de snelweg op haar knieën zitten en stopte ze in het zijvakje van haar rugtas.

Hij keek naar haar en dacht, dat doet pijn aan haar knieën.

We moeten nu naar Nambour, zei ze.

En als we opgepakt worden?

Ze liet haar mondhoeken hangen. Ze wist niet dat hij dat

zag, hoe de onderkant van haar gezicht alle stevigheid verloor.

En als ze jou bij me weghalen, zei hij.

Ze keek hem niet eens aan, maar deed de rugtas om haar schouders en kamde met haar vingers door haar haar.

En als ik ons geld nou eens terug kon pakken, Dial?

Sst.

Want ik weet waar het ligt.

Haar hand bleef steken in een enorme klit; ze gaf er een ruk aan en haar gezicht vertrok. Het deed kennelijk pijn.

Je bent een lieve dappere knul, zei ze ten slotte, maar je kunt beter vergeten wat je gezien hebt.

Waarom?

Omdat ik het zeg.

Ze aaide over zijn hoofd, maar de stemming was eruit.

Het is een te gekke plek, Dial, zei hij in een poging het te herstellen.

Sst, zei ze.

We maken ons niet druk.

Dat had ze grappig moeten vinden, maar dat deed ze niet. Ze begon te lopen met een opgestoken duim en ze liet hem Buck dragen in de brandende zon, over de diepe sporen in de grindbermen en door het verstikkende stof langs de Bruce Highway, waar ze uiteindelijk een lift kregen van de opzichter van een cactuskwekerij, die hen bij de middelbare school afzette.

Bij de school stonden bomen, maar alle andere bomen in Nambour waren lang geleden omgehakt en dus was er nergens schaduw. Ze hadden jeuk en pijn, de moeder en de jongen. In de ogen van de plaatselijke bevolking waren ze ongewassen, onbemind, gehavend, 'wild'. De moeder had op haar kuit een beet die was gaan ontsteken. In de zoom had ze tienduizend dollar, fluisterde ze. Dit overgebleven geld werd in veiligheid gesteld met een stuk smeltdraad dat de cactuskweker gegeven had.

Hij begon nu aan een motel te denken. Hoefde niet mooi te zijn. Maar nu waren ze er wel aan toe.

Ze kwamen bij een autodealer met grote glazen ramen en hij stond naast haar en wist precies wat ze dacht, dat ze zou proberen een nieuwe auto te kopen met de Amerikaanse dollars. Hij hoopte dat ze het niet zou doen. Maar ze deed de deur open en ging naar binnen. De airconditioning was heerlijk, maar dat was ook alles.

Alsof we kakkerlakken zijn, fluisterde ze, toen ze weer op straat liepen. Ze kunnen de klere krijgen, zei ze, en ze legde haar zwarte, gehavende hand nogmaals op de schouder van de jongen.

Ja Dial, zei de jongen. Ze kunnen de klere krijgen, Dial. Nog even en dan gingen ze naar een hotel en zou ze hem voorlezen. Er was er een in de hoofdstraat. Hij wist bijna zeker dat ze daar airconditioning hadden en kleurentelevisie.

Maar in plaats daarvan gingen ze naar een wasserette. Daar was een hippiemeisje, dat vuile kleren uit een vuilniszak haalde. Ze keken naar haar.

Toen vonden ze een winkelgalerij waar patchoeli-olie en rotte bananen het wonnen van de zoete suikerstank van Nambour.

Zijn we op zoek naar hippies, Dial?

Ze gaf geen antwoord.

Zouden ze hier boeken verkopen?

Maar het was een reformwinkel. Boven de enorme hoeveelheid gedroogde bonen, naast de stapel lege melasseblikken, was een prikbord met advertenties voor massage, meditatie en maandansen. En ook: vier kleurenfoto's van twee houten huisjes met mooie houten dakpannen. Deze bekeek ze.

Wat is dat, Dial?

Zwijgend las ze, haar voorhoofd gefronst en haar neus gerimpeld.

Wie woont daar?

Het is een plek die te koop is.

Laten we gewoon naar een motel gaan.

Stil. Luister. Het is ruim vijfenhalve hectare aan de rand van het regenwoud, zei ze. Er is water uit een bron. Er zijn vijfhonderd fruitbomen en een aangelegde moestuin. Kijk, dat is net zo'n papaja als Trevor voor jou had gekocht.

Kunnen we alsjeblieft naar een motel gaan?

En koffiestruiken, zei ze, en dadelpruimen en citroenen en limoenen en drie soorten bananen waaronder *ladyfingers*.

Wat zijn ladyfingers?

Dat wist ze niet, maar ze wilde het niet toegeven.

Het ligt zeker in de jungle?

Ze legde haar arm om zijn schouder en begon hem weer te strelen.

Weet jij wat buldogmieren zijn? vroeg hij.

Ze hield zich zo doof als een hond die een spoor rook. Een heleboel informatie, zei ze. Van alles en nog wat, maar geen telefoonnummer.

Er is geen telefoon, zei de vrouw achter de toonbank. Ze had een aardig gezicht, zoals het meisje op de Beach Boys-poster die Cameron op zijn muur had geprikt. 'Good Vibrations' was verreweg de allerbelangrijkste song van de afgelopen tien jaar. Dat wist hij.

Kom je uit Amerika? Ze had lang blond haar, fletsblauwe ogen en een glanzende, zongebruinde huid.

Uit Buenos Aires, zei Dial. Zuid-Amerika.

O ja? Het meisje fronste haar voorhoofd. En wat vinden jullie van de Sunshine Coast?

We wilden wat meer weten over dat stuk grond in Yandina.

O nee, dacht de jongen, alsjeblieft.

Yan-diena.

We zijn geïnteresseerd.

Geen leidingwater. Het meisje schudde haar hoofd en glimlachte. Ze mocht hen niet, tot tevredenheid van de jongen. En geen elektriciteit, dreunde ze als het ware op. En geen tv.

Waar ligt dat stuk grond? vroeg Dial.

Dat stuk grond, zei het meisje, Dials manier van praten na-apend, ligt in de jungle bij Remus Creek Road.

Kom nou, Dial, zei de jongen. Laten we nou gaan.

Maar Dial deed haar armen over elkaar. Waar is dat precies?

Het meisje haalde haar schouders op. Uit een plastic schaal pakte ze een appel met plekjes en wreef ermee over haar buik. Ga maar naar het postkantoor in Yandina, zei ze na een tijdje. Daar zijn altijd mensen. Vraag het daar maar.

Koket legde ze de appel voor haar neer en koos uit dezelfde plastic schaal een tweede. Is dat jouw kat in die zak? vroeg ze.

Goed geraden.

Het meisje hield haar hoofd schuin en leek de appels te bewonderen. Daarna pakte ze een mes en begon de eerste aandachtig in partjes te snijden.

Ik betwijfel of ze daar katten willen, zei ze.

De jongen was blij dit te horen.

Wat kan iemand nou tegen een poesje hebben? vroeg Dial aan het meisje; ze trok de slapende Buck tevoorschijn en gaf hem een zoen op zijn neus.

Nou, omdat er, zoals wij zeggen, Austrálische vogels zijn. En katten jagen op vogels. Het meisje keek, niet glimlachend, op. En mensen houden daar niet van.

Nou, zei Dial, Bucks kopje strelend, hij is een Austrálische kat, dus volgens mij woont hij ook hier.

Het meisje bleef partjes snijden en uiteindelijk verlieten ze de winkel.

We vinden wel een ander huis, zei de jongen. Een dat zelfs beter is.

Ze hebben de pest aan Amerikanen, zei Dial.

Ze zouden je wel aardig vinden als ze wisten wie je was.

Maar dat willen we toch niet?

Wij zijn hier zeker ondergedoken, hè Dial?

Vind je dat leuk?

Cameron had gezegd dat jij zou komen en dat we zouden onderduiken. Dus ik wist het wel. We vinden wel een echt huis, zei hij en dacht: dat moet ergens aan een echte weg zijn, waar zijn vader hen kon vinden. En een telefoon moesten ze zeker hebben.

Door de heiige hitte liepen ze naar het motel. De lucht was beneveld van de suiker en algauw kwamen ze op de snelweg, waar vrachtwagens en bestelbussen raasden, lawaaierig en smerig, met flapperende dekzeilen zoals de zeilen op een zinkend jacht. Toen kwam er een rokende Peugeot aan, met dikke walmende wolken, een Peugeot 203. Het was ongeveer het enige model auto dat hij kende, maar tot zijn grote afschuw zag hij dat Dial hem aanhield.

En het motel dan?

Sst, zei ze.

Waarom, Dial, waarom? zei hij, achter haar aan rennend, precies de andere kant uit dan die hij wilde gaan.

Maar zij zat al in de auto.

De chauffeur van de Peugeot was een hippie, met een lang gezicht, lange tanden en een woeste baard. Zijn schouders waren smal en spichtig en zijn armen heel dun en behaard zoals die van Cameron.

Terwijl ze op de voorbank schoven, was er een luchtstroom als van flapperend zeildoek – uit het donker van de achterbank verhief zich een haan wiens spanwijdte ruim anderhalve meter bedroeg.

Jezus! zei Dial.

Mijn kippie! De chauffeur deelde over zijn schouder heen een mep uit, op hetzelfde moment dat hij gas gaf, terwijl de jongen in het stof en tussen verkreukelde kranten dook om het poesje dat onder de bank wegvluchtte bij zijn staart te grijpen. Als dank werd hij gekrabd, in zijn arm, maar toen hij zich weer tussen de benen van zijn moeder wrong, had hij Buck veilig bij zijn nekvel beet.

Adam, zei de chauffeur; hij keek hem van veel te dichtbij aan.

Dial, zei de moeder.

De jongen was razend vanwege het motel en zei niets.

En waar gaat de reis heen? De chauffeur had een onregelmatige zwarte baard en heel zware wenkbrauwen die omhooggingen toen hij de jongen aanstaarde.

We moeten naar Remus Creek Road, zei Dial.

De jongen liet een luide kreun horen.

Stil, zei Dial. Eerst moeten we dit doen.

Adam zat bijna boven op zijn stuur. Hij drukte het tegen zijn borst en zijn vervellende neus raakte bijna de ruit.

Wat is dat? Hij wees terwijl hij zijn hoofd naar een groot tankstation draaide waar palmbomen te koop stonden. Hij was volslagen geschift, maar hij keek de jongen recht in zijn ogen, en die begreep dat hij antwoord moest geven.

U bedoelt de bomen?

Is dat Ampol?

De jongen verstond de Australische uitspraak niet, woorden als gemalen vlees in hun mond. Hij vond hen eigenlijk helemaal niet aardig.

Het merk, schreeuwde de hippie, het merk verdomme.

Esso, zei Dial.

Oké, zei de hippie, natuurlijk. Dan zitten we goed, zei hij, maar het was duidelijk dat hij niets zag. Waarschuw me als jullie het caravanterrein zien, zei hij. Wie zoeken jullie in Remus Creek?

We zagen dat er wat te koop stond.

Aha, zei Adam en keek hen beurtelings glunderend aan.

Hij moest liever op de weg letten.

Vijfenhalve hectare, zei Adam. Vijfhonderd fruitbomen.

Ja, dat is het.

Wat heb je daar?

Een poesje.

Is dat het caravanterrein?

Ziet u dat zelf niet? vroeg de jongen. Het kon hem niet schelen dat dit onbeleefd was.

De chauffeur was midden op de snelweg gestopt, tegenover een terrein met landbouwmachines. Een vrachtwagen met oplegger passeerde hen luid claxonnerend aan de verkeerde kant, de oplegger slingerde en enorme stofwolken stoven omhoog.

Nog iets verder, zei Dial.

En vervolgens zwenkten ze door het stof en verongelukten niet en de haan verhief zich en de uitlaatpijp bonkte en ze rammelden over een hobbelig pad en de auto zat vol stof en veren.

De jongen was niet van plan te gaan waar deze getikte hippie heen ging.

Ik geloof dat de kat een probleem is, zei hij.

Dial gaf hem een por met haar elleboog, hard. Dat deed pijn.

Adam keek naar links en naar rechts – Waarom zou de kat een probleem zijn?

Dat zei een meisje in de reformwinkel.

Adam maakte een geluid alsof hij een scheet liet. Reformvoeding. Hou toch op man. Ze verkopen melasse. Pesticiden, zei hij. Insecticiden. Stoppen rietsuiker verdomme vol met genen van kwallen. En dat noemen ze reformvoeding.

Daar zagen we dat het stuk land te koop is.

Ja, zei Adam. Nou, jullie zijn er, jullie zijn er. In feite denderde hij verder, een steile heuvel vol diepe sporen af en spetterde door een smal wed.

Je hoeft je nergens zorgen om te maken, zei hij.

Nu reden ze op een zachtere weg, bijna een zandpad. De weg was vlak en slingerde zich tussen hoge oerwoudbomen met glimmende beenderwitte stammen.

Ken jij de plek? vroeg Dial. Kun je ons er in de buurt afzetten?

In de buurt, zei Adam en nadat hij de auto met een scherpe draai naar rechts had laten zwenken reed hij slingerend een steile, modderige oprit op. Vijfhonderd fruitbomen, zei hij terwijl hij aan de handrem trok.

Laat het katje maar los, zei hij. Hier loopt alles vrij rond. Honderd procent biologisch.

18

Het was afschuwelijk. Nooit, echt nooit konden ze hier wonen. Ze betraden de grootste van de twee huisjes en zagen dat het wemelde van zwarte vliegjes op de stoelen en tafels en grijze pluisballen die zich hadden opgehoopt tussen de brede kieren in de vloer, en hij zag hoe Dial met verbijstering het weerzinwekkend gele teerpapier opnam. Dit ging ze nooit kopen.

In de gevangenis zou ze nog gelukkiger zijn. Echt waar. Dat kon niet erger zijn dan wanneer je je hier moest verbergen in lekkende regen. Tegen de achterwand was een groezelige gootsteen en op het aanrecht stonden potten en pannen en verfblikken hoog opgestapeld en hier, in het vale licht van een in lood gevat raampje, vond kleine Adam eindelijk een ketel en draaide een vreemd klein koperen kraantje open. Er kwam een dun straaltje, en toen niets meer.

O, zei hij, geen water.

Net goed, dacht de jongen.

Adam was ruim één meter zestig lang en de moeder één meter vijfenzeventig. Ze had beleefd op hem neergekeken, maar nu er geen water was, sloot ze kalm haar ogen. Ze zette het poesje op de grond en liep naar buiten naar de smalle waranda, waar ze met gekruiste benen en geloken oogleden ging zitten.

Hier zou zijn vader hem nooit vinden.

Voor Buck was het een heel ander verhaal. Die wist niet waar hij het meeste trek in had. Over een lage houten tafel zat hij een zilveren vlinder achterna en daarna dook hij in een stapel kussens, elk kussen bezaaid met kleine spiegeltjes. Hierop stond hij een poosje te stampen.

Adam liep naar de muur aan de voorkant, onderwijl met kopjes rinkelend. Hij stak zijn vervellende neus tussen de spullen op de werktafel – een kluwen irrigatieslangen, een zaagmachine, een stuk dakgoot en nog een heleboel gereedschap, een hamer, schroevendraaiers, een bijl, een aantal bruine papieren zakken waarin naar later bleek dakbedekkingsschroeven zaten.

Aha! Hij hield een toneelkijker omhoog.

De grootvader van de jongen had ook een toneelkijker. Zijn grootmoeder was heel verdrietig geweest toen hij die had meegenomen naar zijn Liefdesnest.

Adam ontblootte zijn lange tanden. Kom, zei hij en trok zijn wenkbrauwen op. Rondleiding.

Dial bleef op de waranda, dus de jongen moest uit beleefdheid wel mee. Hij volgde Adam naar buiten. Zijn er hier veel steekmieren? vroeg hij.

Zie je die *lantana*-struik, voorbij de sinaasappelbomen? Adam hurkte in de modder en wees naar omhoog naar de heuvel. Daar kun je beter niet komen.

De jongen was van plan nergens te komen.

En altijd eerst in je schoenen kijken voordat je ze aantrekt, zei Adam.

Maar de hippie droeg zelf geen schoenen. Hij zag eruit als een geschifte dakloze, met brede grote voeten en tenen als vingers. De jongen liep precies in zijn voetstappen over de warme, zachte grond, om de zogenaamde moestuin heen, een oerwoud, waar ranken wilde passiebloem tegen een hek van kippengaas groeiden. Bij de grote grenspaal namen ze een smal paadje en grashalmen kietelden de blote knieën van de jongen als prikdingen met ogen en poten.

Hier zetten we de geiten, zei Adam, soms. Het was duidelijk dat hij niet zag waarover hij het had. Pas toen ze het spookachtige, donkere stuk grond met aanplant van bananenbomen waren overgestoken en zich van een steile wal hadden laten glijden, had hij de verrekijker voor zijn ogen gehouden.

Dit is het beste stuk van het terrein, zei hij na een tijdje. De jongen had medelijden met hem, dat hij zo arm was dat hij dacht dat het een goed stuk grond was.

Adam hurkte neer en richtte zijn kijker op een prop insectengaas dat was vastgemaakt aan het uiteinde van een buis in een soort modderig gat.

Graven, zei hij. Het grondwaterniveau is gedaald.

Bij het woord 'grondwaterniveau' dacht de jongen aan iets schitterends en onmogelijks, maar hij hurkte neer naast de uitgemergelde man en samen groeven ze met blote handen, schraapten de smerige modder weg en gooiden die op de donkere grond van de bananenaanplant en na een tijdje stuitten ze op vuil water.

Dit is goed water, zei de man, met een blik op het gele slijm.

Hij vond een verroest verfblik en droeg de jongen op met het blik het gele water in de buis te gieten terwijl hij zelf op zijn blote buik op de grond ging liggen en zijn oor tegen de buis hield en vervolgens, op een gegeven moment, kwam hij overeind. Toen duwde hij de buis onder water en maakte het insectengaas weer vast.

Kijk, zei hij. Zou jij dat alleen kunnen?

De jongen wist dat hij dat nooit zou kunnen. Ik denk van wel, zei hij.

Goed zo, zei de man.

Op de terugweg naar het huisje liet Adam hem de wilde tomatenplanten zien die als kostbare aders door het gras liepen.

Er is altijd wel iets te eten, zei Adam, terwijl hij de tomaten plukte, kleintjes zoals die bij Zabar's.

Hier kun je je de rest van je leven schuilhouden, zei hij en keek de jongen bedachtzaam aan.

Om hen heen wemelde het van zogenaamde kooluiltjes; hun vleugels vingen de laatste zonnestralen van de dag op en boven de vlinders waren de bananenbomen, die hun ingekerfde bladen als vingers bewogen, en eronder lag het zwartgroene regenwoud waar ranken zo dik als armen zich wonden om bomen met een schors zo dik als olifantenhuid. Voorbij het huisje, achter de auto, stroomde de desolate duisternis weg langs de Remus Creek en overspoelde de nevelige heuvels.

Toen ze bij het huisje terugkwamen, was het tijd voor de stormlampen en daar, in het gele schijnsel van kerosinelicht, vulde de man een ketel met smerig water en begon toen de steeltjes van de tomaten af te halen. De jongen vermoedde dat Dial nog steeds buiten op de waranda zat en hij voelde een soort van droefheid, spijt voor Adam, die vastzat op een plek die niemand verder ooit zou willen hebben. Hij bleef uit beleefdheid en keek toe hoe de tomaten saus werden, oplosten in hun zachtjes pruttelende kringen.

Het poesje lag te slapen, opgerold als een dode rups op de kussens. Via de voordeur kwam een vleermuis binnen, vloog eenmaal in het rond en verdween weer. De jongen vroeg zich af wanneer ze zouden kunnen vertrekken.

19

Ze bevond zich op het wad tussen boze dromen en een lam-
lendige, onbekende dag. Een zwartrugfluitvogel zong. In
november, had die griezelige Rabbitoh haar verteld, pikten
zwartrugfluitvogels in je hoofd zodat het bloed langs je gezicht stroomde. Lekker land waar ze haar heen hadden gestuurd.

Dial, zei de jongen.

Ze sliep in een nest van kussens en muffe dekens onder
een houten plafond met zorgwekkende watervlekken. Ze
had geen zin om wakker te worden en geconfronteerd te
worden met wat ze gedaan had. Het was nu al te heet.

Dial.

Haar huid jeukte, haar haar was nog steeds vies. Ze had
geslapen met haar hoofd in de nauwe donkere hoek waar
plafond en vliering elkaar ontmoetten.

Dial!

Wat wilde hij verdomme nu weer. Ze verborg haar gezicht in haar handen, om kiekeboe te spelen, maar ook om
zich tegen zijn adem te beschermen. Ze moest toch echt
eens een tandenborstel voor hem kopen.

Dial, wanneer gaan we weg?

Ze opende haar armen voor hem en hij nestelde zich in
het warme holletje naast haar hals. Wat hem ook was overkomen, het was duidelijk dat iemand van hem had gehouden. Zijn grootmoeder was dan misschien een rotmens, ze
had hem wel geknuffeld en gekust. Hij had voor Dial de
namen opgesomd van de desserts die ze voor hem maakte:

schuimtaart, karamelpudding, Moskovisch gebak met ananas, vreselijk ouderwets.

Wanneer gaan we weg, zei hij nu, maar dat was iets waar ze niet aan moest denken. Ze besefte hoe ontzettend kwetsbaar hij was, maar wat moest ze anders? Deze plek was misschien hun enige hoop. Voor zover ze begrepen had lag het midden in de jungle, geen telefoonaansluiting, geen post die werd bezorgd. Geen aansluiting op het elektriciteitsnet. Hoe moest ze anders haar geld gebruiken om te zorgen dat ze veilig waren?

Want we gaan toch in ieder geval, Dial? Weg?

Ze keek naar zijn vastberaden gezichtje, zijn gefronste wenkbrauwen, de vragende blik in die grijze, intelligente ogen.

Hij maakt zich zórgen, zei ze, Adam na-apend, niet om van onderwerp te veranderen, maar in de hoop dat de jongen eindelijk de werkelijkheid onder ogen zou zien. Dat ze niet gingen rondzwerven.

Hij moet met iemand rúggespraak houden, zei ze, en rolde met haar ogen.

Kunnen we niet in een motel slapen? Alsjeblieft?

Die lulhannes maakt zich zórgen dat de smerissen hem oppakken omdat hij Amerikaanse dollars in zijn bezit heeft.

Eindelijk, zag ze, drong het tot hem door. Hij verstijfde. Je wilt het écht kopen.

Jochie, zei ze, je zei toch zelf dat je niet steeds weer naar een andere plek wilde gaan.

Hij rukte zich van haar los. Ze zag hem nauwelijks gaan, maar hoorde hem op de ladder, struikelend, hard neerkomend. Ze kwam omhoog uit de dekens en met haar de vliegen en ze voelde er een over haar blote arm lopen. Ze mepte zichzelf.

Che? Ik probeer alleen maar voor je te zorgen. Ze trok

een onderbroek aan zodat ze tenminste wat aanhad als ze de ladder af kwam. De sporten waren smal en deden pijn aan haar voeten.

Ik heb alleen maar Amerikaanse dollars. Ik heb niet zoveel keus.

Hij gaf geen antwoord.

Zij kunnen er niets mee beginnen, zei ze. Dat heb je zelf gehoord. Wij zijn rijk, maar het geld is waardeloos.

Ze pakte zijn hand, maar hij rukte zich los. Toe nou, zei ze. Ze probeerde hem echt zover te krijgen dat hij inzag wat er met haar leven gebeurd was.

Toe, zei ze, laat me eens zien wat je gisteren allemaal ontdekt hebt.

Hij gaf haar geen hand, maar nam haar mee naar buiten, het hoge natte gras in en had er duidelijk een gemelijk plezier in haar de zogenaamde badkamer te tonen, een roestig vijftienliterblik in een soort vierkanten houten hokje.

Kom op, zei ze. De plek zelf is best mooi. Laten we eens een kijkje nemen in het andere huisje.

En op een foto zou het er ook mooi hebben uitgezien, de verschillende kleuren groen, de huisjes van houten planken met hun lage, doorgezakte waranda's. In het tweede huisje troffen ze hemden en broeken aan die aan tien centimeter lange spijkers hingen. Een bed met een klamboe keek uit op twee ramen. Tussen de ramen was een deur die uitkwam op een lage, donkere waranda waar vleermuizen hingen als gescheurde vodden.

Dit is echt de jungle, zei ze. Ze vond het griezelig.

Daar staat nog een huisje, zei ze. Heb je zin om daar een kijkie te nemen?

Je zei kijkie, zei hij.

Niet waar. Ze lachte, maar ze vond het vreselijk als mensen zo tegen haar deden, haar attendeerden op de momenten dat Boston naar boven kwam. Bij de Australische douane had hij, dat keurige meneertje, het haar geflikt met zijn opmerking dat ze majn zei in plaats van mijn. Nou, hij zou nog wel meer vreemde dingen voor zijn kiezen krijgen.

Dit zou zijn huis worden, niet het land of de twee huisjes, maar dit kleine derde huisje in het donkere regenwoud, griezeliger dan de twee andere, waar niets anders stond dan een lege jampot.

Buiten, op de stoep, had iemand een gezicht in een stuk steen gekerfd. Echt onheilspellend was het niet, maar het duidde wel op bijgeloof, hekserij en een heel eenzaam verloren bestaan dat verbannen was naar een geheime plek op aarde.

Wat betekent 'ruggespraak houden'? De jongen duwde de steen omver, zodat het gezicht niet meer te zien was.

Dat-ie een schijthuis is.

Je mag geen scheldwoorden gebruiken.

Hij was compleet van slag. Dat was zij ook, maar zij was de volwassene en mocht het niet laten merken.

Wat is er, jochie?

Je mag niet vloeken.

Donder op, dacht ze. Ze liep met hem het regenwoud uit, precies ter hoogte van de waranda van een groot gammel lek huis met ernaast een struik met glanzende bladeren en helderrode bessen die, beweerde ze, koffiestruiken waren. Maar ze was niet helemaal zeker of dat waar was.

Toe maar, zei ze. Pel er maar een. Dan zul je het zien.

Binnen in de rode schil zat een witte, vochtige pit, glibberig en om de een of andere reden niet goed. De jongen pelde nog een boon toen ze een motor hoorde, de vieze petroleumblauwe walm zag en toen de auto. De motor bleef, nadat hij was uitgezet, ratelen en kuchen. Ze verwachtte Adam te zien, niet Trevor. Nu kwamen ze allebei door het hoge gras naar hen toe en Trevor keek naar haar zin iets te aandachtig naar de jongen.

Hallo knul, zei hij, zonder hemd, vettig, zonder heupen in de zon.

Hallo Trevor.

Ze zag hoe de jongen zijn kin omhooghield, zich op die manier stilzwijgend liet ondervragen.

Dat ik jou hier weer zie, zei ze.

Trevor verbeet zijn glimlach in een mondhoek. Nou ja, iemand moet jouw geld toch wisselen.

Natuurlijk, dacht ze.

Ook de jongen begreep het. Zijn schreeuw kwam uit het niets, als een gekooid iets dat werd getreiterd en getergd. Hij haalde als een dolleman naar Trevor uit. Hij stompte hem op zijn haarloze buik en tussen zijn benen.

Che! schreeuwde ze naar hem, maar Trevor hield hem omhoog en van zich af terwijl hij nog steeds in de lucht schopte en krabde.

Toen hij bedaard was, zette Trevor hem weer op de grond en de jongen keek vol haat naar Dial, verwachtend dat ze iets zou doen. Toen het tot hem doordrong dat ze niets zou doen, sloeg hij naar de koffiestruik, riste er een handvol bladeren af en rende toen door het hoge bedauwde gras, bang opspringend voor iets dat hij op zijn pad tegenkwam en vervolgens rende hij door de wirwar van *lantana*-struiken waaraan hij ongetwijfeld zijn huid zou openhalen.

Het spijt me, zei ze tegen Trevor, maar nu voelde ze ontzetting, over alles wat ze had gedaan. Ik kan maar beter naar hem toe gaan en met hem praten, zei ze.

Nee, zei Trevor, hij trekt wel weer bij. Wij moesten maar eens praten.

En ze gehoorzaamde. Samen met hen nam ze het pad der verraders, terwijl ze aan de jongen dacht, precies wist waar hij was, hoe hij zich voelde, in het lege huisje met de jampot, opgerold op de smerige vloer, waar hij zou afkoelen en zich langzaamaan steeds meer zou schamen.

20

Wilde ze dit nou werkelijk kopen, deze woeste klimplanten en verwilderde *lantana*-struiken, palmbomen, chaos, koffie? Ze kon net zo goed een olifant kopen – maar in een olifant kun je je niet verschuilen en dat kon hier zeker. Dat was het enige pluspunt, dat het haar hier een plek bood aan een zandweg aan het einde van het einde van de wereld.

De jongen vond het hier maar niets, maar hij had niets over zijn lot te zeggen. Zij was de volwassene. Ze liep achter de twee mannen aan het huis in, terwijl ze in volledige onzekerheid verkeerde of ze moest kopen of weggaan, of ze hier waren om haar te beroven of om haar te helpen. Indien nodig kon ze hen heus wel aan – een man die niet kon zien en een man die niet kon lezen.

Ze ging met gekruiste benen in het huis zitten en keek, door een in lood gevat raam, naar een fladderend klein geel vogeltje. Het was heel sierlijk, maar nutteloos en onbegrijpelijk.

Adam 'plaatste' de thee en 'regelde' de ketel en Trevor smeerde papajazalf op de lange ondiepe snede die de jongen met zijn teennagel in zijn onbehaarde massieve borst had gemaakt. Hij was een mol, woelmuis, pitbull, otter, zeehond, gewoon niet haar type, ook al had hij dat nog niet door. Ze zaten met z'n allen op de kussens en Adam schonk de thee terwijl hij om iets onbestemds waarvan alleen hij op de hoogte was, glimlachte. Hij was even uitgemergeld als een Indiase asceet, even onthecht van elke haar bekende vorm van leven als de gele kolibrie buiten voor het raam.

Ziezo! zei ze. Want ze wilde een vastberaden indruk maken.

Ziezo? zei Trevor. Nam hij haar in de maling?

Ziezo, ik neem aan dat we hier zijn om te onderhandelen. Ze was een kind dat met geld speelde, niet haar geld, maar wel ontzettend veel, bijna ontelbaar veel, geld.

Zo, je wilt dus alternatíef gaan leven, zei Trevor.

Hij nam haar inderdaad in de maling, maar ze kon heel wat meer hebben dan hij. Nog zoiets wat hij niet doorhad.

Nou, Dial, je weet dat er wat probleempjes zijn.

Hij zei probleempies in plaats van probleempjes en sijn in plaats van zijn. Zij had aan Harvard gestudeerd. Hij kon niet eens lezen of schrijven. Ze trok een wenkbrauw op.

Jij betaalt Adam met buitenlands geld, maar wat moet hij daarmee?

Jij bent anders best dol op mijn buitenlandse geld. Ik kom je tegenwoordig overal tegen.

Trevor zuchtte diep alsof ze hem gekwetst had. Maar hij was natuurlijk een oplichter, van het gewiekste soort waarvoor haar jongere broertje zo'n bewondering had.

Goed, zei hij. Nou moet je eens luisteren.

Ik luister.

Nee, je doet stekelig en sarcastisch. Je weet niet eens wie ik ben. Je denkt dat ik de boel belazer. Maar je weet niet wat ik in de steek heb gelaten om hierheen te komen.

Wat heb je dan in de steek gelaten?

Daar begin je weer, zei hij. Dat bedoel ik nou. Ik was bezig met een nieuw hek.

Nou, zij had op het punt gestaan een baan aan Vassar te krijgen. Een hek, zei ze. Hem napratend.

Een omheining van palen, betoogde hij. Verdomme Dial, een echte omheining van palen, probeerde hij haar te bepraten.

Hun stemmen klonken op een vreemde, onwerkelijke manier monotoon, als van elfen, dacht ze.

Ik had zes sterke kerels die met mij werkten, zei Trevor, en die zijn nu allemaal vertrokken. Dank je wel, Trevor, zei hij. Dat was aardig van je, Trevor.

Intussen kropen die walgelijke vliegjes over het tafelblad. Ze bedekte haar huid met haar jurk en voelde het gewicht van het resterende geld – alles wat er nu nog was tussen haar en de bak. Ze kon hem niet vragen of hij haar geld al had ingepikt.

Weet je hoeveel een Amerikaanse dollar waard is? vroeg hij.

Hij zei 'hoefeel'.

Australië heeft zijn eigen dollar, Dial. En jij bent nu in Australië. En een Australische dollar, zei hij, is meer waard dan een Amerikaanse.

God, dacht ze, net de reformwinkel. Ze hebben de pest aan ons. Wij wisten verdomme niet eens dat ze bestonden en zij zaten hier de pest aan ons te hebben. Wat hebben we hun in godsnaam misdaan?

Wedden dat dat in jouw ogen verkéérd is, zei hij. Je weet dat elk land zijn eigen landnummer heeft. Weet je welk nummer Amerika heeft?

Dat was natuurlijk één. Ze snapte het. Waarom kom je niet meteen ter zake, zei ze. Wat je wilt zeggen is dat ik Adam meer zou moeten betalen dan we afgesproken hebben. Ja toch?

Nummer één, zei hij. God zegene Amerika.

Je probeert de prijs op te drijven.

Nee.

Zeg het nou maar, man. Gewoon recht voor mijn raap.

Maar Trevor had geen zin in ruzie. Hij haalde een pakje Drum tevoorschijn en gaf al zijn aandacht aan het rollen van een sigaret. Hij zag er gekwetst en gegriefd uit en waarom zou hij dat niet zijn, als hij was wat hij zei dat hij was. Maar als hij haar belazerde, zou hij hetzelfde doen.

Ik begrijp je niet, meissie. Waarom wil je me kwaad maken.

Hij keek haar recht in de ogen. Veel te indringend. Ze verdroeg zijn blik niet lang.

Wie anders kan jou helpen?

Ze keek de andere kant uit, ogenschijnlijk uit ergernis, maar in feite omdat ze echt bang was zich te vergissen.

Misschien moet je Adams land niet kopen, zei hij. Ik vind je niet echt een plattelandsmeisje.

Nou ja, het was niet haar geld. Maar het was alles wat ze bezat.

Noem een getal, zei ze. Kom maar op.

Zesduizend Australische dollars is gelijk aan zesduizendzeshonderd Amerikaanse dollars, zei Trevor. Hij zei 'duijsend'.

Tien procent daarvan is zeshonderdzesenzestig.

Hij ging door, maar ze kon de getallen niet bijhouden. Ze was dan wel afgestudeerd aan Harvard, maar rekenen kon ze niet. Hij echter, de autodidact, goochelde met getallen.

Goed, dacht ze, ik doe het.

Ze trok de smeltdraad uit en haalde de zoom leeg. Ze telde het geld uit, waarbij ze haar prachtige been in zijn gehele lengte liet zien; ze legde briefjes als speelgoedgeld op hun smerige tafel.

De jongen zou haar haten – jammer dan!

Trevor grinnikte – afgebroken tanden, gehavend oor.

Sorry, zei ze.

Ze was gek, volslagen gek. Ze voelde het nat op haar wangen voordat ze doorhad dat ze huilde. Trevor riep haar, maar ze stevende het huisje uit. Zodra haar voeten de aarde voelden, liet ze haar tranen de vrije loop. Toen zette ze het op een rennen, het pad op naar de bananen en de heuvel af naar de bron en vandaar naar het regenwoud waar ze naar de schuur holde om zich te verstoppen.

Daar stond de jongen. Een Diane Arbus. Dichtgeknepen mond. Zijn arm uitgestrekt om de insectenbeten te laten zien. De hele vloer lag bezaaid met stukjes papier, niet één stukje recht afgescheurd, sommige wit, sommige meerdere malen gevouwen, en verder steentjes en zaden en een pak speelkaarten dat uit haar tas was verdwenen.

Mammie.

De sinistere pregnantie van het misverstand bezorgde haar buikkramp. Ze voelde hoe zijn lichaam zich tegen haar aan drukte, zo vertrouwd, zo vreemd. Ze hield hem vast terwijl ze haar ogen liet gaan over wat hij in de loop der tijd vergaard had. Er was een foto van Dave Rubbo, die haar hart in haar keel deed kloppen en een verscheurd pakje met kruidje-roer-me-nietzaden, wat in een bepaald opzicht bijna erger was.

Het zal wel wennen, zei hij.

Je bent een dappere knul, zei ze. Hij hurkte bij zijn spullen en raapte alles bij elkaar. Hij stootte de pot om; die rolde de hele vloer over en viel met een doffe bons in het bos.

De vloer is niet waterpas, zei ze, en haar stem was dik van snot.

Kan ik nou mijn verrassing krijgen? vroeg hij.

Verrassing? Ze lachte, vol zelfspot en wanhoop.

Je weet wel, toen we naar Philly gingen.

Je hebt echt een rottijd gehad, arme schat.

De jongen loerde naar de kapotte fluwelen zoom die ze om haar middel had geknoopt.

Hoe kan mijn vader ons nu ooit nog vinden, zei hij.

Ineens was het tijd om de waarheid te vertellen.

Je vader wil ons helemaal niet vinden, jochie. Dat weet je toch. Toen ze de woorden eenmaal had uitgesproken, had ze het gevoel dat ze omlaagzakten als een grote grijze steen in een rivier, waaronder vandaan beestjes kropen.

Niet waar, zei hij, en hij kroop weer terug in zijn schulp.

Hij mist ons. Hij mist mij. Ze zag de spieren in zijn nek, zijn dichtgeknepen kleine mond.

Weet je nog, jochie, in Seattle.

Nee, riep hij.

Ik mag dit niet doen, dacht ze. Niet nu. Hij is te kwetsbaar.

Sst, zei ze.

Ze had de kat gehoord, dat was alles. Het was een strohalm die ze vastgreep.

Sst, luister.

Ze kreeg hem zover dat hij, met tegenzin, naar haar toe kroop tot ze bij de deur als een stel haardijzers het vuur afwachtten.

21

Het was geen poesje. Onder hen week de grond weg en daar, in de gebroken schemering tussen de lichtvlekken die ervoor zorgden dat de bosgrond eruitzag als een puisterige huid, zat een dikke vogel met een stompe staart, smaragd op zijn rug, turkoois op zijn schouders, een rood stuitje, en prachtig blauw onder zijn vleugels. Deze onverwachte schoonheid maakte hem treurig. Was de vogel maar dood.

Heb ik in Seattle met mijn vader gepraat? vroeg hij.

Ze haalde, uitgeput, haar schouders op.

Niet waar, zei hij. Ik heb mijn vader nooit gezien. Hoe bedoel je dat hij niet hierheen komt?

Intussen was de vogel deel van een of andere stille droom. Hij pikte een slakkenhuisje op en tikte ermee tegen een steen. Even viel er een straal zonlicht op. Een ogenblik later was die verdwenen, opgeslokt door de wilde *lantana*.

Waar was mijn vader?

Op het grasveld, met de tuinslang.

Was dat mijn vader? O nee.

Ze liepen het regenwoud uit en de jongen begreep niet wat hem overkwam. Hij zag Adam te voet aankomen. Een echte mislukkeling. Hij had een bom duiten, maar hun schittering was niets waard.

Was dat mijn vader? Met de tuinslang?

De moeder gaf geen antwoord. Hij zag hoe ze om zich heen naar het land keek alsof ze zojuist ontwaakt was. Ze wreef met de rug van haar hand over haar bezwete neus, gluurde omhoog naar de heuvel achter de donkere huisjes waar de zon op de bomen in het wild viel. Gladde stammen doken op in de schemering, wasachtig wit en tevens glanzend groen en het was maar al te duidelijk, zelfs voor de jongen, dat de moeder niet voor hem kon zorgen. Ze had geen idee waar ze zich bevond of waar ze aan begonnen was.

22

Zijn fijnste herinnering aan Seattle was een ijscoupe. Ze waren net met het vliegtuig uit Oakland aangekomen en hadden een taxi genomen. Samen zaten ze aan de bar en luisterden naar Jefferson Airplane; chocoladekaramel vormde een plasje in het ijs.

Ze zei: Ben je blij, jochie?

Hij wist niet dat hij op het punt stond beroofd te worden van zijn vader. Dus was hij heel blij. Aan de muur hingen posters. Hij zei: Ze zijn echt super.

En zij lachte en legde haar hand op zijn rug.

Na het ijsje was Dial zo goed als blut. Ze liepen hand in hand over de Ave naar de uniekswinkel. Ze zei tegen de uniekseksman dat ze haar besluit genomen had. Hij zei: Prima. Dat was Joel, een hippie zonder hemd en lang zwart krullend haar en een grote Joodse neus.

De moeder legde hem uit wat er met de jongen moest gebeuren.

Nee, man, zei hij, dat kan je niet van me vragen, Dial. Hij had een zeurderig New Yorks accent en de jongen vond hem aardig zonder te weten waarom.

Ik heb mijn besluit genomen, zei Dial. Ze wenkte naar de jongen.

De jongen voelde hoe zijn haar met het uiteinde van een kam omhoog werd gehouden en weer in zijn nek viel.

Schat, dit kan ik echt niet afknippen.

Niet zeuren man. Je weet wat er gaande is. Je weet wie dit is?

Hé, Che?

Hoi.

Je hebt prachtig haar, Che. Echt heel mooi. Wil je echt dat ik het afknip?

De jongen wilde het zo graag dat hij geen woord kon uitbrengen.

Wat denk jij dan? zei de moeder.

Joel veegde de haren uit het gezicht van de jongen en zette hem op een verhoging.

De kietelende schaar naderde zijn oor en de jongen wachtte met stijf dichtgeknepen ogen af.

Nou goed, zei de kapper. Je vindt het echt niet erg, knul? Het zijn zware tijden voor je.

Mij best, zei hij. Hij deed zijn ogen open en zag zijn moeder naar buiten de Ave op lopen en de glazen deur achter zich sluiten. Ongeveer alles wat hij had meegemaakt vond hij prachtig, het hotel, het vliegtuig, de ijscoupe, maar vooral dit hoge harde gezoem in zijn nek. Hij werd bevrijd, precies zoals Cameron had voorspeld. Ze komen je weghalen, man. Dan gaat je leven echt beginnen. Dial was zo fantastisch. Mannen draaiden hun hoofden om als ze haar voorbijliepen. Nu liep er één glimlachend achteruit. Dial rolde een sigaret – lange vingers, snel roze likje. Tegen de tijd dat ze hem opgerookt had was zijn kindertijd op de grond gevallen.

De kapper draaide de stoel om en de jongen zag een straatjongen uit Jefferson. Hij was een cicade, ondergronds.

Dial kwam terug om te kijken hoe het was geworden. Ze gaf hem een tikje op zijn wang en knipoogde. Gooi er maar een kleurtje tegenaan, zei ze.

Jezus, Dial, 't is nog een kind.

Zwart.

De kapper trok één wenkbrauw op en hij leek een andere

kleur voor te willen stellen, maar even later kwam hij terug met een mengseltje in een kom.

Biologisch, maar niet heus.

De jongen voelde de koude chemicaliën tintelen op zijn hoofdhuid, maar hij vond het allemaal niet eng. Dit was zijn bestemming, zoals hem verteld was. Nu kwam hij op tv. Binnenkort was hij bij zijn vader, zijn moeder, waar hij hoorde. 'One of these days you're going to rise up singing.'

Terwijl de verf introk, bekeek hij een stripboek, zachte fluwelige bladzijden, al door zoveel handen aangeraakt. In de *Batcave* toonde Bruce Wayne alle verschillende Batman-kostuums waaronder een spierwit pak dat hem in de sneeuw onzichtbaar maakte. Het was het allereerste strip-boek dat hij onder ogen kreeg, een diepe, mysterieuze sen-satie waarbij zijn ogen zich samenknepen. Tegen de tijd dat hij het uit had, was hij een volkómen nieuw mens, gitzwart haar, wel twee jaar ouder. De uniseksman sloot zijn winkel en reed hen naar de schuilplaats dat een huis bleek te zijn met een portaal dat volgestouwd was met oud tapijt en do-zen met boeken, die verregend waren en slap geworden als chocolade in de hitte. Ook dit vond hij prachtig – de boe-ken – alsof alles wat vroeger belangrijk was geweest er nu niet meer toe deed. Het was een straat met kleurige houten huizen; kinderen speelden op straat honkbal en vetkuiven sleutelden aan hun auto's.

Als zijn vader daar was geweest, hadden ze het hem wel gezegd.

Dial en hij liepen rechtstreeks een lege gang in die nooit werd schoongemaakt en kwamen toen in een grote hoge kamer waaruit al het gewone leven was verdwenen. Nie-mand die zelfs maar glimlachte, de mannen met hun woes-te baarden niet, de vrouwen die zich niet zo vaak wasten niet. De jongen had een goed oog, een uitstékend oog, het-geen bewezen was in het Guggenheim. Er was hem niets uitgelegd, maar hij vermoedde dat dit 'onderduiken' was. Hij keek uit naar zijn knappe vader, hun leider, en bleef in de buurt van Dial terwijl zij door de kamer liep, tussen de weerwoorden, de meningen door, scherp als rotsen en afgebroken stenen. Als iemand hem aankeek, glimlachte hij, in de veronderstelling dat zijn vader als die hier was naar hem zou glimlachen. Maar niemand glimlachte, wat zelfs in de hoofdstraat van Jeffersonville, New York, vreemd zou zijn.

Iedereen was in rep en roer en boos, op hem leek het wel. Ze waren in rep en roer omdat hij op tv was. Ze waren in rep en roer omdat Dial op tv was. Ze hadden hier niet naartoe moeten komen, omdat dit een geheime plek was. Ze namen geen blad voor de mond, zoals oma dat noemde. Ze zeiden wat ze dachten.

Terwijl hij Dials rok als een prop in zijn vuist hield, gingen ze tegen haar tekeer. Dial dacht alleen aan zichzelf. Wat was dit voor flauwekul? Hadden de Vietnamezen soms gewonnen? Hadden de smerissen de achterbuurten verlaten?

Dit was het tegenovergestelde van alles wat hij had verwacht op grond van Camerons verhalen. Achter een stinkende bank ontdekte hij een glad aanvoelende, heldergroene slaapzak; hij kroop erin en wrong zich zover als hij kon onder de bank. Hij moest naar de wc. Ze bleven maar tegen haar tekeergaan. Ze was een avonturierster van het petitbourgeois soort. En dan kwam ze uitgerekend nu met dat rotjoch hierheen. Ze deed maar wat. Ze dacht zeker dat de revolutie een parttimebaantje was.

De jongen moest poepen.

Wat ging Dial met het kind doen? Was ze misschien van plan hem over te dragen aan de smerissen?

Hij kon niet gaan poepen. Binnen in de slaapzak was het vreselijk warm.

Hij hoorde Dial huilen. Hoe durfden ze haar, die beter was dan zij met z'n allen bij elkaar, aan het huilen te maken.

Ze schreeuwde dat ze harteloze klootzakken waren. Misschien hadden ze het over de jongen. Hij was bang dat ze hem uit de weg zouden ruimen.

Een man zei dat ze haar met rust moesten laten en op dat moment poepte hij. Het gleed er zomaar uit en bleef in zijn onderbroek zitten, heet, stinkend; hij trok zijn hoofd in de slaapzak en snoerde het koord aan zodat niemand het zou merken.

Ik kan er toch ook niets aan doen, zei Dial.

De jongen begon te huilen en huilde nog steeds toen ze hem uit de slaapzak trokken, door de kamer naar het grasveld voor het huis droegen, waar een grote man met haren voor zijn ogen hem zijn vieze kleren uittrok, hem met zijn rug tegen de muur zette en afspoot. In het begin was het water warm, omdat de slang in de zon had gelegen, maar toen werd het koud en hard en deed het pijn aan zijn huid en pas toen Dial gillend uit het huis kwam rennen hield de man op.

Klootzak, zei ze.

Hij herinnerde zich niets meer van de man behalve zijn waterige grijze ogen. Hij wreef over Che's hoofd. Hij stak zijn hand uit naar Dial, maar ze keerde hem haar rug toe, zeepte de jongen met zachte hand in, terwijl hij met zijn armen over elkaar toekeek, stampvoetend een rondje over het gras maakte en nogmaals terugkwam om toe te kijken.

Om hen heen was het een zachte zomer, auto's in de straat, groen gras, een ijscowagen die 'Greensleeves' speelde.

De man reikte een grote blauwe handdoek aan, niet aan de jongen maar aan Dial.

Het spijt me, zei Dial tegen hem. Ik ben bang dat ik het helemaal verknald heb.

Ze sloeg de handdoek om de jongen en toen huilde ze echt, met snotterende, gierende uithalen en de man sloeg van achteren zijn armen om haar heen.

Maak je geen zorgen, schat, zei de man.

Zijn ogen waren vriendelijk en vochtig. Zijn eigen zoon stond misschien twintig centimeter van hem vandaan. Later dacht de jongen dat de vader kennelijk een bepaalde regel naleefde zodat hij, hoeveel pijn het hem ook deed, niet tegen zijn zoon kon praten, zelfs zijn hand niet kon aanraken, maar alleen verscholen achter zijn haren kon meeleven met het schrijnende geheim van zijn bestaan.

In een klamme tuin, aan de andere kant van de aardbol verloor hij zijn kind, en het kind hem. De ondergaande zon verlichtte wolken insecten. De jongen was het hulpje van een uitgemergelde hippie. Hij had het gevoel dat hij geen lucht meer kreeg. Hij voelde zich futloos, hopeloos. Hij sneed, omdat het hem gevraagd werd, de stengel van een grote oranje pompoen, maar niet verder dan de helft. Hij groef twee uien op en plukte één aubergine.

Als zijn vader van tevoren had geweten hoe ongelukkig hij zou zijn, zou hij zichzelf wel bekendgemaakt hebben.

Terug in het huisje, zijn buik een zompig moeras van ellende, keek de jongen toe hoe de hippie de 'piepers' 'plaatste', een aangekoekte zwarte koekenpan invette en vulde met kleingesneden pompoen, aardappels en uien. Hij zag hoe hij de stormlampen onder de slaapvliering ophing en nog een midden in de deuropening naar de waranda en een aan de muur, op zijn vaste plek, want daar liep over het gele teerpapier een lange dunne streep roet omhoog. Het leven van de jongen zou vreselijker zijn dan dat van woonwagenbewoners. Het zou een leven zonder lichtknoppen zijn.

Adam stak een muggenspiraal aan en ze moesten er dicht omheen gaan zitten. Hij was de eigenaar geweest, maar nu was hij ervan verlost. Hij rolde een stickie met drie vloeitjes en de rook van de spiraal was net wierook, bedompt als brandende koeienstront wat het volgens zijn zeggen ook was.

Het werd donker maar de lucht bleef heet en zwaar en na een tijdje rook je de groentes die bakten en de jongen lag met zijn hoofd in de schoot van zijn moeder. Ze waren lief voor elkaar, maar in hem siste stilletjes een geheime woede, een trilling in zijn borst die steeds meer aanzwol. Ze had hem moeten zeggen dat dat zijn vader was.

Hij hoorde miauwen en daar stond Buck. Zijn woede werd nog groter. De kat had in zijn bek een dood beest dat bijna half zo groot was als hijzelf.

Jezus, zei Adam.

Buck liet het dode ding vallen en toonde zijn natte roze bekje aan de jongen.

Op de vloer gaf een pitta prijs wat hij zijn leven lang geheimgehouden had – het blauw onder zijn verkreukelde vleugel. De jongen huilde. Zijn vader was woedend op hem. Alles in zijn leven werd vertrapt en ging dood en behalve het feit dat de pitta beschermd was en mensen dat blauw alleen konden zien tijdens zijn vlucht of na zijn dood – kon niets van dit alles iets te betekenen hebben.

Hij schopte Buck, hoog de lucht in, als een voetbal die pas bij de open deur weer neerkwam.

23

Je wist van de kat, zei Dial tegen Adam. Je hebt hem verdomme nog geaaid, man. Je hebt hem verdomme op schoot genomen. Je kunt niet mijn geld aannemen en dan zeggen dat katten tegen de regels zijn. In dat geval wil ik mijn geld terug. De verkoop gaat niet door.

Adam zat in elkaar gedoken en verwrongen als een pijpenrager op de vensterbank. Ik heb niets tegen katten, zei hij, en keek smekend opzij naar zijn advocaat, in de hoop dat deze hem te hulp zou komen.

De advocaat heette Phil Warriner. Hij was lang en had de schouders van een surfer. Hij had een brede das met een saai paisleymotief, een boord met lange punten, borstelige bakkebaarden, een zwarte hangsnor.

Ik heb ook niets tegen katten, zei Phil Warriner.

Geef dan m'n geld maar terug, zei Dial, bijna opgelucht. Ze wilde hier toch niet wonen. Van het begin af aan was uw cliënt op de hoogte van de kat, zei ze.

Toen wachtte ze op de advocaat, die wezenloos zijn snor gladstreek. Ze begreep niet hoe deze man terecht had kunnen komen in dit ellendige kantoortje met vilten vloertegels. Jarenlang rechten studeren en dan verdomme je leven moeten slijten in een gat als Nambour, met uitzicht op het laadplatform van Woolworth.

Het gaat niet om katten, zei hij. Het gaat om de vogels.

Dial keerde zich naar Adam, die met zijn armen om zich heen geslagen heen en weer wiegde. Toen wij in je auto stapten, ging Dial door, toen je ons oppikte. Toen had jij een haan, Adam, en wij hadden een kat.

De advocaat pakte een gele blocnote en trok in het midden een streep.

De vraag, schat, zei Phil Warriner, is of je van plan bent je verplichtingen aan de Kristallen Commune na te komen.

Ze liet de 'schat' voor wat het was. Ze zei: Nee, nou niet daarover beginnen. Ik heb geen enkele verplichting. Adam heeft een verplichting. Hij is niet eerlijk geweest.

Terwijl ze praatte haalde de jongen, die al die tijd vlak achter haar had gestaan, Buck uit de zak van het vest en drukte zijn gezicht in diens vacht. Dus nou gaf hij zijn kat zoenen. Mooi hoor. Gisteravond gaf hij hem nog een paar schoppen.

De advocaat rolde een dunne rechte sigaret. We gaan Adams aandelen overschrijven op jouw naam, zei hij tegen Dial. Daarom zijn we hier bij elkaar.

En dat kan dus niet, zei Dial. Nu glimlachte ze naar hem.

O? Hij drukte de uiteinden met een rode lucifer aan en stak hem aan; hij hield de rook te lang binnen.

Er is een regel die katten verbiedt.

Er is geen regel, zei de advocaat. Jeetje, het zijn hippies.

Ik heb eerder in communes gezeten, meneer Warriner. Die stikken altijd van de regels. Neemt u dat maar van mij aan.

Phil, zei de advocaat.

Wij zijn Austrálische hippies, voerde Adam aan. Hier is het anders.

Dial kreunde. De jongen duwde het kopje van de kat in haar nek. De kat likte. Hou op! riep ze.

Je koopt aandelen, Dial. Je krijgt je eigen stuk grond, je eigen huis. Het is van jou. Leg het haar dan uit, Phil. Verdomme, ze kan doen wat ze wil. En hoe dan ook, ze heeft ervoor betaald.

Phil keek glimlachend naar zijn bureau. Dial dacht: probeer je me soms te intimideren? Ze zag hoe de advocaat de tabakskruimels van zijn bureaublad in zijn schoot veegde en van zijn schoot op de vloer.

Je zult tot de ontdekking komen, zei hij, nog steeds omlaagkijkend, dat er niet veel regels zijn op Remus Creek Road, en dat de regels die er zijn al vele malen zijn overtreden. En toen glimlachte hij naar haar, met toegeknepen ogen. Ze dacht: hij zit me te versieren.

U wordt verondersteld advocaat te zijn.

Ik ben een biologische advocaat. Hij grinnikte, zijn sigaret vastgeklemd in een mondhoek.

Ik kan dit land niet kopen, zei ze.

Luister. Phil Warriner legde zijn handen in zijn kruis. Je hebt Jimmy Seeds de koopsom al betaald.

Jimmy Seeds?

Adam. Da's hetzelfde.

Hetzelfde? Echt? Nou, toen deze meneer hier eenmaal mijn geld binnen had, vertelde hij dat ik de kat niet kon houden. Dat is contractbreuk, zei Dial.

Er zijn allerlei gezinsvormen, zei Adam. Dat weten we ook wel. Jezus, we zijn tegen patriarchaat.

Jullie zijn wát?

De kat maakt deel uit van je gezin. De kat moet hier ook wonen.

Wat Jimmy bedoelt, zei de advocaat, is dat je eigenlijk geen kat hoort te hebben, maar dat niemand je tegenhoudt. Hoogstens wordt er gezegd: Dat is Dial, die houdt van katten. Prima meid.

Wat bedoelde je dan toen je zei dat ik iets aan de kat moest doen?

Jezus, ik was stoned.

Dus mogen we een kat hebben.

Ja, zei Adam. J-a-a.

De moeder draaide zich om naar de jongen en zuchtte.

In de verbeelding van de jongen werd hem gevraagd een

beslissing te nemen. Het zou jaren duren voordat hij inzag dat dat nergens op sloeg. Hij zou nooit vergeten hoe haar wenkbrauwen omlaagkwamen, zwart en heksig. Hij moest zeggen of hij van de kat hield. Of hij in een uithoek van de wereld wilde wonen, zonder wc en zonder lichtknopjes, waar nooit iemand hem zou vinden. Het was niet eerlijk. Hij keek naar buiten de weg op. Een stuk krant wapperde heen en weer in de hete wind. Toen arriveerde een vracht-wagen en hij keek weer in de kamer, langs de mensen heen, en staarde naar een foto aan de muur. De foto had de kleur van dode families, lang geleden.

Ken je Bo Diddley? vroeg de advocaat plotseling; hij haalde het lijstje van de muur en gaf het aan de jongen. We hebben samen in Sydney gezeten.

De moeder pakte de foto van de jongen af en legde hem terug op het bureau van de advocaat.

Nou? vroeg ze de jongen.

Ze gaf hem de schuld, maar waarvan? Het speet hem dat hij de kat had geschopt. Hij hield van de kat. Maar niet meer dan van zijn papa. Het was niet eerlijk dat iedereen naar hem keek. Hij was nog maar een kleine jongen.

Hoe dan ook, zei Phil Warriner, terwijl hij een map op-pakte, je schijnt een mondelinge overeenkomst te hebben gesloten. Hij hield de map op zijn kop en keek toe hoe de inhoud op de tafel viel.

Trek je stoel eens bij, zei hij tegen de moeder.

Terwijl zij het document las, hoorde de jongen de krant op het laadplatform klapperen als iets dat zich te pletter was gevlogen in een kooi.

De moeder vroeg: Wie is James Adamek?

Dat ben ik, zei Adam.

De advocaat schoof een goedkope balpen naar de moe-der.

De jongen keek toe terwijl zij de doorschijnende plastic

pen bekeek en vervolgens het dossier en de foto van Bo Diddley en de gevallen papieren die nu in de zonnestofjes lagen. Ze vroeg: Waar heb je gestudeerd?

Phil Warriner lachte.

Wil je beweren dat dit allemaal wettig is?

Warriner pakte het dossier op en las het nogmaals vlug door. Hij sloeg Dials paspoort open, las het, keek naar haar gezicht, sloeg het dicht.

Teken nou maar, Anna, zei hij. We begrijpen elkaar toch?

24

De gluiperige hippie zat lekker in een bus op weg naar het verre noorden van Queensland en zij zat opgescheept met vijfenhalve hectare en een vel papier waarop stond: ik heb mijn auto aan Dial gegeven. Bij Nambour, aan de kant van de Bruce Highway, in de door de bus uitgebraakte walm van uitlaatgassen, vroeg de jongen haar: Gaan we nu naar een motel?

Of we nu naar een motél gaan?

Maar toen zag ze de frons bij zijn neus, de schuwe, heen en weer schietende ogen.

Mijn god, dacht ze, waar ben ik aan begonnen? Dit was een onbezoedelde jongen geweest, en het meest opmerkelijke aan hem was niet zijn knappe gezicht dat hij van zijn vader had, maar zijn volslagen vertrouwen, zoals hij zijn hand in de hare legde en naast haar in de bus zat, dicht tegen haar aan, met zijn wang op haar arm. Zijn ogen waren helder, grijs, en hadden bij een bepaald licht een prachtig zwavelblauwe gloed. Zijn haar zat in de war, krullerig. Het was moeilijk hem niet de hele tijd aan te raken. En nu was hij hier, met verkreukeld gemoed en bang voor haar uitbarsting.

Ja? Dial?

Ze keek hem in de ogen en vroeg zich af of er in dat volmaakte hoofdje misschien een omgekeerd evenredige woede raasde.

Ja Dial? Toe.

En ze was al zo zenuwachtig over hoe ze terug moesten

komen bij Remus Creek Road. Ze had geen rijbewijs, kon niet schakelen.

Ja?

Hij hing met zijn vuist aan haar vinger, een buideldier. Hoe was het mogelijk dat hij dit alles doorstaan had? In de auto vond ze een verkreukelde kaart vol olievlekken.

Kijk, zei ze, wat is dit?

Is dat de zee, Dial? Hij kroop dichter naar haar toe, en streek met zijn wang langs haar arm.

We zijn vlak bij het strand, zei ze. Het was voor het eerst dat het echt tot haar doordrong waar ze terecht waren gekomen. Zou je dat leuk vinden, jochie? Ze legde haar hand op zijn hoofd, de motor van zijn ziel in haar handpalm.

En daarna in een motel overnachten!

Waarom ook niet! Ze had nog geld over. In haar tas zat *Huck Finn*. Ze konden pokeren en pizza eten en de hele dag zwemmen.

Oké, ga op de grond zitten, zei ze. Ze was natuurlijk niet goed bij haar hoofd, juist nu, uitgerekend nu. Op de grond zitten? Het kleine mensje protesteerde niet eens, rolde zich alleen maar op, samen met de kat, tussen stof en lucifers op de rubberen mat.

Toen ging ze rijden, zo goed als ze kon. Aan de verkeerde kant van de weg.

De jongen scheen zich niets aan te trekken van de prikkerige stof en afgebrande lucifers, leek zich niet te ergeren aan het feit dat ze onophoudelijk haar hand van de versnellingspook naar zijn schouder en weer terug bewoog. Het beduusde maar ondernemende katje ging algauw op de hoedenplank liggen slapen, maar de jongen hield zich schuil; hij wist dat de moeder weer van hem hield.

Ben je echt naar Montana gereden?

Nu had hij het over zijn echte moeder. Ik ben deze auto niet gewend, riep ze. Sorry.

Had je toen een kaart?

Het is een schakelauto, ging ze door. Ik wen er wel aan.

Dial?

Ja.

Zijn koppige kalmte dwong haar naar hem te kijken. Ze wendde haar blik snel af, in feite omdat zijn ernst haar afschrok.

Ben je bang dat ze me oppakken, Dial?

Doe niet zo raar, zei ze. Ze reed veel te langzaam. Ze zag de auto's achter haar en keek uit naar een plek om aan de kant te gaan.

We zijn hier ondergedoken. Moet ik daarom op de grond zitten?

Nu even niet praten. Ik moet opletten.

Je zei dat ik op de grond moest gaan liggen.

Sst, zei ze. Voor haar uit zag ze een bedrijf voor landbouwmachines en ze ging aan de kant. Ze telde zeven passerende auto's. Zou ze het hem nu vertellen?

Het is veiliger op de grond, zei ze. In het algemeen.

Mag ik gaan zitten als ik mijn veiligheidsgordel omdoe?

Natuurlijk, zei ze, en reed de weg weer op.

Heb je zo papa naar Montana gereden, Dial?

Jemig, hoe wist hij dit allemaal.

Dat was in een automaat, jochie.

Het was een huurauto, Dial. En je had een kogel in je arm.

Het leek wel of hij haar zat te pesten. Straks wilde hij ook nog het litteken zien.

Kijk, zei ze. Wat is het hier mooi. Ze reden tussen muren van groen suikerriet. Boven het hoge gras stak een houten huisje op palen uit.

Het was toch een .32?

Het suikerriet maakte plaats voor een bos van dunne boompjes met afbladderende bast, hun witte stammen als krijtstrepen getekend op een donkere ondergrond.

Ja toch, Dial?

Cameron heeft je al die onzin zeker verteld, zei ze uiteindelijk. Hoe oud is Cameron eigenlijk?

Zestien. En hij is maoïst.

Nou, zei ze. De kranten staan vol met leugens. Dat zou hij moeten weten.

Ze ging naar de kant van de weg, niet in staat verder te rijden. Ze kon hem niet in de ogen kijken. Ze hield stil naast een rommelig stuk grond met omgewoelde grijze aarde en geknakte bomen, een treurig, omgekapt bos.

Wat gaan we doen?

Bijna had ze tegen hem gezegd: Ik ben je moeder niet, maar ze stapte uit de auto en deed alsof ze iets zocht. Zo wilde ze niet leven, dag in dag uit. De een of andere barbaar had deze bossen met bulldozers bewerkt. Niet één bloem om te plukken, alleen maar deze spookachtige, gewonde bomen waar de bast van afbladderde, als psoriasis. Ze trok aan de bast; het liet los in lange repen, zoals papier.

Dat was het. Dat zou ze hem geven.

Kijk eens, zei ze. Is dit niet mooi?

Hij keek meer naar haar dan naar de bast. Besefte hij dat ze de kluts kwijt was? Wat is dat, Dial?

Australische boombast, jochie. Je kunt erop schrijven.

Fronsend draaide hij het om. Wat wil je dat ik erop schrijf? vroeg hij na een tijdje.

Maak een tekening van Buck, zei ze opgewekt, weer terug achter het stuur.

Ik ga er een woord op schrijven, zei hij.

Laat maar zien als je klaar bent.

Ze voelde hoe hij naast haar, ernstig, toegewijd, zijn best deed.

Klaar?

Hij had ANA geschreven.

Hier kan ik niet tegen, dacht ze. Het is met twee n'en, zei ze.

Ben je weer boos op me, Dial?

Nee, jochie, ik hou van je.

Ze gaf hem een zoen boven op zijn hoofd. Weet je dat sommige poezen echt van het strand houden?

Ben jij Anna? vroeg hij.

Kijk, riep ze. Ze reden boven op een heuveltje en daar lag de zee, kilometers zee met gele stranden die verdwenen in de krijtachtige mist.

Strand! zei hij.

25

Moe en verbrand en zanderig reden ze langs de kust naar het vlakke land ten westen van Coolum en de papierbast- bomen stonden al tot aan hun kruinen verdronken in de melancholieke duisternis. De lucht was nog donkergroen. De koplampen waren aan, maar de moeder kon nauwelijks iets zien door de vettige ruit vol insecten. Onder de hemel was alleen een vlekkerige weg zichtbaar en struikgewas met daartussen witte wormachtige stammetjes.

Het licht deed de jongen met heimwee aan zijn grootmoe- der denken. 's Avonds reed het tweetal, samen op de voor- bank, Jeffersonville in naar Ted's Diner. Er was een zomer waarin ze een tijdje zijn fiets meenamen en hij rondjes kon rijden op het lege parkeerterrein van Peck's.

Er waren ook kinderen uit de buurt, maar daar speelde hij niet mee. Ze hadden kort haar en harde priemende ogen en op een keer pikten ze zijn fiets terwijl hij in Ted's Diner zat te eten. Hij wist wie het had gedaan en waar hij woon- de, dus elke keer daarna dat ze naar de stad gingen, liep hij door de achterafstraatjes rondom Pete's Auction Barn en bij een van deze gelegenheden, net na het invallen van de schemering, zag hij zijn fiets op een grasveldje liggen. Hij wist zeker dat het zijn fiets was. Het midden van de stang was met zwarte isoleertape omwikkeld.

Hij wilde ermee wegrijden toen er een kind naar buiten kwam en hem vroeg wat hij aan het doen was.

Dit is mijn fiets.

Je lult!

Wel waar.

Je liegt.

De andere jongen was misschien acht jaar, maar toen hij het grasveld op kwam liet Jay de fiets vallen en vloog zo hard op hem af dat hij hem omverliep en hij liet zich op zijn knieën boven op hem vallen en stompte hem met zijn vuisten en hield niet op voordat de vader van de jongen hem wegtrok.

Wat doe jij verdomme?

Hij heeft mijn fiets gestolen.

De vader was een lange, pezige man met tatoeages op zijn armen en in zijn hals. Hij had woeste zwarte bakkebaarden en dikke wallen onder zijn ogen.

Hé knul, het is maar een fiets.

Ja meneer.

De jongen had nog nooit een klap gehad. Hij stond erop te wachten. In plaats daarvan sloeg de man een arm om de schouder van zijn huilende zoon en samen liepen ze naar hun portaal en de jongen zag hoe een vrouw kwam aangerend, als een fladderend motje naar het licht. Toen begon hij te huilen, een soort gemene hik.

Hij kwam terug bij Ted en ging naar zijn grootmoeder.

Je hebt hem terug!

Hij had haar moeten zeggen: Ik heb hem flink op zijn donder gegeven, iets in die trant, maar in plaats daarvan schaamde hij zich en wist hij niet wat hij moest zeggen. Hij zag steeds maar de vader voor zich, de tederheid in die uitgebluste blik toen hij zijn armen om zijn zoon sloeg.

Ben je nog wakker? zei Dial.

Ja hoor, zei hij.

26

De Peugeot sputterde nog eenmaal en belandde met een schok een meter verderop in de diepe duisternis onder de overhangende acacia en *lantana*. Vóór hen brandde een licht.

In een zak van het vest had hij nu *Huck Finn*. Je weet niets van mij af, behalve als je een boek dat *The Adventures of Tom Sawyer* heet hebt gelezen. Met het katje in de andere zak liep hij door een diepe poel van duisternis over het pad – tussen de twee huisjes door – de treden op naast de papaja en toen het grote huis in, waar zij alleen met z'n tweetjes zouden zijn, met dekens, en een boek; hij kon zich op dit moment niets fijners voorstellen. Binnen brandde een zwak geel licht, niet voldoende om het dekkende duister te doorbreken, wel net genoeg om onbekende gezichten aan de lage tafel te laten zien.

Hij bleef in de deuropening staan, niet wetend wat hij moest doen. De moeder klemde haar armen om zijn borst en drukte hem, als een papieren zak waar alle lucht uit was geperst, tegen zich aan. Hij was zo moe dat hij wel kon huilen.

Het waren hippies – hoe kon het ook anders! Armen en gezichten in het donker, net een saai schilderij in het Met. Om hen heen hing een dikke wolk insecten, sommige vlogen, andere waren aan het doodgaan, weer andere kaatsten terug van de lamp. Ze roken naar wiet. De insecten gingen op de bezwete neus van de jongen zitten en een enge zwarte nachtvlinder vloog plotseling op van de tafel, waarbij hij even tegen het licht stootte.

Niemand zei iets.

Kan ik jullie van dienst zijn? zei Dial. De enige die ze herkende was de Rabbitoh, één oog bedekt door zijn pikzwarte haar.

Een vrouwenhand bood een stickie aan. Het licht van de lantaarn viel op de groene stenen om haar pols, de zilveren belletjes. Dial hield haar armen om de jongen heen.

We wachten op Jimmy Seeds, zei de vrouw met het stickie.

Adam is vertrokken, zei de moeder.

Als hij vertrokken is, komt hij ook terug, zei een man.

Neem maar van mij aan, zei Dial, dat hij niet terugkomt. Wij hebben net vandaag dit stuk grond gekocht. Sorry mensen, maar wij willen naar bed. We hebben een zware dag achter de rug.

Het waren maar vijf mensen om de tafel en het enige wat ze hadden was een zak wiet en een theepot, maar de walm van hun kwaaie stemming was viezer dan de rook.

Dit is Dial, zei de Rabbitoh, voor het geval jullie dat nog niet wisten.

Ik ben Dial, zei de moeder eigenwijs. En dit is mijn zoon Jay.

Dial? Dit was een slanke man met een knap, geschoren gezicht en een ongekamde haardos vol klitten. Hij had een beweeglijke bovenlip, misschien grappig als je bevriend met hem was.

Wij kennen Jimmy al héél erg lang, Dial.

Een wezenloos, stoned lachje. Een vrouw. De jongen zag haar in het halfduister – dik zwart krullend haar en grote borsten zonder beha onder haar T-shirt.

De moeder zei: Adam heeft vanmiddag de bus naar Cairns genomen.

De jongen haalde het boek tevoorschijn en gaf het aan de moeder voor het geval ze hun voornemen vergeten was.

De hippievrouw veegde de haren uit haar gezicht en stak haar lange brede kaak vooruit in het licht. Ik wil je niet vervelen met wettelijke voorschriften, Dial, zei ze, maar eigenlijk kan Jimmy Seeds zijn aandelen niet verkopen zonder dat de nieuwe koper kennis heeft gemaakt met de commune.

Ze hield de lantaarn omhoog. Buck kneep zijn ogen stijf dicht tegen het schijnsel.

En in ieder geval kun je de kat niet houden.

Ze ging staan, en bleek een hoofd kleiner dan Dial te zijn. Ze had geen taille en stevige bruine benen.

Jij kunt hier helemaal niets aan doen, zei ze tegen Dial.

Prima, zei de Rabbitoh. We moeten het gewoon rustig uitpraten.

Nou en of, zei Dial en gaf het boek terug aan de jongen.

De jongen liet Buck weglopen. Vervolgens beklom hij, als een in het donker zwevende schaduw, de wiebelige ladder met de smalle sporten naar de vliering. Daar ging hij midden in het nest liggen en trok met beide handen een verfomfaaide deken over zijn hoofd. Hij wachtte tot ze weggingen, onderwijl zijn oren dichthoudend voor hun aanhoudende, vreemde stemmen.

27

Ze lag naast hem in het blauwe licht en luisterde naar de metalen plofjes van de buidelratkeutels op het dak. Met zijn maanzwarte lippen leek hij nog meer op een vondeling. Het leek vreselijk wreed hem nog langer voor te liegen, maar de waarheid vertellen was nog verschrikkelijker. In de klamme duisternis kneep Dial haar ogen dicht toen ze zich voorstelde hoe het moest voelen als het complete fundament onder je leven werd weggehaald. Zijn echte moeder was ook een bijzonder kind geweest, zo bevoorrecht: zelfs wanneer je haar iets heel eenvoudigs zag doen, bijvoorbeeld als ze een trui aantrok of een looppas inzette, ontdekte je een volmaakt symmetrisch schepsel, twee precies eendere voeten, twee exact identieke ogen, regelmatige witte tanden die geen orthodontist nodig hadden. Op haar zestiende kwam ze summa cum laude van Dalton naar Radcliffe en sprak vloeiend drie talen. Toen ze met Kerstmis 1964 naar het Belvedere terugging, droeg ze dit kind in haar buik, een vis met kieuwen, een kikkervisjeshart.

Het was in de jaren zestig, maar ver voordat Radcliffe-meisjes de pil slikten en jongens op vrijdagavond bleven slapen. Deze tienerzwangerschap stond nog in het teken van jarenvijftigschaamte en schandaal, damesbladen met lino-illustraties.

Wist ze eigenlijk dat ze zwanger was. Ze liet niets los, maar het kostte Phoebe Selkirk weinig moeite de diagnose te stellen. Het was kerstochtend toen de bom barstte, en het nieuws verschafte Buster Selkirk een prima excuus voor een wodka. Vanaf dat moment werd de dag min of meer gevuld met geschreeuw en gejammer en de schalen van de cateraar en de pakjes werden aan hun lot overgelaten en Susan sloot zich, met een bordje gepureerde knoflookaardappels, op in haar slaapkamer.

Om middernacht, terwijl ze wakker lag en ze haar dochter in de badkamer hoorde overgeven, was het Phoebe Selkirk nog steeds niet duidelijk wie de vader was of hoe haar dochter zich haar leven van nu af aan voorstelde, maar wel was duidelijk dat het idee om 'orde op zaken te stellen' in haar 'situatie' niet aanvaardbaar was. Gezien de omstandigheden leek het een bemoedigend teken dat er niet met zelfmoord was gedreigd.

Mevrouw Selkirk had altijd verkondigd dat ze te energiek was om stil te zitten in een vliegtuig, maar de volgende dag, die ze hardnekkig pakjesdag bleef noemen, nam ze één valium en reisde van Idlewild naar Boston en vandaar naar Harvard waaraan haar vader een bibliotheek en een leerstoel geschonken had. Ze sprak met niemand over deze reis, niet met haar dochter noch met haar man; laatstgenoemde was trouwens vertrokken om de nacht door te brengen in de Harvard Club, die vanwege de feestdagen halfleeg was. Ze liet haar dochter slapen en riep Gladys terug van haar vakantie om de rotzooi op te ruimen en haar dochter gezelschap te houden. In Quigley House sprak ze met de studentendecaan en de rector en wist hen te overtuigen dat ze voor dit 'hobbeltje', dat in haar ogen niet meer dan een akkefietje was maar waar de twee mannen anders over dachten, best een oplossing konden vinden. Mocht de vader al een student aan Harvard zijn, dan was men daar niet nieuwsgierig naar en in de jaren dat ze om klokslag zes uur haar eerste martini dronk, gaf mevrouw Selkirk schamper commentaar op de drie wijzen en hun overleg over de maagdelijke geboorte.

Mevrouw Selkirk deed niet onmiddellijk een schenking, maar ze moedigde de decaan en de rector aan na te denken over wat de faculteit Beeldende Kunsten voor Kerstmis op haar verlanglijst had staan. Het was destijds niet in haar hoofd opgekomen dat ze Harvard ooit iets kwalijk zou nemen.

Phoebe Selkirk wilde, op z'n zachtst gezegd, maar wat graag weten wie de vader was, maar elke keer dat de vraag aan de orde kwam, kroop het meisje meer in haar schulp en haar gewoonlijk zo lichte en opgeruimde kamer werd een donkere, bedompte zwijnenstal, die meer paste bij een puberende jongen dan bij het meisje dat op haar twaalfde verjaardag aankondigde de Amerikaanse ambassadeur in Frankrijk te willen worden.

Dus jullie hebben geen plannen om te trouwen? vroeg ze.

Het gelach van haar dochter schokte haar dermate dat ze zich afvroeg of het probleem misschien eerder schizofrenie dan een zwangerschap was.

In zeker opzicht was deze ramp een zegening voor Phoebe Selkirk, omdat het haar nieuwe energie gaf op een tijdstip dat ze het de commissie van mede-eigenaren behoorlijk lastig begon te maken. Terwijl het kraakbeen van de jongen been werd, vond zijn grootmoeder het huis op twee uur van de stad New York, in Kenoza Lake, Sullivan County, op lichtjaren afstand van vrienden en bekenden.

Dit deelde ze mee aan haar dochter, die geen commentaar gaf en aan haar echtgenoot, die glimlachend beide armen ten hemel hief, een uiterst irritante gewoonte die hem van elke verantwoordelijkheid leek te ontslaan, zelfs waar het zijn kunstaanwinsten betrof die hij altijd te vroeg of te laat verkocht. Zijn 'van de hand doen' van Pollock had hem een zekere faam bezorgd, al wilde ze dolgraag dat hij daar eens over ophield.

Morgen gaan we erheen, zei ze.

Later zou iedereen te horen krijgen dat Susan te jong was voor Radcliffe en dus een jaar naar de Sorbonne ging, een verhaal dat haar moeder later bijstelde toen ze hoorde dat de meisjes Kelvin en Goldstein precies hetzelfde gingen doen en een appartement in het zesde arrondissement wilden delen.

Ze nam de Peugeot en liet de belachelijke Alfa Romeo Spider met de linnen midlifecrisiskap achter voor haar man. Op de Palisades Parkway was het zonnig en helder, maar toen ze eenmaal de Bear Mountain overgestoken waren sloeg het weer om en reden ze de laatste kilometers over de 17B in een ijzelregen. Op de 52 glibberden ze van de weg af, maar ze waren dichtbij genoeg om te lopen. Al die tijd zei dit vreemde wezen, haar eens zo spraakzame en gelukkige dochter, geen woord. Die viel op het ijs en allebei haar knieën bloedden.

Je wilt dat mijn baby doodgaat, zei ze.

Toen Che pas laat begon te praten, beweerde zijn grootmoeder dat dat kwam omdat zijn moeder tijdens haar zwangerschap niet had gepraat.

Ze had nog contact met de vader, uiteraard. Daarvan was Phoebe Selkirk overtuigd, maar op wat voor manier, daar kwam ze nooit achter. Er kwamen boeken voor het meisje, boeken van een geheel nieuw genre, filosofie, economie, boeken waarvoor ze voorheen geen enkele interesse zou hebben getoond. Nog jaren later zou ze het zichzelf hoogst kwalijk nemen dat ze geen aandacht had besteed aan de giftige inhoud van de boeken – Marx, Sartre, Marcuse – terwijl ze juist zoveel tijd besteedde aan de kanttekeningen in een poging een code te ontdekken. Maar er was geen code. Ze spraken met elkaar over de telefoon, maar tegen de tijd dat de eerste rekening kwam, in die tijd elk kwartaal, had de jongen een gezicht gekregen en functioneerden al zijn ingewanden naar behoren. Toen reden de twee vrouwen de stad in en namen een kamer in het Gramercy Park Hotel waar nooit iemand uit de kennissenkring van de Selkirks zou overnachten.

Hiervandaan, helemaal aan het einde van Lexington Avenue, nam de moeder een taxi naar het Beth Israel waar ze het leven schonk aan een jongen die ze aangaf als Che David Selkirk.

De naam veroorzaakte grote opschudding in het ziekenhuis, maar het was de naam David die de grootmoeder aan het denken zette. Veel later, toen David Rubbo zijn vuist balde naar de minister, herkende de grootmoeder hem meteen.

Hé, riep ze, die neus.

De moeder had de vader niet kunnen zien tussen december 1964 en 23 juli 1965, de nacht waarin de jongen werd geboren. Hij werd bij het aanbreken van de dag ontdekt, slapend, met zijn hoofd op haar melkrijke borst. Hij had lang blond krullend haar, lange wimpers, een hoog voorhoofd en een kromme Romeinse neus. Een haviksneus, zou de grootmoeder later zeggen, wat een teken was dat haar oordeel milder was geworden. Nu besloot ze dat het een New England-neus was. De verpleegsters die zich al een mening over de vader van Che hadden gevormd, herzagen deze nadat ze hem gezien hadden. Ze gingen in een halve cirkel om hem heen staan en toen hij wakker werd, lieten ze hem de baby zien. Hij was zelf nog een baby; ze snoten hun neus.

De jongen, de moeder en de vader zouden pas in 1966 bij de inschrijving van de eerstejaars bij elkaar zijn, toen juffrouw Selkirk en de oppas – een beursstudente van de middelbare meisjesschool – in alle stilte een verdieping betrokken van een huis met drie woonlagen in Somerville, en de moeder weer terugkwam op Radcliffe.

Decaan Gilpin ontving de teruggekeerde studente en

haar moeder op de thee. Bij die gelegenheid nam ze Che niet mee, en hoewel decaan Gilpin haar niet opdroeg de baby te verbergen, was dat wat er bedoeld werd toen het woord 'discretie' werd gebezigd.

Dus leefde Che in zekere zin vanaf het begin van zijn leven een verborgen bestaan. Eerst in Kenoza Lake en toen in Somerville en in beide plaatsen werd er op hem gepast door het meisje uit Boston-Zuid.

De decaan had belangrijkere zaken aan zijn hoofd dan baby's. In Haight-Ashbury woonden vijftienduizend hippies. The Beatles beweerden populairder te zijn dan Jezus. Dave Rubbo verbrandde op NBC zijn oproep voor militaire dienst. Iedereen was op alles voorbereid behalve dat, zoals Anna Xenos opmerkte, Harvard-'mannen' nog steeds 'naar je lijf smachtten' en hun glazen hieven als een meisje de eetzaal binnen kwam. Ze dachten dat het een geheel nieuwe wereld was, maar zíj waren de baby's. Harvard was nog niet klaar voor de eerste zogende moeder bij het college Ec 1.

Ook bij Gov 146 was Che toehoorder. Het is nu moeilijk voor te stellen hoe onmogelijk dat was. Zij die aan Harvard zijn afgestudeerd en een onfeilbaar geheugen bezitten zullen zeggen dat dát onmogelijk was, maar in de *Crimson* van de volgende dag, jaargang 23, nummer 3, stond een foto. De vader stond dikwijls in dezelfde krant, eerst vanwege de oproepkaart, vervolgens omdat hij de leider van de SDS was.

Het was de SDS die het protest aanvoerde toen Robert McNamara in 1966 naar Harvard kwam. De SDS telde extreem linkse splinterpartijen, maar het duurde nog drie jaar tot de grote splitsing zou plaatsvinden waaruit de Weathermen voortkwamen. In 1966 bezat Che's vader geen geweer. Wel beschikte hij over een lijst met tien vragen aan de minister van Defensie.

De menigte was onder controle maar de maoïsten hielden de achterkant van Quincy House in de gaten en een van hen riep: Achterdeur.

Natuurlijk kon de jongen zich hiervan niets herinneren. Maar de menigte brak uit en rende naar de achterkant. De moeder liep voorop, met Che in haar armen, haar haren wild wapperend, de beroemde 'fantastische' Tibetaanse sjaal achter haar aan fladderend. De menigte duwde. De moeder struikelde. Ze dook voorover op het moment dat de zwarte Lincoln razendsnel de hoek om kwam. Er zou achteraf heel wat commentaar geleverd worden, maar iedereen die haar had gezien zei dat ze zich als een atlete liet vallen, omrolde, op haar rug terechtkwam en, ondertussen het kind veilig tegen haar buik houdend, een schuiver maakte, niet richting honk, maar onder de voorbumper van de slingerende auto. Er viel een doodse stilte. Dat is bekend. Een flitslampje plofte, vijfmaal. Dat staat allemaal zwart-op-wit. De moeder lag roerloos, met het hoofd naar voren, onder de stomende radiator. Toen begon de jongen te huilen en toen de moeder langzaam haar hoofd optilde, zag ze een kleine man met een hitlerachtig snorretje. Dat was Bill Hicks van *The Boston Globe* die zojuist de beroemdste foto van 1966 had genomen.

De lange, gebruinde rug van de moeder was gehavend en bloedde, maar verder had niemand zelfs maar het kleinste schrammetje opgelopen, en zeker Che niet. Dus was het van geen belang, zou je denken, dacht zijn vader, dacht zijn moeder, vooral wanneer je alle doden in Vietnam in aanmerking nam.

Grootmoeder Selkirk was een andere mening toegedaan en dankzij de foto van Bill Hicks kon ze zich relatief gemakkelijk laten benoemen tot de enige voogd van de jongen. Daarna zag de jongen zijn moeder niet meer.

Een gedeelte van deze informatie kreeg de jongen van

Cameron. Maar het meeste stond op papiertjes met elastiekjes. En de oppas, die in het maanlicht van Queensland naar hem keek, had hem de rest kunnen vertellen. Maar zij hield haar mond, in de veronderstelling dat je er niets aan had om te weten dat je moeder pillen slikte zodat haar borsten zouden opdrogen, omdat ze had besloten haar hart voor je te sluiten.

28

Beneveld van de hitte lag het poesje op apegapen in zijn stinkende vestzak en had geen aandacht voor de tien mensen op nog geen meter afstand, die het eens probeerden te worden over de juiste manier om elkaars handen vast te houden en een cirkel te vormen. Dat aantal behelsde twee van Amerika's meest gezochte individuen en acht Australische hippies. De hippies droegen kaki shorts, Kmart-hemden van twee dollar vijfennegentig of vier dollar vijfentwintig, Kuta Beach-sarongs, overalls, Indiase pyjama's uit een headshop in Caloundra. Ze zaten allemaal met gekruiste benen in wat ze de Kristallen Communezaal noemden, al was het niet meer dan een kromgetrokken, scheve vloer die rustte op drie meter hoge *bloodwood*-stronken, zowel een extravagantie als een offer dat was aangeboden aan de regen en zon van Queensland.

Het dichtgeknoopte vest lag als een prop midden in de kring, vlak voor Dial. De jongen zat voorovergebogen naast haar en luisterde aandachtig toe, terwijl zijn buren nog steeds bespraken welke arm boven, welke handpalm omhoog, welke omlaag moest, zodat er een gouden energiebal de cirkel zou rondgaan.

Dial voelde genoeg ergernis in haar opkomen om in haar eentje een gouden bal aan te drijven.

Dit gaat allemaal om Buck, fluisterde ze tegen de jongen. Laat het maar aan mij over.

Hij keek niet op.

Heb je gehoord wat ik zei?

Hij luisterde niet naar haar, ging volledig op in het geprevel om hem heen.

Pak mijn hand, zei ze. Doe mij maar na.

In plaats daarvan deed hij Trevor na en moest zij haar handpalm omdraaien. De nederlaag voelde veel erger aan dan hij was.

Tegen de jongen fluisterde ze: Wees maar niet bang. Niets aan de hand.

Sst, zei hij.

En onbewust de vreselijke Rabbitoh imiterend die recht tegenover hem zat, rechtte hij zijn rug.

Sst? dacht ze.

Rebecca keek haar glimlachend aan en Dial zag de tanden en de opgezette ader in de donkere schaduwvlek onder haar oog.

Naast Rebecca zat een vrouw met kortgeknipt haar, in een overall waarin haar ingevallen borstkas te zien was; vermoedelijk was ze Dial niet onvriendelijk gezind, maar wie zou het zeggen? Daarnaast zat een man met een grote neus en een vlasbaardje die Chook bleek te heten. Daarnaast Trevor, zijn ogen waren nu geloken en ontwijkend. Ze dacht: Trevor gaat met Rebecca naar bed. Naast Trevor lag zijn hakmes. Naast het hakmes zat de knappe Roger die homo was of danser of misschien gewoon een superhippie. Hij had witte tanden en droeg kettingen om zijn hals. Er waren ook nog twee jongens, Sam en Rufus, die zo wild in het rond renden dat Dial ervan overtuigd was dat ze een doodsmak zouden maken. Wie wilde er nou moeder zijn?

Tegen de tijd dat de Om geacht werd voltooid te zijn, was Dial zo nerveus dat ze iets moest zeggen, zodat ze het maar gehad had.

Ziezo, zei ze, de kat. Buck.

Ze keken haar alleen maar aan, glimlachend.

Ik heb Phil Warriner gesproken. Dat is toch jullie advocaat?

Juist ja, zei Roger. Phil Warriner, inderdaad.

Hij zegt dat ik de kat kan houden.

Ze zag dat Rebecca iets wilde zeggen en was haar voor. Kijk, zei ze, wil een van jullie me hier uitkopen? Dan verkoop ik meteen.

De Kristallen Commune bezat geen geld. De leden keken haar aan en toen van haar weg. Een blond kind met blote billen pieste vanaf de rand van de vloer naar buiten. De plas viel in een grote, heldere kristallen boog op de wilde *lantana*.

De vrouw met de ingevallen borstkas zei dat haar zus van katten hield. De zus was nog niet zo ver ontwikkeld dat ze zonder haar kat kon. Ze zei dat niet iedereen in hetzelfde tempo kon groeien. Ze dacht dat Dial mettertijd wel zover zou komen. Toen zei ze, en het klonk als een wegstervend geluid: Ja. Toen zei ze: Dus.

Rogers jukbeenderen waren als de snijvlakken van een bijl. Hij zei dat het probleem was dat ze zo'n ongeorganiseerd zooitje waren. Eén blik op de zaal van de commune was voldoende om te begrijpen wat het probleem was. De kat was niet meer dan een symptoom, zei Roger. Volgens hem moesten ze mensen uit Nimbin laten komen om hen zover te krijgen dat ze een bakkerij en een krant zouden beginnen. Als ze het niet eens konden worden over de kat, lag het aan de commune, niet aan de kat.

Het echte probleem, zei Rebecca, is dat we een regel hebben dat katten verboden zijn. Houden we ons aan die regel of niet?

Roger zei dat dat nou precies was wat hij bedoelde. Precies.

Het meisje met de ingevallen borstkas zei dat niemand eropuit was een ander zijn wil op te leggen. Heel veel mensen waren hier juist omdat ze genoeg hadden van regels.

Het gesprek kabbelde voort als water dat uit een slang druppelt.

Luister, zei Dial ten slotte.

Roger was aan het woord, maar zweeg.

De jongen voelde de stilte, even zwaar en stoffig als de hitte.

Het spijt me van de kat, zei Dial. Echt waar. Maar, moet je weten, terwijl wij ons daarover zitten op te winden, bombardeert Nixon Cambodja en Laos. Hebben jullie er-aan gedacht wat dat voor de vogels betekent? Ik bedoel, ik kom uit een land waar mijn vrienden hun leven geven om een einde te maken aan die oorlog. Neem me niet kwalijk dat ik dat zeg.

Wat zeg je, Dial?

Dial schudde haar hoofd en zuchtte.

Jullie zijn aardige lui, zei ze. Dit is een schitterende plek. Ik ben blij dat jullie niet van plan zijn jezelf of iemand an-ders op te blazen. Ze streelde de rug van de jongen. Zonder te beseffen wat ze deed.

Weet je waar je bent, Dial?

Toe nou.

Weet je dat dit een politiestaat is?

Ja, ja, zei ze. Het kwam geen moment bij haar op dat dit misschien, in vele opzichten, echt waar was. De naam Bjel-ke-Petersen zei haar absoluut niets. Ze had nooit gehoord van Cedar Bay, helikopteraanvallen en door de politie van Queensland aangestoken branden. Ze wist niet af van het bestaan van een Queensland Gezondheidswet die de poli-tie de vrijheid gaf haar huis zonder bevel te doorzoeken.

Mooi, zei ze.

Ze stak haar hand in een zak en haalde Buck eruit, glan-zend, zacht en soepel in zijn slaap en uit de andere zak haal-de ze een zilveren belletje en een stukje touw en terwijl ze allemaal toekeken, bond ze het belletje om de nek van het poesje en zette hem op de grond.

Buck liep de kring rond, zichzelf schurkend aan voeten en knieën.

Alleen Trevor stak zijn hand uit om hem aan te raken, zijn kopje te strelen. Toen Buck zag hoe de anderen op hem reageerden, stak hij zijn staart recht omhoog, liep de brede treden af en verdween in de *lantana*-struiken, terwijl zijn bel zachtjes rinkelde tussen de tsjilpende vogels.

Dial stond op, haar lange schaduw viel over de scheve vloer.

Nou, zei ze, tot ziens dan maar, mensen.

En vervolgens liepen zij en de jongen hand in hand de trap af, de hobbelige weg van leem op, door de drukkende hitte naar hun eigen huis.

Waarom is het verkeerd om Amerikaan te zijn, Dial?

Ze zullen wel aan ons wennen, zei ze. En ze kunnen hoe dan ook de pot op.

29

In zijn gedachten bestond het gezicht van zijn vader als een grimas in een door de wind bespeelde boom, maar hij had wel een portret dat niet veranderde en dat zat in zijn achterzak, en soms, op hete namiddagen, ging hij het regenwoud in om het in alle rust te bekijken. Daar lag hij dan in het verlaten kleine huisje met de griezelige beeldjes naast de deur, op de stoffige grond tussen al zijn papieren en elastieken. Zelfs op deze sombere plek scheen het licht door het krullende haar van zijn vader. Een hippe vogel met het hoofd van een engel, zei Cameron.

Niet als de man in Seattle. Niet als de man met de tuinslang. Die man had een snor die optrok en trilde als walgde hij van het wezen dat voor hem stond. Hij leek niet op de foto op de grond.

De namiddagen waren traag en dik als colonnes mieren. Vanuit de deur van het verlaten schuurtje zag de jongen de melancholieke wolken boven de bergkam waar ze zich samenpakten en oplosten en van oude mannen in mooie meisjes in wenende vrouwen veranderden, wratten kregen, tanden verloren, een zooitje. Hij vroeg zich af of hij dat mooi vond, maar nee. Hij raapte zijn papieren bij elkaar en deed er voor de zoveelste keer het elastiek omheen. Onder de afstap aan de voorkant vond hij een verroeste handbijl en boos hakte hij in op een zogenaamde *wattle* en zag het zwarte bloed uit het weke wit vloeien. Hij haatte deze plek. Met een uit Adams kist gestolen zakmes kerfde hij in een tak, en ook al voelde hij het niet echt snijden, het mes schoot misschien wel zo'n twintig keer uit en sneed in zijn vingers. Het bloedde niet echt, het plakte alleen, onaangenaam, niet anders dan wanneer je bezweet was van de hitte en alles aan elkaar kleefde.

Hij verstopte zich voor Dial in het bos, voor het geval ze weer lopend met hem naar Yandina wilde gaan.

Dial hield niet van autorijden. En het was bijna zesenhalve kilometer lopen over een stoffige weg, en zesenhalve kilometer terug. Zelfs een spin overleefde de hitte niet. Hippies stopten niet voor hen. Als ze thuis waren, kwam Trevor niet langs. Alle alleenstaande moeders hadden kunnen vertellen hoe vreemd dat was, maar geen enkele vrouw die met hen praatte. Ze vonden Buck niet lief. Ze zullen wel aan ons wennen, zei hij.

In de stad voelde hij zich stiekem een verrader en hij keek expres terug naar iedereen die zijn kant uit keek. Maar niemand hield hem aan en over de Remus Creek Road sjokte hij weer terug naar de jungle. Dit was zijn huis niet, ze kon zeggen wat ze wilde, maar soms zag hij dat er dezelfde dingen waren als thuis die hij liever was vergeten – de kleur van weemoed, hetzelfde licht op de bemoste zijde van de bomen.

Ze wiedden onkruid, Dial en hij. Ze sliepen wanneer het overdag te heet werd. Tussen het kniehoge gras vonden ze verwilderde cherrytomaatjes. De tomaatjes barstten in hun mond, heet en sappig, als vruchten uit de ruimte. Ze was lief voor hem, maar 's ochtends had ze behuilde ogen.

In het bos rondom de huisjes liep een netwerk van smalle kronkelende sporen, aderen van een nog naamloos schepsel. Toen de jongen de eerste ontdekte, vertelde hij het niet aan Dial. Soms hoorde hij kinderstemmen weerklinken, zo duidelijk als hamerslagen of zagen, maar er kwamen nooit kinderen spelen en dat wilde hij ook niet. Alleen, victoriaans opgevoed als hij was, was hij niet aan kinderen gewend.

Bij de bananenbomen ontdekte hij dezelfde blauwe plastic zakken als Trevor gebruikte om zijn spullen te verstoppen. Ze zaten om de hoge vruchten gebonden, naar hij aannam om te voorkomen dat de vogels ze opaten. De hoge banaanenboom boog door, topzwaar als een overrijpe plant. Hij schaafde zijn dijen en haalde zijn knieën open totdat hij de blauwe zak kon losscheuren van de vruchten en daarna, in de grasloze schaduw tussen de bananen, vouwde hij zijn papieren zorgvuldig opnieuw op en stopte ze er veilig in weg.

Zijn vader zou hem komen halen, via het vlechtwerk van paadjes. De jongen was te schuw om zelf deze paden af te lopen en wist niet dat een ervan voerde naar de plek waar de Remus Creek vroeger in een grote scherpe bocht liep. Als Buck er niet was geweest, zouden ze van de zwemkreek geweten hebben. Dan zouden ze de hele dag aanloop van hippies hebben gehad die kruidenthee kwamen drinken.

Dial wilde absoluut geen contact met de hippies. Ze wilde niet eens om hulp vragen. De keer dat de jongen haar aantrof terwijl ze probeerde een balk van tien centimeter breed en tien centimeter dik langs een potloodstreep door te zagen, zei hij dat ze Trevor of de Rabbitoh om hulp moest vragen.

Toen begon ze echt te huilen. Ze wilde gewoon een plek maken waar ze het fijn hadden, maar ze had geen idee hoe. Ze wilde alleen maar een schap maken om de rijst en de linzen op te kunnen bewaren. Ze werd er doodziek van. 's Ochtends vroeg maakte ze tekeningen. Ze nam hem mee om inkopen te doen bij Day and Grimes, de ijzerwarenwinkel, en probeerde wegwijs te worden tussen de haken en schroeven.

De witgejaste mannen met hun rode kokkerds vroegen: Kan ik je van dienst zijn, juffie?

Nee, dank u wel.

Ze had het niet door – en de jongen evenmin, nog niet. Ze was een hippie en dus was ze een winkeldief. En ook dachten de mannen met hun drankneuzen aan de blote achterwerken van hippievrouwen in de zwemkreek. Dat was waar ze na het werk heen gingen, die brave huisvaders, nadat ze hun bestelautootjes ver van de brandgang geparkeerd hadden.

's Avonds kwam Buck terug en ging onder de razende propaanlamp liggen, en de moeder en de jongen trokken een voor een teken uit. Er waren schapenteken, op zijn rug en op zijn buik, en kleine grasteken die in een rijtje achter zijn oren zaten als jonkies die aan hun moeders tepels zogen. Ze gebruikten een pincet en wat petroleum. Hoe ze daar samen bezig waren was plezieriger en genoeglijker dan het klinkt.

Dial las hardop voor uit *Huckleberry Finn*; de lucht was net zo klam als in Jackson, Mississippi, met termieten die om de sissende lamp zwermden en ieder voor zich hun hachje probeerden te redden.

Pas aan het einde van het regenseizoen, begin maart, klopte de eerste bezoeker aan op hun openstaande deur, niet de Rabbitoh, zoals Dial verwacht had, maar Trevor. Hij ging op zijn hurken aan de tafel zitten en de knopen van zijn Hawaïaanse hemd spanden om zijn nieuwe enorme buik; de jongen was blij hem te zien. Met zijn gloednieuwe vetlaag onder zijn huid glom en glansde hij helemaal.

Ik ben weg geweest, zei Trevor.

Was je op vakantie?

Hoogstwaarschijnlijk had Trevor in de gevangenis gezeten.

Ja, zei hij, en hij liet zijn ogen het vertrek rondgaan totdat ze op de plank bleven rusten.

Ik weet dat hij niet waterpas hangt, zei Dial.

Trevor verplaatste zijn aandacht naar de gordijnen en op

zijn gezicht brak een voor zijn doen echt grote grijns door.

De moeder streek met haar gehavende hand door haar haar. Klootzak, zei ze. Ik ben nu een echte huiseigenaar. Ze wist niet of ze blij moest zijn of boos.

Mooi, zei Trevor, die al niet meer naar de gordijnen keek.

Dank je wel, zei Dial; ze bloosde tot in haar hals.

En hoe maakt meneer hier het? vroeg Trevor, zonder naar de jongen te kijken.

Vraag het hem zelf, zei ze met zo'n grote glimlach dat ze hem verlegen maakte.

Zou hij het leuk vinden om mij te komen helpen in mijn tuin?

De jongen was blij geweest Trevor te zien; zijn bezoek was de eerste gebeurtenis die de eindeloze sleur van hitte en vliegen doorbrak. Het was zeker niet zijn bedoeling hatelijk tegen hem te zijn. Het was onbewust dat hij zijn lip optrok en daarbij zijn glanzende roze tandvlees en rechte witte tanden ontblootte.

Een ander keertje, zei Trevor.

Jezus, zei Dial. We hoeven niet met iedereen ruzie te hebben.

Sorry, Dial. Ik deed het niet expres. Maar hij voelde die gemene jaloezie, dus had hij het wel expres gedaan.

Je kunt best wat belangstelling opbrengen voor zijn tuin.

De jongen was bang als ze tegen hem tekeerging.

Ga je nog voorlezen? zei hij.

30

De weg naar Trevor Dobbs' stekkie was precies zoals hij tegen de jongen had zitten opscheppen – woest, heel steil, met diepe sporen, half weggespoeld, vol kuilen, tankvallen, enorme rotsblokken, een ervan vol zwarte olievlekken, de ondergang voor een auto die toebehoorde aan iemand die hier niets te zoeken had. Het lag aan een weg die net zo weinig van jou wilde weten als jij van de weg. De hoge kant van de holle weg was wild begroeid, maar op dat tijdstip zonder schaduw, en de modder was een harde, troosteloze koek.

Aan de boomstammen waren geen dreigementen of schedels of gekruiste knekels gespijkerd, maar ineens stond er een Volvo-wrak in een boom. Hij leek de heuvel te zijn af gerold en toen achteruit richting afgrond gegleden en was daar met zijn achterwielen vast komen te zitten in een oude verbrande wattle. De voorwielen waren over de rand van de weg geslipt op enkele centimeters na en wisten zich daarmee nog net op het pad van gele leem staande te houden. Daaronder was slechts duizeligheid.

De Volvo was uitgebrand, tijdens het ongeluk of erna, dat was niet te zeggen; hij was zwartgeblakerd en bruin verroest en dun als sigarettenvloei, net een in een web achtergelaten aangevreten wesp. Toen de jongen en de moeder dichterbij kwamen, hoorden ze geritsel in de duistere buik. Vervolgens een luid geklapwiek of geklepper. Het haar van de jongen was te zwaar om recht overeind te gaan staan, maar hij voelde het aan zijn schedel trekken en de rillingen liepen hem over de rug.

Toen vloog door het gat van de voorruit een enorme zwarte vogel – hij dacht dat het een gier was, maar het was een kalkoen – en het verroeste omhulsel wiegde heen en weer als een verwelkte bloem aan een broze zwarte stengel.

Het hart klopte de jongen in zijn keel, zijn benen deden pijn. Hoe zal hij mij ooit kunnen vinden? vroeg hij.

Wie, jochie?

Mijn papa, zei hij, met een brok in zijn keel.

Dial ging op haar hurken voor hem zitten, met haar enorme ogen keek ze naar hem alsof hij een muis in een lijmval was, iets waarvan ze niet wist hoe ze het dood moest maken.

Denk je nog altijd aan je vader?

Waar dacht hij dan aan volgens haar? Altijd, elke klamme nacht en elke snikhete dag.

Jochie toch, zei ze, en ze strekte haar armen uit om hem te omhelzen. Hij rukte zich los en liep de heuvel op; hij voelde de puntige steentjes binnendringen tussen zijn voeten en plastic slippers. Elke dag verwondde of schramde hij zijn huid.

Che, zeg eens wat.

Ik heet Jay, zei hij. Hij had niet veel middelen om haar pijn te doen.

Jay, we zullen je vader laten weten waar je bent.

Het zou wel weer een leugen zijn, dacht hij, maar tegelijkertijd hoopte hij dat het niet zo was.

Hoe dan?

Ik zal een brief schrijven.

Hij liep nu zo'n drie meter voor haar uit de heuvel op, en na een tijdje keek hij in haar richting. Wanneer?

Vanavond.

Hou je van mijn papa? vroeg hij.

Ze bracht haar grote handen vol schrammen naar haar borst. Hij snapte het, of dacht dat hij het snapte, maar hij draaide zich om en liep, zonder acht te slaan op haar treurigheid, verder de heuvel op totdat ze uiteindelijk aankwamen bij een brede pas waar vijf grote olievaten het eindpunt van de weg leken te zijn.

En nu? vroeg hij, omdat hij nog steeds boos was en omdat zij verondersteld werd de weg te weten.

Ze wees en hij zag een heleboel ondiepe bandensporen, die weliswaar niet een en dezelfde koers aanhielden, maar allemaal wel in dezelfde richting gingen en tussen de grote bomen bij een grijze plek ophielden, een soort leegte die zijn adem deed stokken. Hij volgde haar naar deze grijze vlek en pas toen ze dichtbij waren zag hij dat het een dik net was dat als een spinnenweb over een bouwsel lag uitgespreid.

Toen zag hij een hoge muur gestut door dikke grijze balken, die rechtop stonden als boomstammen en de ruimten ertussen waren opgevuld met gele leem en boven op de muur kon hij een dak van zwart geschilderde golfplaat onderscheiden.

Daar ging hij echt niet naar binnen.

Dial pakte hem bij zijn hand. Maar net zomin als hij wist zij wat het was.

Ik denk niet dat hij hier woont, zei hij, maar hij liet zich toch meevoeren. Het was moeilijk te zeggen wat ze betraden, het kon een loods, een schuur, een huisje, een garage, een fort zijn – feitelijk een combinatie van dat alles – maar het frame van het bouwsel bleek een hooischuur te zijn geweest die Trevor Dobbs op oudejaarsavond in Conondale had gepikt; hij had het gedemonteerd en de stalen balken en het dak vervoerd in een 'geleende' vrachtwagen. Hij was er de heuvel vol kuilen mee op gereden, had de schuur uitgeladen en de vrachtwagen teruggebracht voor de nieuwjaarsdag van 1968. Hij had nooit gezegd wie zijn handlangers waren. Hij bouwde een leger, een kampement. Muren van lemen stenen, dertig centimeter dik, kogelbestendig.

De jongen was er bijna zeker van dat hij zich, door er alleen maar naar binnen te gaan, in de nesten zou werken, maar het hoge houten hek stond open en er zat niets anders op dan dat hij of Dial zou volgen of alleen zou achterblijven. Binnen zag hij gezaagde planken tegen de muren staan en ook een heleboel smalle glasplaten waarop TELECOM gedrukt stond. In een hoek stond een kleine zilverkleurige caravan. Ervoor lagen hopen zand, grind, zaagsel, en een zwart stinkend spul waarmee de jongen al snel heel bekend zou raken. De ene helft van de vloer was beton en de andere was van aarde en waar de muren nog niet af waren keek je rechtstreeks uit op de gewassen, waarvan sommige – de kroppen sla bijvoorbeeld – binnen groeiden.

Dial riep Trevors naam.

Dit is zijn stekkie, fluisterde de jongen.

Sst, zei ze. Hij liep vlak achter haar aan tussen de kroppen sla door de tuin in waar jonge plantjes stonden, her en der tussen de wilde pompoenen en courgettes en enorme paarse, boven een bed van gele bloemen opbollende aubergines.

En daar was Trevor Dobbs; voor zijn dikke, groezelige penis hield hij afgesneden loof.

De jongen had helemaal geen zin om zijn penis te zien, niks wilde hij ervan zien, en hij merkte tot zijn opluchting dat Dial er ongeveer net zo over dacht.

Ik kom je hulpje brengen, riep ze. Haar stem klonk helder en gemaakt opgewekt, maar haar gezicht liep rood aan en ze draaide zich om, zomaar, en liep weg.

Dial ging er zonder hem vandoor. Dat mocht niet. Hij rende haar achterna, terug in de duisternis van de loods, maar ze was al verdwenen. Hij ging op een lichtgele zandhoop zitten en probeerde niet te huilen.

Na een tijdje merkte hij dat Trevor binnen was gekomen en de caravan in ging. Hij probeerde niet naar hem te kijken, maar hij zag toch dat hij niet veel achterwerk had en wat hij had was erg groezelig. Hij kwam naar buiten met een korte broek aan.

Toen kwam Dial weer tevoorschijn.

Gaat het? vroeg ze aan de jongen.

Hij keurde haar geen blik waardig.

Trevor was nu bezig het loof onder een slang te wassen. Het water liep over de vloer of misschien was het de tuin.

Je kunt wel blijven, zei Trevor tegen Dial.

Ze hurkte neer zodat ze even groot was als de jongen. Ging ze weer zo stom zitten slijmen.

Hoe laat wil je dat ik terugkom?

Hij was boos omdat hij door haar toedoen zo bang was geweest. Hij keerde haar zijn rug toe en liep de tuin in, waar hij deed alsof hij rondkeek.

Hoe laat?

Wanneer ik klaar ben, zei hij; hij wilde haar pijn doen, maar hij wilde niet dat ze wegging.

Toen kwam Trevor naar hem toe; hij trok een soort slee voort, om zijn nek hing een stuk touw.

Dit is een pallet, zei Trevor. Fout. Een palet was wat oma gebruikte om te schilderen, maar Trevor kon niet lezen of schrijven, dat had hij al eens gezegd. Hij bevestigde de uiteinden van het touw aan de voorste latten zodat het een soort lang tuig was en hij deed de jongen voor hoe hij het over zijn borst moest leggen en moest trekken. Als een hond.

Trevor verspilde geen tijd aan neerhurken en praten. Hij nam de jongen mee naar een berg van dat goor uitziende spul en zei dat het algen waren die hij uit het Zus of Zo meer had gevist en die hij nu als muls ging gebruiken. Weet je wat muls is?

Inmiddels was het duidelijk dat Dial zonder hem was weggegaan.

Ik ben nog maar een kind, zei hij.

Muls zorgt ervoor dat het water niet uit de grond ontsnapt, zei Trevor. We spreiden het uit rondom de groentes en het houdt ook het onkruid tegen. Dus wat je kunt doen om me te helpen is – net zoveel van die algen op de pallet leggen als je kunt trekken en dat dan naar die bloemkooltjes brengen. Weet je wat een bloemkool is?

Hoelang moet ik dat doen?

Zo lang als je zin hebt.

Een halfuurtje, zei hij.

En dan ging hij naar huis.

Een halfuur is prima, zei Trevor.

Later zag de jongen hoe hij achter in de tuin met een pikhouweel zwaaide. Hij was weer naakt, maar nu was de jongen druk in de weer met de donkere zware algen die helemaal geklit waren zoals haren waarmee de douche verstopt raakt. Hij spreidde het klitspul uit rondom de jonge bloemkolen waar hij, tot zijn grote verwarring, in een lange klamme golf het verre Kenoza Lake rook. Toen moest hij toch huilen, stiekem, en hij treurde om alles wat hij was kwijtgeraakt, om alle kille lege plekken, het uit zijn beenderen gestolen merg.

31

Ze had hem gewoon bij een politiebureau achter kunnen laten. Maar ze kon hem nergens achterlaten, uiteindelijk zelfs niet bij Trevor Dobbs. Ze vond het vreselijk het brave meisje uit te hangen, maar dat was ze altijd al geweest, degene die 's avonds laat nog aan de vleesmolen draaide of de worstjes afleverde op de I-95. Ze was een aangelijnde hond, ook nu, die de heuvel op liep naar de olievaten en dan terug naar het net en weer terug naar de vaten. Ze zat vast aan dit kleine rijke joch. En tegelijkertijd wist ze dat dit niet haar leven kon, mocht zijn.

Op haar hurken leunde ze met haar rug tegen een gomboom, en stukjes van de afbladderende schors vielen op haar rug. Vervolgens kropen er kleine zwarte mieren tegen haar been op en dus ging ze maar terug naar Trevors kampement.

Vanuit de deuropening zag ze duidelijk hoe de vermiste Che Selkirk zwart harig spul op een slee laadde en dat over een paadje naar een moestuin sleepte waar hij de lading eraf trok. Het was een vreemd wezentje. Hij had een prachtige, timide, steelse glimlach, die in alle opzichten op die van zijn vader leek. Ze was ontroerd door zijn toewijding, de manier waarop hij de algen op de zojuist bevloeide grond uitspreidde. In de veronderstelling dat hem niets kon gebeuren liep ze na enige tijd terug de heuvel af. Even later ging zij ook in de tuin werken, maar de grond droogde heel snel op en ze had geen zaden. Ze kon haar gedachten er niet bij houden. Om de haverklap ging ze binnen kijken, maar er was geen jongen, slechts een drukkende, taaie leegte, de lucht als een deken, roerloze vlakken vanwaaraf kleine zwarte vliegjes opvlogen, haar kwelgeesten.

Ze ging weer terug naar de tuin waar Buck een pad had gevangen die hij zo kwelde dat ze hem met een schop moest doodslaan; de pad gilde en was vervolgens stil en verpletterd. Alle kleine levensvormen, in wat voor bochten van verzet ze zich ook wrongen, deden haar aan de jongen denken.

Toen het erg warm werd, ging ze onder de klamboe liggen; Buck bleef net zo lang miauwen tot ze hem oppakte en binnenliet. Belletje of geen belletje, hij had toch een blauwe donzige veer in zijn bek.

Dial sliep te lang. Ze was het huisje nog niet uit of ze begon te rennen, de weg af, de heuvel op. Met een rauwe keel en droge lippen glipte ze door de netten van Trevors bunker. Daar zaten ze, voor de caravan, de jongen in een grote kappersstoel, de man op een fruitkist. Trevor pakte een mes en sneed een schijf watermeloen af die hij de jongen voorhield, een grote druipende plak. Het gemompel van de jongen deed haar huiveren. Praatte hij ooit zoveel tegen haar?

Hoe deden echte moeders dat, leven zonder gek te worden?

Dus sloop ze voor de derde maal weg, in de veronderstelling dat een moeder niet op haar luie kont thuis zou zitten afwachten terwijl het licht langzaamaan uit de vallei wegtrok. Het was bijna donker toen ze eindelijk terug de heuvel op liep en nu was ze boos op de jongen omdat hij zo gemeen tegen haar deed en op Trevor omdat die niet begreep dat hij hem voor het donker naar huis had moeten sturen en op zichzelf omdat ze zo roekeloos met haar leven omging.

De duisternis haalde haar onderweg in. Net voorbij de verroeste Volvo moest ze op de tast in de ongewisse ruimte haar weg vinden. Na een tijdje zag ze tussen de bleke, zijde-achtige stammen van de bomen door een licht heen en weer schijnen en eerst was ze blij, totdat het licht doofde. Ze wachtte of het de weg zou af komen en haar op wat ze abusievelijk als het midden van het pad had gezien, zou aantreffen.

Toen scheen het licht vol, verblindend, blauw als bliksem, in haar gezicht.

Ze hield haar handen omhoog tegen het genadeloze schijnsel.

Wie is daar?

Niemand zei iets, maar het licht was hard en koud als ijs. Opnieuw was ze bang.

Trevor?

Hoi Dial, zei de jongen.

O, rotjoch, riep de moeder. Klootzak. Dat zei ze. En ze haalde naar hem uit en gaf de lamp zo'n harde klap dat hij stuiterde en het ravijn in rolde, tollend en draaiend door het struikgewas totdat het niet meer was dan een glimworm in de *lantana*-struiken, heel ver beneden en ze moesten in donker, bitter stilzwijgen naar huis lopen.

Het spijt me, Dial, zei de jongen.

Het geeft niet. Het spijt mij ook. Zij voelde zijn broosheid, het kloppen van zijn kleine jongenshart.

Heb je je hand pijn gedaan?

Ze schaamde zich en kon niets zeggen, schudde haar hoofd in het donker.

In het huisje liet hij haar zien wat hij op zijn rug had meegebracht, papaja, meloen, pompoen en aubergine. Terwijl hij wat hij gekregen had op de tafel uitstalde, stak zij de helder schijnende, suizende propaan aan en zag zijn steelse glimlach.

En, zei ze, terwijl ze het eten begon klaar te maken, waar hebben jij en Trevor het over gehad?

Niks bijzonders, zei hij.

Was het leuk?

Ja hoor.

Ze was zo dom zich gekwetst te voelen door zijn terug-houdendheid. Maar ze was wel zo intelligent om te weten dat het dom was. Ze maakte een ratatouille, maar voordat het eten klaar was sliep hij al, één arm opzij van zijn kus-sen, zijn brede mond met rode lippen bijna precies als die van zijn vader. Hij was wel een miljoen dollar waard en zat vol met geheimen en ze zei hem, zachtjes, stiekem, dat ze van hem hield en droeg hem naar het andere huisje waar ze hem gemakkelijker in bed kon leggen.

32

Het was best gegaan, had hij gezegd, maar dat was het niet. In werkelijkheid was de zon ongelooflijk heet geweest. Die brandde recht door zijn hemd heen. Hij had die slee wel minstens honderd keer over dat zaagselpad heen en weer getrokken, terwijl de lading achter hem er steeds af dreigde te glijden en het touw in zijn borst en armen sneed, alsof het zijn gevoel kon wegsnijden als lamsvet van een koteletje. Toen alle bloemkolen van muls waren voorzien, ging hij door naar het volgende bed. Hij wist niet hoe lang hij ermee bezig was.

Rook-sstop!

Meneer?

Tijd voor een pauze.

De hitte maakte van Trevor een man zoals de jongen nog nooit van zijn leven gezien had – een *mudman*, een boomstronk, een watermeloen zonder middel of heupen. Hij veegde zijn rode gezicht af met de rug van zijn hand en inspecteerde het werk van de jongen. Hij zei niet: Goed gedaan, of: Dank je wel.

Wil je je afspoelen?

Maar de jongen ging hier heus niet in z'n nakie staan, geen denken aan. Hij zei: Wat?

Trevor wees op de douche, open en bloot in een soort kuil onder een betonnen reservoir.

De jongen zei: Ik hoef niet.

Maar hij liep Trevor toch achterna de zon uit, onder het dak waar het naar zaagsel en stof rook en naar de zoete en bedwelmende lucht van een hol.

Trevor nam een douche en kwam terug in zijn sarong, als een hond schudde hij zijn korte natte bruine haren uit en spetterde daarbij druppels op de stoffige huid van de jongen. De jongen had best trek in een glas melk. Hij vroeg om water en kreeg te horen dat hij uit een tuinslang moest drinken die zwart en versleten was en aan elkaar geplakt zat. Maar het water dat eruit kwam was lekker koud en hij liet het expres over zijn benen lopen en plensde wat op zijn gezicht en veegde zijn modderige handen af aan zijn korte broek.

Trevor vroeg of hij trek had in watermeloen.

Mij best, zei hij.

Ga maar daar zitten. Weet je wat dat voor stoel is?

De stoel zag er vreemd en angstaanjagend uit. Hij schudde zijn hoofd.

Zijn er soms geen kappers in New York?

Ze hebben daar ongeveer alles, zei hij.

Trevor had zijn blik op een punt boven zijn ogen gericht. De jongen wist dat bij de wortels van zijn vermomming zijn blonde haar te zien was.

Trevor zei: Weet je niet wat een kapper is?

De jongen wachtte alleen maar terwijl hij zich liet bekijken.

Nee?

Trevor zette een speeltafeltje op en daarop plaatste hij een watermeloen en een heel brood en een schaal met olijven. Hij hield een enkele olijf tussen duim en wijsvinger en de jongen moest aan zijn grootmoeder denken en de martini die ze altijd om zes uur dronk. Hij maakte de allerbeste martini's in Sullivan County. Dat had ze zelf gezegd.

Weet je wat dit is?

Dat is een olijf.

Die eet je met het brood en de watermeloen.

Zo hoorde het niet, wist de jongen.

Dus, zei Trevor, met zijn gezicht helemaal in de watermeloen, als een dier. Dus Dial is jouw mama. En je vader? Is hij in Amerika?

De jongen nam een grote hap brood en kauwde.

Ik ben wees, zei Trevor. Hij veegde zijn gezicht af met de achterkant van zijn dikke arm. Weet je wat een wees is?

De jongen richtte al zijn aandacht op een olijf. Die was zwart, niet groen, en aan één kant puntig. Hij spuugde de pit uit in zijn hand.

Dat betekent dat je geen vader en moeder hebt. Weet je waar ik vandaan kom?

De jongen nam een hap van de meloen, om maar een volle mond te hebben. Ze had hem nooit in zijn eentje bij Trevor moeten achterlaten.

Trevor at olijven uit zijn vuist. Jij boft maar, zei hij na enige tijd.

De watermeloen en de olijf smaakten vies en lekker, zout en zoet.

Ben je 's avonds verdrietig?

Wat?

Trevors ogen waren klein, maar ze waren helder en hadden een soort vochtige blik. Hij spoog de olijfpitten met kracht uit, als propjes. Of je 's avonds verdrietig bent, vroeg ik.

De jongen staarde hem aan, zijn keel brandde.

Wil je weten wie mijn vader was? vroeg Trevor.

Nu was de jongen bang.

Ik heb geen vader, zei Trevor. Wil je weten wie mijn moeder was?

Heeft u geen moeder?

Ze kunnen allemaal de pot op, zei Trevor. Maak je maar geen zorgen. En kijk waar ik nu ben. Hij wees met zijn mes en beiden keken ze naar alle spullen die lagen opgestapeld, het uitzicht.

Als dit af is, jongen, is het een fort. Ik heb negenduizend liter water in die tanks. Ik zou best een fontein kunnen maken midden in mijn huis. Ik heb verse groenten, goeie dope. Niemand kan me wat maken, snap je. Niemand weet zelfs dat ik besta. Ze kunnen me niet zien met hun satellieten. Ik ben gewoon volslagen wees. Dat is de goeie kant, begrijp je?

Ik denk het wel.

Dus zij is bij je vader weggegaan?

Hij komt hierheen, zei de jongen heel snel. Hij komt heel gauw. Hij moet nu werken en hij kan pas komen als dat af is.

Wat voor soort werk?

Dat mag ik niet zeggen.

Zit-ie in de gevangenis?

Hè?

Zit-ie een straf uit?

Hij heeft aan Harvard gestudeerd, zei de jongen. Hij wist dat zoiets indruk maakte.

Trevor klakte met zijn tong en schudde zijn hoofd.

We moesten maar weer eens aan het werk, zei de jongen.

Wil je nóg meer doen?

Ja, hoor.

Zo leerde hij dat hij de schil van de watermeloen bij de compost moest gooien en ze werkten nog een tijdje in de hete zon. Toen vond Trevor het wel weer welletjes en dus nam de jongen een douche en trok zijn broek alweer aan terwijl hij nog nat was.

Zal ik je eens iets écht moois laten zien?

'k Weet niet, zei hij.

Zeg nou maar ja, zei Trevor. Het is een cadeau.

Toevallig had de jongen al een cadeau, tien dollar die hij op Trevors werkbank had zien liggen. Hij had het lichtblauwe biljet in zijn zak bij zijn spullen gestopt. Kom maar mee, zei Trevor, en de jongen volgde hem door de afgeschilferde bast, met zijn cadeau op zak, terwijl het droge hout onder zijn voeten knapte als nijdig vuurwerk.

Boontje komt om zijn loontje.

Ze liepen over de col die aanvankelijk betrekkelijk zacht glooide, maar vervolgens steil werd en bezaaid lag met puntige schaliesplinters zoals schubben op de rug van een oude, schurftige draak. Toen kwamen ze in de volle zon en staken over naar een hooggelegen vlakte vol pluimgras waarvan de purperen aren glansden als zilver. Door de wuivende halmen heen dacht de jongen lichtere gele lijnen te zien van overwoekerde paden of bandensporen, maar misschien vergiste hij zich. Hij luisterde naar het zoevende geluid waarmee de aren langs zijn huid streken. Hij hield zijn ogen meestal naar de grond gericht terwijl hij uitkeek naar slangen.

Wat zou hij te zien krijgen? Misschien iets dat met zijn vader te maken had.

Algauw kwamen ze bij een afrastering van prikkeldraad. De piketten waren grijs en begroeid met lichtgroen mos. Het prikkeldraad was donkerbruin, maar iemand had een paar nieuwe glimmende stukjes toegevoegd om een puzzel van lussen en handgrepen te maken zodat de omheining geopend en gesloten kon worden als een hek dat beide kanten op kan draaien. Daarachter liep het land af naar een klein vlak terrein waar jonge bomen stonden met lichtgele bloemen en taaie, oude craquelé bladeren.

Wattle, zei de man.

De jongen wilde eigenlijk niet verder, maar bang alleen achter te blijven haastte hij zich achter Trevor aan tot ze bij een soort bult of puist kwamen ter grootte van een klein huis, en hier bleef de man staan, bond zijn sarong opnieuw vast en snoof om zich heen als een hond.

En nu?

Trevor had kleine, felblauwe ogen en toen hij zich naar

hem omdraaide om hem aan te kijken, waren ze licht en ijzig en de jongen dacht bang dat hij voor diefstal zou worden opgepakt. Zonder iets te zeggen pakte Trevor hem bij de hand en nam hem mee om de bult heen, door gras dat eruitzag alsof het zou krioelen van de slangen en toen naar een stapel dode takken. Hij maakte een opening tussen de takken en twijgen, gebarend dat de jongen naar binnen moest gaan. Wat de jongen niet wilde.

Waar zijn we? Zijn droge keel kriebelde. Hij snapte niet wat een man aan een jongen zou willen laten zien.

Trevor gaf hem een zetje en zo liep hij voorop en zag een eenvoudige schuur met precies zo'n net als Trevors huis beschermde, alleen zat dit hier vol met dode klimplanten en boompjes alsof het een afvalhoop betrof.

De jongen dacht: ze had me nooit alleen mogen laten.

Loop maar door, zei Trevor. Je wordt heus niet gebeten.

Binnen in dit omhulsel trof de jongen een heel mooie lichtblauwe auto, waarvan de assen op houten blokken stonden. Tussen de auto en het gaas was ongeveer één meter afstand, zodat er genoeg ruimte was om hem echt te bewonderen.

Weet je wat voor auto dit is?

Nee, zei de jongen, min of meer opgelucht.

Vind je 'm mooi?

Hij is super, Trevor.

Binnen het gaaswerk was het donker en vreemd, maar niet eng, helemaal niet – over het blauw van de auto lag een zilverachtige glans, als ijs of een herfstlucht. Je rook ook de schoonmaakmiddelen en zag de kleine zonlichtspatten – koplampvelgen in het nest van wilde twijgen.

Hij heeft enorme benzinetanks, zei Trevor. Het was ooit een raceauto. Je kunt er meer dan elfhonderd kilometer mee rijden zonder te tanken. Trevor vormde met zijn vinger een pistool. *Pang*, zei hij. Zin hem wat leven in te blazen?

Hè?

De motor te starten.

Nou en of, Trevor.

De deur was niet eens op slot. De jongen klom er als eerste in en liet zich achter het stuur zakken.

Zie je de sleutel? Gewoon omdraaien.

Meer deed hij niet en de motor kwam tot leven en Trevor liet hem zien hoe hij op de vloer moest gaan zitten en op het pedaal moest drukken zodat de machine echt hard tekeerging. Daar beneden was het schoon, geen stof, alleen maar een zilveren munt die hij opraapte en in zijn zak bij het geld stopte. Na een poosje had hij er genoeg van om op de grond te zitten, dus pakten ze een steen van de achterbank en legden die op het pedaal.

Moet zorgen dat de accu niet leegloopt. Trevor legde uit hoe dat werkte. Moest-ie maar meteen onthouden voor als hij voor die stomme Peugeot van Adam moest zorgen.

De jongen zei niets over naar huis gaan. Hij leerde over de dynamo en samen gingen ze op een afstandje in de struiken zitten en keken toe hoe de uitlaatgassen naar buiten het zonlicht in dreven en verdwenen. Vanonder de taille van zijn sarong haalde Trevor tabak tevoorschijn en rolde een sigaret.

Ze denken allemaal dat de weg bij mijn huis ophoudt, zei Trevor. Zo ziet het eruit als je op een kaart kijkt. Dat vertelt de politie als je het hun vraagt. Maar dat is helemaal niet waar.

De jongen werd waakzaam bij het woord politie.

Hier loopt een oude karteringsweg. Dit is mijn achterdeur, snap je? Ik kan de hele weg die we gelopen hebben rijden. Die is nu helemaal begaanbaar. Niets houdt me tegen om naar de Bruce Highway te rijden, vlak voor Eumundi. Dus als ze me komen halen, zei Trevor, dan ben ik verdwenen. Ik ben een wees, snap je. Daarom moet je mij kennen. Wij leren voor onszelf te zorgen.

Maar ik ben geen wees, zei de jongen. Ik niet!

Hé, rustig maar. Trevor streek door zijn haar.

De jongen rukte zich los. Hij voelde de ergernis van de man, hoe hij boos zijn ogen over zijn hoofd liet gaan, al was dat misschien alleen maar in zijn verbeelding.

Ik doe je niets, zei de man.

Mijn vader zou u vermoorden, zei de jongen.

Omdat hij je vader is, zei de man. Wat kan hij anders doen?

33

De huid van de jongen werd net zo donker als boomschors. Hij beklom blootsvoets de heuvel. Dial bleef beneden achter, had niets omhanden. Ze wachtte af, waarop, nergens op. Achter de open ramen was de wereld groen, vruchtbaar, alles verging en kwam weer op, maar ze wist niets van tuinieren en ze was een gevangene van het huisje met zijn ellendige gele isolatiemateriaal tussen de grove houten buitenmuur en het binnenwerk. In het huisje was het nog erger dan het huis waarin ze geboren was – gammel, overal spinnenwebben, geen muur of hoek was recht en alles zag er door het gele glimmende papier akelig uit. Dit heette nou alternatieve architectuur, en het meest betrouwbare onderdeel werd gefabriceerd door Dow Chemical, Monsanto, 3M.

Ze dwong zichzelf de auto te pakken. Ze moest ergens heen gaan, maar ze reed de Remus Creek Road op zonder te weten waar dat ergens kon zijn.

In Nambour reed ze tweemaal langs het politiebureau. Ze parkeerde iets verderop in de straat, nog steeds besluiteloos. Haar mond was droog, ze was misselijk van de lucht van het plastic materiaal in de auto. Toen ze de auto met de raampjes dicht afsloot, trilde haar hand.

Ze was van plan stap voor stap te werk te gaan. Ze had haar paspoort meegenomen. Ze wist niet welke weg terugvoerde naar Brisbane.

Ze stuitte op een krantenkiosk met een somber doorgezakt portaal en een lage deur. Ze was van plan geweest te vragen welke weg naar het zuiden ging, maar toen zag ze dat de planken vol stonden met goedkope romannetjes. Ze vroeg of ze misschien *The Sea-Wolf* hadden en na beleefdheidshalve *Sea of Troubles* en *Sea Babes* doorgebladerd te hebben, werd ze verwezen naar een stoffige uitleenbibliotheek in de Kunstacademie. De bibliotheek leverde niets op, maar de bibliothecaresse had gehoord dat er een prachtige boekwinkel in Noosa Junction was, hoewel ze er zelf nooit geweest was.

Wat een vreselijke plek om je leven door te brengen.

Op de terugweg naar Yandina ging ze langzamer rijden, als om het lot te tarten, remde af als ze jakkerende zandwagens in het zicht kreeg, alsof ze wilde zeggen: Kom maar op. In de buurt van de afslag naar Remus Creek Road besefte ze dat ze het niet kon. Ze reed anderhalve kilometer door, toen nog eens vier. Ergens bij Eumundi reed ze naar de kant van de weg en ze stopte de auto terwijl ze de motor liet draaien.

Ze stond op iets dat op een ruw spoor leek en naar een verwilderd bos voerde. Door de vettige voorruit zag ze hopen zaagsel, enkele rekken met stapels vers gekapt hout. Er waren twee autowrakken, een loods met open muren waarin wellicht de zagerij gevestigd was, en een kleine, pezige man van een jaar of zestig die nu naar buiten kwam om poolshoogte te nemen. Hij droeg een korte broek en een schort dat tot vlak boven zijn verweerde knieën kwam.

Toen deed hij een stap opzij, zodat zij naar binnen kon rijden.

Ze gebaarde dat ze vertrok. Hij deed nog een stap achteruit.

Is dit het dus? dacht ze. Weer een worp van de dobbelsteen.

Vlak daarna reed ze al spetterend en naar opzij slippend een hobbelig paadje af, de diepe bandensporen volgend. De houtzager wachtte tussen twee hopen dof grijs zaagsel, de wachtposten van zijn onbekende wereld. Achter hem lag een stapel verse blonde planken, een goudgele veeg.

Zijn mond leek op die van een handpop en hij had een korte stenen pijp. Hij hield zijn hoofd schuin naar haar.

Is dit een houtzagerij?

Voor zover ik weet.

Het was de kleur geel die haar uit de auto deed stappen.

Dat is *blackbut,* zei hij, toen hij zag waar ze naar keek.

Ze stond dichtbij genoeg om de volle rijke geur op te snuiven.

Bouw je een omheining? Dat is voor omheiningen.

Ik wil een muur aftimmeren, verklaarde ze.

O nee, meissie, daar is dit niet geschikt voor. Dit is voor omheiningen, gewone goedkope omheiningen. Dit gaat ontzettend krimpen.

Ze stond te denken hoe de muren in het lamplicht een gouden kleur zouden krijgen.

Maar als ik ze er plat tegenaan spijker, kunnen ze niet krimpen.

Ze zullen omkrullen als spek.

Nou, dan spijker ik ze plat.

Ben je soms zo'n 'alternatieveling'?

Inderdaad.

Hij trok koket één wenkbrauw omhoog. Je zou spijkers kunnen nemen en die krom slaan, zodat ze toch plat blijven als het hout krimpt. Je moet er een soort L van maken. Je bent wel de hele nacht bezig met die spijkers.

Dat geeft niet.

Hij knikte. Zijn mond was klein en zijn glimlach dun. Hé! riep hij.

Uit het donker van de grote loods met de open muur kwam een reus van middelbare leeftijd met een dikke buik en blote benen.

Hé knapperd, zei de houtzager, beweeg dat lijf eens deze kant uit.

De mannen bonden de latten met touwen vast op de Peugeot en na hun twintig dollar betaald te hebben, reed ze naar huis met haar aankoop die op het dak hotste en botste. Ze dacht aan de astmapatiënt van Camus die erwten van de ene pan in de andere overgoot. En ook aan Beckett. Het was leuker om een muur te maken.

Omdat ze de touwen niet op de juiste manier losmaakte, zou de jongen later de geelbeurse plek en bloedzwarte schaafwond zien die van haar enkel tot over haar wreef liep. Toen de ergste pijn over was, stapelde ze zo'n zes planken vol splinters in haar blote armen en droeg ze regelrecht het grote huisje in; daar liet ze ze, waar nog ruimte op de grond was, kriskras vallen. Niet meer willen maar wel moeten.

Hé, Dial.

Rebecca en een kleine jongen hadden zich op de kussens geïnstalleerd.

Hoi, zei Dial; haar hart ging tekeer.

Ga je de boel een beetje opknappen?

Ja.

Eindelijk de binnenkant aftimmeren?

Ja, zei Dial, of iets van die strekking.

Je weet dat dat hout krimpt?

Dat weet ik.

Ook al leg je ze tegen elkaar aan, dan nog krijg je twee centimeter brede kieren.

Wat verbeeldden die klootzakken zich eigenlijk? Dat liep maar je huis binnen, krabde aan hun harige benen en aten je papaja op. Dial ging niet zitten. Dat kon ze niet. Aan goede manieren had ze hier niets. Jammer dan, dacht ze. Nog nooit had ze ergens gewoond waar geen conflicten waren.

Kort daarop rook ze een vieze lucht, die ze weet aan het

haar dat onder Rebecca's mollige armen uit stak. De borsten van de bezoekster waren zwaar en zweterig en hadden vlekken gemaakt in haar grijze T-shirt.

Zo, Rebecca, ben je hier vanwege de poes?

Rebecca knikte naar een meelzak die op de grond bij de deur naar de waranda lag. Dat zou je kunnen zeggen, zei ze.

Mijn god, dacht Dial, de trut heeft hem vermoord.

Kijk maar eens, zei de vrouw met het luchtje. Of wil je niet?

Waarom zou ik?

Je kunt er wat van leren.

Dial liep langzaam op de zak af; in haar hoofd klonk een soort onwerkelijk gezoem. Om haar gewonde enkel wemelde het van de vliegen.

Wat was de inhoud die daar op de grond gleed? Bloemen. Graspollen. Een of andere stinkende muls. Toen besefte ze waar ze naar keek: kleine dode vogels, sommige glanzend, andere dof, sommige vol met mieren en misschien – ze zag in de beweging een levende maag – maden. Ze dacht aan *The Godfather*. Het paardenhoofd in het bed.

Wat bedoel je verdomme hiermee, Rebecca? Ik heb je nooit wat misdaan.

Daar vergis je je in, Dial.

Rebecca kwam overeind en haar starende blonde jochie ging vlak naast haar staan; een nietszeggende, vreugdeloze deugdzaamheid vulde zijn kleurloze ogen.

Dit heb je me misdaan, zei Rebecca. Je komt met je kat naar de vallei. Dat doe je. Dit zijn receptieve wezens, zei ze, terwijl ze met haar grote teen tegen een gevederd lijkje porde.

Het zijn wát?

Volgens het boeddhisme.

Ik weet wel wat 'receptief' betekent.

Rebecca kneep haar ogen toe. Dan zou je moeten weten

dat jouw kat onze leefomgeving vernietigt en dat jij de keus hebt. Of je zorgt dat je kat verdwijnt of wij zorgen dat jullie verdwijnen.

Rebecca, zoals je weet, heb ik met Phil Warriner gesproken.

We zijn hier niet in Amerika, Dial. Morele zaken worden hier niet via advocaten beslecht.

En daarmee vertrok ze, stampvoetend wegbenend met haar jongen, die al drie passen achter haar liep te jammeren.

Op de stoffige vloer in de schaduw, onder de door het ongedierte aangevreten lijfjes, lagen de gele planken, kriskras door elkaar als duizendbladstokjes.

34

Als het te heet werd om te werken, waste de jongen zich en klom in de grote, oude kappersstoel. Tronend onder het gloeiende dak keek hij uit over golven zilvergrijs oerwoud waar de bomen, als buitenaardse wezens, met hun gevaarlijke staarten zwiepten.

Dan bracht Trevor hem brood en olijven en papaja of watermeloen of kanteloep. Eén keer was er een enorme blauwe zak met mango's. Mango's waren 'bezoekers', een orde waartoe ook de jongen behoorde evenals het slome oude paard dat nu met zijn pezige staart de vliegen van zijn schoft verjoeg, een treurig beest dat zijn ochtenden doorbracht met rondjes lopen om de cementmolen terwijl Trevor zand schepte en de jongen, die tot taak had het paard te leiden, in diens schrikkerige oren fluisterde en hem wortels uit zijn hand liet eten, maar wel met zijn vingers ver uit de buurt van de brede botte tanden. Het paard was op geheime missie uit een weide niet zo ver bij de raceauto vandaan. In de hitte van de stoffige namiddag verwijderde de jongen de verlammingsteken en drukte met zijn vingernagels hun bloedblaasjes kapot. Soms probeerde het paard hem als dank daarvoor te bijten.

De jongen gaf blijk van een eerbiedige zorgzaamheid voor het treurige, bijtgrage paard, maar de kat die hij zo vreselijk graag had gewild was hij bijna vergeten. Thuis bij Dial dacht hij natuurlijk wel aan Buck, maar op dit moment was hij veel meer geïnteresseerd in een allang dode kat door wie Trevor als wees in de problemen was gekomen toen hij, nog maar net weggehaald bij zijn Engelse ouders, naar hij beweerde, door toedoen van priesters in Australië in een Dr. Barnardo-weeshuis terecht was gekomen.

De jongen wist dat hij niet oud genoeg was voor de verhalen die Trevor aan hem kwijt wilde, maar dat was wel waarvoor hij kwam. En waarvoor hij werd uitgenodigd, waarschijnlijk. De verhalen waren machtig en stroperig, als bloed en suiker, als iets waarvan hij later misselijk zou worden. In het weeshuis waren een heleboel katten. Dat was in Zuid-Australië. Waar dat lag wist de jongen niet, wel dat het er koud en harteloos was en dat de Londense jongens er ringworm, schurft en afranselingen voor over hadden teneinde 'wat liefde te krijgen', dat wil zeggen, een kat te aaien en te strelen.

Die winderige, schurftige jongens leken op hem. Dat moest hij steeds horen, al was het niet waar. Ze waren op een zoldering geklommen op zoek naar één speciale kat. Ze wisten dat die daar was, omdat ze hem er 's nachts hadden horen miauwen. In de kruipruimte schaafden ze hun knieën en stootten ze hun hoofden tegen de dakspanten, hun stemmen stokten, poes poes poes, maar wat zo stiekem in het donker gebeurde, was alom bekend in de slaapzaal eronder waar broeder Kiernan gezeten op een ijzeren ledikant afwachtte terwijl hij alvast met zijn stok tegen zijn laars tikte. Het zou niet lang duren voor de jongens gestraft werden.

Wat hadden ze dan misdaan? Trevor spoog zijn olijfpitten tegen de caravan. *Pang! Pang! Pang!* Wat hadden ze in godsnaam misdaan?

De slaapzaal waar broeder Kiernan met zijn stok wachtte, vertelde Trevor, was niet ver van de plek waar de jongens twee jaar later in de rij moesten staan om hem in zijn doodkist te zien liggen. De volwassen man zag het nog steeds duidelijk voor zich: de van onderen beurspaarse rozen langs het kwartswitte grindpad, de lucht van bloed en beendermest, de stank van dood. Het gezicht van vader Kiernan was als was, zijn haren spierwit. De schoenen van de jongen Trevor, de schoenen die waren afgepakt toen de wezen voet op Australische bodem zetten en die hij voor de gelegenheid gedwongen was te dragen, knelden gemeen.

We hadden alles moeten afgeven, zei Trevor.

Neem nog een boterham, zei hij.

Alles wat we van huis hadden meegenomen. Wilde kastanjes – weet je wat een wilde kastanje is – en zelfs de stomme elastiekjes. Ze stopten onze schoenen en kousen en truien in bierkratten en schreven er onze namen op. ERIC HOBBS, schreven ze en een draai om m'n oren kon ik krijgen toen ik zei dat ik niet zo heette. We kregen onze schoenen pas terug bij de begrafenis van Kiernan en tegen die tijd waren onze voeten groter en harder en liepen wij met het grootste gemak over ijs, grof grind, alles wat maar steekt en prikt, stekelnoten, allemaal dingen die voor ons helemaal nieuw waren. De schoenen knelden verschrikkelijk bij Kiernans begrafenis, maar het was een opluchting de klootzak dood te zien. Begrijp je wat ik bedoel? zei hij, zijn ogen te fel, te dichtgeknepen.

Begrijp je wat ik bedoel? vroeg hij in de meloen prikkend alsof hij die pijn wilde doen.

De jongen was bang en vroeg naar de kat.

De weesjongens waren op zolder geklommen en werden gesnapt en kregen blauwe briefjes, wat inhield dat ze zich bij de kamer van Kiernan moesten melden.

Trevor sneed nog een schijf watermeloen af en gaf de jongen een handvol olijven, die hij van de zenuwen niet door zijn keel kon krijgen.

Het was een heel klein vertrek, zei Trevor. We kenden het heel goed, in de eerste plaats omdat we mee hadden geholpen met bouwen. 'Jongenslijven die mannenwerk verzetten' noemden ze dat. Direct van het schip af werden we in-gedeeld in groepen om kreupelhout weg te hakken, geulen te graven, funderingen te leggen, graniet uit de steengroeve te halen, volle kruiwagens beton over te hevelen, ons te branden aan ongebluste kalk. Jongens tussen de tien en veertien. Wij bouwden de kamers waar ze ons sloegen en nog ergere dingen deden.

En broeder Kiernan profiteerde volop van onze christelij-ke arbeid. Omdat we naar de zolder waren gegaan moesten wij ons voor straf uitkleden en naakt in een kring om hem heen lopen terwijl hij ons er met die rotstok van langs gaf.

De jongen was doodsbang. Hij wilde weglopen om zijn bord te wassen.

Met een hand op zijn arm hield Trevor hem tegen. Nu komt het verhaal van de kat, zei hij. Dat zal jij mooi vinden. Vanwege de kat bewerkte hij onze benen en achterwerken genadeloos, die enorme Ier met armen zo dik als onze be-nen. Nog wekenlang hadden we blauwe plekken en strie-men en schrammen. Maar die waren niets vergeleken bij de panische angst die we voelden.

Hebben jullie de kat gevonden?

Weet ik veel, zei Trevor kwaad. Je moet me niet in de rede vallen.

Wat was het voor een kat? hield de jongen aan.

Ik had blauwe ogen, zei Trevor. En dat was mijn vloek.

De kat?

Ik. Ik had blauwe ogen.

Je hebt nog steeds blauwe ogen, zei de jongen.

Tegenwoordig zal dat iedereen een rotzorg zijn.

Had de kat blauwe ogen?

Trevor hield zo lang zijn adem dat hij bijna stikte en blies hem toen weer uit. De priesters waren dol op mijn blauwe ogen, snap je. Vind jij mij een knappe kerel?

Ik moet nu eigenlijk weg.

Nee, ik ben geen knappe kerel en ik was geen knappe jongen, maar de broeders vielen op mijn ogen en ze dreven me zo tot wanhoop dat ik met een steen probeerde mijn ogen te bewerken om ze van kleur te laten veranderen. Snap je waarom?

De jongen schudde zijn hoofd. Hij begreep dat hij niet weg kon gaan.

Geeft niet, zei Trevor. Je hebt geen zin om dit soort dingen aan te horen. Begrijp ik best. Sorry. Hij ging staan en wierp de rest van de watermeloen ver voorbij het einde van de tuin en de jongen zag hoe die uiteenspatte, stukken wit vruchtvlees tussen de struiken.

Alles wat een priester deed was Gods wil, zei hij. Het spijt me.

Geeft niet, zei de jongen.

Maar zij hebben me alles geleerd, zei Trevor, en hij veegde zijn mond af met de rug van zijn hand, en liet zijn blik over zijn werk gaan – de grote waterreservoirs, de stenen van leem die ze die ochtend vervaardigd hadden en die nu in de zon lagen te drogen – mij kan helemaal niets gebeuren, zei Trevor en jij boft dat je mij ontmoet hebt. En weet je waarom? Omdat je van mij dingen kunt leren die zij niet weet.

De jongen keek uit over de wuivende bomen. Alles was hard en droog, dode bladeren, krakende taken, onbarmhartig. Hij dacht: dit gaat niet op voor mij. Je kunt die dingen ook aan mijn vader leren, zei hij. Je kunt ze ons allebei leren.

Trevor keek hem indringend aan. De jongen begreep niet waarom. De olijven in zijn hand waren fijngeknepen. Had hij ze maar nooit aangepakt.

Ga zitten, zei Trevor, toen de jongen wilde opstaan. En luister.

Het resultaat was dat hij pas rond vijf uur weer de heuvel

afdaalde. Op de toppen van de bomen viel nog zonlicht, dus misschien zou ze nog niet boos op hem zijn. Hij hoorde drie hamerslagen toen hij de Peugeot passeerde en kort daarop trof hij Dial boven op een gammele stoel aan.

Hoi, zei ze, als stond ze op haar plaats vastgenageld.

Ze was niet boos op hem, maar op een houten plank. Het was haar gelukt hem op een muurrachel te bevestigen.

Is-ie zo recht? zei ze.

Hij wilde niets te maken hebben met dat doe-het-zelfgedoe. Hij zei: Heb je een boek gevonden?

Jemig, zei ze. Zeg alleen even of-ie recht is.

Je hebt beloofd dat je voor vanavond een boek zou kopen.

Nou, ik heb geen boek gevonden. Zit deze recht?

De oven was uit en stonk naar koude as. Hij pakte zijn rugtas uit en legde een pompoen en een aubergine op de aanrecht. In zijn zak zaten nog twee Australische dollars en nu hield hij ze stiekem in zijn hand, een klamme prop als een papperige pruim.

Dial had een grote witte sjaal om haar hoofd gebonden, tussen haar tanden staken drie spijkers, in haar hand een roestige hamer. Zeg me alleen maar of het schietlood recht hangt, zodat ik kan spijkeren.

Dial, toe, mag het straks?

Zeg nou even – hangt-ie recht?

Ineens wilde hij heel erg graag dat het allemaal voorbij was.

Che!

Ja, zei hij. Het is recht. Wat waar was – het was recht ten opzichte van de gootsteen. Maar – het was scheef ten opzichte van de raamlijst.

Hou je van mijn papa, vroeg hij.

Dat heb ik al gezegd. Hou het stil.

Ze had hem nooit wat gezegd. Hij pakte het uiteinde van de plank terwijl zijn ogen brandden. Ze hield een spijker tegen de plank, een kleine, zilverkleurige spijker. Ze sloeg hem er met succes in.

Kijk, zei ze, zo simpel gaat dat.

Maar natuurlijk zag ze, toen ze een stap achteruit deed, dat het een schots en scheef hippiehuis was. Van welke hoek je het ook bekeek, de plank zat scheef. Zonder iets te zeggen liep ze naar de oven; hij hoorde haar het rooster schoonmaken. Buiten in het hoge gras zocht hij kleine aanmaaktwijgjes en bracht ze binnen.

Sorry, knul, zei ze.

Geeft niet, zei hij. En dat meende hij op dat moment ook echt, dacht hij.

Dial stak een muggenspiraal aan en liep ermee naar de waranda, waar hij cartoonachtige kringels met een vreemd luchtje omhoogzond die langzaam op haar blonde haren neerdaalden. Terwijl de zon de bergen overliet aan hun sombere duisternis, snoof ze het op als een parfum.

Waarom vroeg je dat over je vader?

Hij haalde zijn schouders op. Ze had nog steeds geen antwoord op zijn vraag gegeven.

Er zit viezigheid op je gezicht.

Wanneer komt mijn papa me halen?

Ze strekte haar sterke bruine armen naar hem uit, maar nu was hij boos en hij keek naar de plank aan de muur en als hij zich ooit veilig had gevoeld, dan was dat heel erg lang geleden. Ze trok haar armen terug en vouwde ze voor haar borst; ze ging met haar rug naar de open deur zitten en deed alsof ze de armzalige scheve plank bekeek.

Ik kan helemaal niets doen wat je vader betreft, jochie. Dat weet je toch.

Zit hij in de gevangenis?

Voor zover ik weet niet.

Dat was 'm niet, zei hij boos. Dat loog je.

Lieverd, dat is niet aardig.

Het is mijn goed recht de waarheid te weten.

Het is wát?

Het is mijn goed recht de waarheid te weten.

Is dat waarover je met Trevor praat?

Nee. Maar het is mijn goed recht.

Nu moet je eens goed naar me luisteren, kleine verwende snotaap, zei ze. Jij bent de hele dag weg en vermaakt je met Trevor. En ik krijg Rebecca over me heen.

Maak je niet druk over Rebecca.

Waar heb je zo leren praten – *Maak je niet druk over Rebecca*? Ik moet me wel druk maken over Rebecca. Weet je waarom ze hier kwam?

En toen stortte ze haar hart uit.

Het is jouw kat, zei ze. We hebben hem omdat jij hem zo nodig wilde. Dus van nu af aan zorg jij voor hem, begrepen?

Of anders?

Of anders moeten we weer vertrekken, zei ze. Is dat soms wat je wilt? Weer een andere plek zoeken om te wonen?

Ik wil naar huis, huilde hij.

Hij verwachtte dat ze haar armen naar hem zou uitstrekken, hem tegen haar borst zou drukken, maar in plaats daarvan trok ze de sjaal van haar hoofd en gooide die op de grond.

Fantastisch, zei ze. Je wilt me de gevangenis in hebben. Je wordt bedankt, jochie, je wordt heel hartelijk bedankt.

Hij keek haar aan en haatte haar. Haar grote neus. Haar zware wenkbrauwen. Haar vieze zweetlucht.

Ik begrijp niets van je, zei ze.

Hou je kop, zei hij plotseling. Hou je kop. Hij voelde een vlaag van woede opkomen. Toen hij naar de deur liep, kwam de kat uit zijn schuilplaats onder Adams bank tevoorschijn. De jongen rende stampvoetend op hem af.

Rotkat, riep hij en rende naar buiten.

In z'n eentje liep hij naar de weg. Er zaten kraaien. Later, toen het donker werd, hoorde hij dat Dial hem riep maar toen had hij zijn plek onder het huisje bereikt waar hij tussen twee propaantanks kroop en keek hoe de duisternis viel.

35

Trevor kuierde op zijn gemak de heuvel af met zijn nieuwe staaflamp van bijna een meter lang en ruim een kilo zwaar. Die had hem niets gekost dankzij de wijde overall die hij droeg als hij boodschappen ging doen.

Zijn voeten waren bloot en hard, de hielen en voetballen dik als zadelleer of gepolijst beton. Hij stak de lantaarn niet aan – de duisternis is immers je vriend. De maan was nog niet op toen hij het laatste stuk van het pad vol geulen had gelopen en aankwam bij het territorium van de reuzen-pad aan de kreek. Hij hoorde ook de kikkers en het water dat over de dam liep die Rebecca's kinderen hadden gebouwd. Door de gombomen heen zag hij het flikkerende kaarslicht in haar huis. Ze lag waarschijnlijk op het bed dat hij voor haar had gemaakt – hij had de jongen verteld over het misverstand met betrekking tot Rebecca, maar de jongen had geen idee waar hij het over had.

Even verderop was de doorsteek naar Adams land. Die was niet moeilijk te vinden. Dat Amerikaanse grietje had een enorme propaanlamp; net of ze een olieraffinaderij was. De lamp zat aan een meter lange gele buis die rechtstreeks aangesloten was op de gloednieuwe gastank en wierp zijn licht over het ongemaaide gras, het mosterdgele, wit uitgeslagen pad, gevleugelde insecten die op kniehoogte opvlogen.

Trevor riep om te laten weten dat hij er was, maar hij hield zijn pas niet in. De jongen keek toe vanuit zijn schuil-plaats onder het huisje. Hij zag hoe Dials voeten in de ver-lichte deuropening die van Trevor tegemoetkwamen, twee treden boven hem. Ze deed een stap opzij en Trevor liep rakelings langs haar heen.

Binnen in het huis keken Trevor en Dial elkaar aan.

Je moet hem niet zo kwellen, zei hij.

Trevor, waar héb je het over?

Vertel hem van zijn vader, Dial. Ze kromp ineen en Trevor dacht: ze is bij hem weggegaan!

Hij liep naar buiten naar de onnozele kleine waranda, die die slome, luie Adam had gebouwd en ging daar op zijn hurken zitten met de zware lantaarn op zijn schoot en het belachelijke geraas van de propaanlamp achter zich.

Weet je dat deze plek vanuit het heelal te zien is, zei hij.

Ik wil graag kunnen lezen, zei ze.

Ik ben woordblind, zei hij. Ik kreeg met de zweep omdat ik niet kon lezen, zei hij, maar mijn hersens willen gewoon niet.

De Amerikaanse gaf geen antwoord en hij wachtte totdat ze naar hem toekwam. Ze kwam niet helemaal naar buiten. Ze leunde tegen de deurpost, half binnen, half buiten, maar haar grote donkere ogen waren als het ware naakt. Hij dacht: ze heeft niemand.

Ik ben een wees, zei hij.

Nee maar.

Doe toch niet zo lullig tegen me, Dial. Ik ben wel een van je buren.

Hou maar op.

Je zou eens bij hen langs moeten gaan. Het is niet aardig van je. Ze weten niets van je.

Als ik vrienden had willen maken, was ik wel in Boston gebleven.

Maar je bent wel aardig, zei Trevor. En dat meende hij. Ik heb op je gelet, Dial. Je bent lief. Je bent niet zijn moeder, maar je houdt van hem.

Dat was helemaal niet wat hij had willen zeggen. Hij wist

niet eens dat hij het wist. Ze keken elkaar verbaasd aan. Even was ze verstijfd, toen sloeg ze haar armen om zich heen en zuchtte.

Ik ben afgestudeerd, zei ze. Ik hoor hier niet.

Dat weet ik, zei hij.

Ze wees naar de wonderbaarlijke plank die scheef tegen de muur zat gespijkerd. Ik haat deze troep.

Dat begrijp ik.

Ik kom uit Boston-Zuid. Weet je wat dat betekent?

Dat het in Amerika is.

Ik ben de eerste van mijn familie die is gaan studeren. Kun jij je voorstellen wat het voor hen zou betekenen als ze wisten wat er van me geworden is.

Een hippie, zoals ik.

Het is nog véél erger dan dat.

Maar je bent niet zijn moeder, zei hij. Kwam ze maar wat dichter bij hem zitten.

Daar weet jij niets van.

Zijn vader is immers dood. Hij wist niet eens of dit waar was of niet. Hij probeerde haar wrange glimlach te begrijpen.

Het is zijn goed recht dat te weten.

Het is zijn goed récht?

Ja.

Nee maar.

Dial, ik weet waar ik het over heb.

Wat weet jij nou helemaal? Je moet eens ophouden hem van alles aan te praten, man. Het is veel erger dan jij denkt. Je kunt hem niet met jou vergelijken. Niemand die sigaretten op zijn benen gaat uitdrukken.

Ze had de littekens gezien en begrepen. Meer niet. 't Zou wat.

Ik weet wel, zei ze, dat jij denkt dat hij is zoals jij. Nu sprak ze vriendelijk en legde een hand op zijn knie.

Trevor haalde zijn schouders op.

Maar deze jongen komt van Park Avenue, New York. Hij gaat aan Harvard studeren en wordt een keurige bedrijfsjurist. Hij lijkt in de verste verte niet op jou, Trevor. Hij is verdomme een príns.

Dus binnenkort gaat hij weer terug, naar zijn echte moeder?

Heb ik dat gezegd?

Maar wat dan?

Ze wiegde op haar knieën heen en weer en heel even, toen ze haar hand op zijn naakte schouder legde, was hij zo gek te denken dat zij hem een zoen ging geven en hij voelde een korte duizelingwekkende bloedstuwing.

Maar in plaats daarvan fluisterde ze in zijn oor – ik hoorde iets onder het huis. Hij zit daar ergens buiten.

En samen keken ze naar buiten naar tot waar het licht reikte, naar waar de bomen in de duisternis verdronken.

Sst, zei ze en alsof het een antwoord was, kwam daar het geluid van een wild dier dat onder de waranda wegrende en vervolgens snelle voetstappen op het pad en een luide dreun toen de jongen in het huis verscheen, als een uit een boom gevallen opossum, zijn ogen fonkelend als gasvlammen. Onder zijn arm hield hij een gedweeë Buck.

De jongen zei geen woord. Toen Trevor op hem afkwam, bleef hij afwachtend staan.

Dial keek toe en voelde een soort ergernis in zich opkomen. Toen Trevor om zeep en een handdoek vroeg, was ze blij dat ze dat voor hem kon halen en toen hij met de jongen naar buiten liep, pakte ze een scherp mes en begon de cherrytomaatjes in tweeën te snijden, maar ze zou niet hebben kunnen uitleggen waarom ze dat deed.

God sta ons allen bij, dacht ze.

Kort daarop hoorde ze het spetterende geluid van de douche, niet meer dan een buis onder de vloer van het andere huisje, een aflopende betonplaat waarover het water weg-liep naar de struiken. 's Middags was het er heerlijk, maar 's avonds waren er spinnen en insecten die je beten. Toen de jongen terugkwam was zijn haar nat en zijn gezicht roze geboend. Zij had misschien tien tomaatjes doormidden ge-sneden; gehalveerd, met hun kleine gele glinsterende zaad-jes, lagen die op het aanrecht.

Waar zijn je schone kleren? vroeg Trevor aan de jongen.

Hij wees naar het bed op de vliering.

Ga je aankleden.

Over het gezicht van de jongen lag een vreemde zepige glans, maar hij deed wat hem werd gezegd en Trevor liep naar het aanrecht. Hij trok het mes uit haar hand en legde een handjevol wiet in haar handpalm. Toen brak hij, zon-der haar toestemming te vragen, eieren boven een schaal. De uien van de vorige dag waren nog goed en daarvan en van een paar kleine tomaatjes maakte hij drie omeletten die ze zwijgend opaten.

Na afloop hielp de jongen Trevor met het wassen en af-drogen van de borden. Toen Dial dit zag, voelde ze in haar keel een wrange, bittere jaloezie oprispen. Dus nou wilde ze weer niet dat hij van haar werd afgepakt? Hoe geschift was ze eigenlijk?

De jongen bleef dicht in de buurt van Trevor en veegde zijn zeepsophanden af aan zijn schone broek.

Trevor deed de propaanlamp uit. In de plotselinge stilte hoorde de jongen de paniek van een insect in een web. Zíjn adem daarentegen zat in zijn magere borst vast als een ge-deukt melkpak.

Trevor ging zitten, met zijn rug tegen de deurpost recht tegenover Dial die op haar hurken zat.

Je weet dat die planken krimpen, zei hij.

De jongen ging ook zitten, in kleermakerszit, zijn roze gezicht dichter bij Trevor dan bij Dial.

Het is vers hout, zei Trevor.

Je meent het.

De jongen zag hoe het maanlicht werd vastgehouden in de nevel van ontelbare vleugeltjes, termieten, muggen, nachtvlinders met zwarte, gitten lijfjes.

Ik zeg het alleen maar, zei Trevor.

En ik ben je erkentelijk voor je vriendelijkheid.

Toen zei niemand iets, en dat maakte de jongen misselijk en angstig net zoals wanneer je naar de sterren boven Kenoza Lake keek en je je het einde van het universum probeerde voor te stellen. Je bouwt een stenen muur, maar als je daar doorheen breekt, is er nog steeds ruimte. Doodsbang werd je ervan.

De jongen zei: Ik ben dus een wees?

Hij vond het best eng zichzelf dat te horen zeggen.

Als Dial, zoals hij verwachtte, nu haar armen naar hem zou uitstrekken, zou hij haar wegduwen, maar Dial verroerde zich niet.

Niemand zei iets.

De jongen dacht: wat heb ik gedaan? Achter hem lagen nog steeds die stomme planken op de vloer.

Waar is mijn papa? vroeg hij.

Kikkers zongen elkaar toe, dingen stierven in de nacht. Hij zag Dials haar, de koele gloed eromheen. Trevor had de zweer aan zijn been ingesmeerd met papajazalf, waardoor hij naar rottend fruit stonk.

Waar is mijn papa, Dial?

Ik weet het niet, zei ze na enige tijd.

Maar je hebt beloofd dat je hem ging schrijven. Dan moet je het weten.

Eigenlijk niet.

Eindelijk strekte ze in het donker haar hand uit om zijn kletsnatte, wanhopige gezicht aan te raken.

Plotseling explodeerde hij en elk stukje lijf was vlijmscherp. Leugenaarster!

Waar is zijn vader? vroeg Trevor. Het is zijn goed recht dat te weten.

Jij, zei Dial.

Jij, begon ze opnieuw, bent een gemene, gevaarlijke gek.

Zeg nooit dat ik gek ben.

Ach, toe, stel je niet zo aan. Hij lijkt niet op jou. Hij is een heel ander mens. Je hebt geen idee wat het is om in zijn schoenen te staan, ook al word je honderd.

En jij bent zeker zijn moeder?

De jongen kalmeerde en luisterde.

Wat, zei Dial.

Je hebt me wel verstaan, zei Trevor, maar Dial stond al overeind en keek achter zich in het donker. Ze liep rakelings langs de jongen, stootte tegen de lamp. Hij dacht dat ze naar de vliering zou gaan, maar toen ze terugkwam had ze een stuk hout in haar hand en daarmee sloeg ze Trevor op zijn rug.

De jongen gaf een gil.

Trevor brulde, dook weg, een muis, een kakkerlak.

Maar zo gemakkelijk kwam hij niet van Dial af. Ze mepte hem nog tweemaal, tegen zijn ribben. De jongen zag hoe de man in elkaar kromp als een baby. Toen liet hij zich van de waranda rollen, in de stinkende modder waar Adam altijd had gepiest.

Dial keek omlaag in de stank, met het stuk hout in haar hand. Niemand zei iets.

Trevor jammerde. Ze gooide het stuk hout boven op hem en liep weg. Toen ze haar neus snoot en op hem afstapte, wist de jongen niet wat hij moest doen.

Kom hier, zei ze, maar de jongen rende de nacht in, de heuvel af, langs de auto, en op de donkere weg verderop rook hij papajazalf.

Ben je daar? fluisterde hij.

36

Geluidloos huilend stapelde ze de natte borden op elkaar. Ze kon ze in deze rotzooi nergens kwijt.

Haar moeder zou zich doodgeschaamd hebben als ze haar knappe dochter in dit krot had gezien. En die ging sowieso dood. Hoe dan ook. Aan Ajax. Mr. Proper. Murphy Olie. Ze ging dood aan de messen en vorken van Patricia Van Gunsteren, die nooit had geweten wie haar huishouden deed. Geen flauw idee had ze gehad, dacht Dial. In de verste verte niet. Ze trok splinters uit haar hand terwijl het propaanlicht witheet tegen het lege huis siste.

Niemand heeft enig idee wie ik eigenlijk ben. Dat kleine rotjoch niet, dat haar hart gestolen had en ervandoor ging. Trevor niet, Chook niet, Roger niet, die schriele schijterd van een Adam niet. Hoe konden deze tweederangs hippies snappen dat Dial een SDS-heldin was. Wie had dat door? Zijzelf begreep het nauwelijks.

In Cambridge had ze zich in folkloristische jurken gehuld, met spiegeltjes, laarzen met schapenwol, alsof ze een pseudo-Nepalese prinses was. Die Harvard-schatjes zagen de ongerijmdheid niet.

Ze werd Dial genoemd omdat ze beweerde dat Zeno de grondlegger van de dialectiek was. En daarom namen ze haar in de maling, de imbecielen. Zij was de waarheidsverteller. Ze vertelde de jongen alleen maar leugens om hem geen pijn te doen, en voor deze zonde rukte een rad haar ingewanden eruit zoals bij Catharina.

Ze had de jongen ontvoerd. Was dat haar opzet geweest?

Ze dacht van niet. Wilde ze misschien met zijn knappe papa naar bed of wilde ze de papa pijn doen, ervoor zorgen dat de rotzak in de hel zou branden?

Háár vader nam ze mee naar het huis in Somerville en die goeie ouwe George liep met zijn modderige laarzen over het Perzische tapijt. Hij was één meter zestig lang en op zijn hoofd prijkte een vetkuif. De baby, baby Che, het kindeke Jezus in de kribbe, had hij niet eens opgemerkt. Maar wel schudde hij handen met de knappe Dave Rubbo. Wil je horen over de revolutie, kameraad?

George Xenos had in beide handpalmen schotwonden; met zijn vingers zo krom als krabben hield hij vork en mes vast als een circusbeer. Hij schaamde zich daar niet voor. Hij zou jullie, kameraden, weleens laten zien hoe hij zijn handen op het kussen van het bed van een vrouw had moeten leggen. De fascisten schoten op hem met een mauser. Hij zou jullie weleens vertellen van welk kaliber. De schoften waren geen Duitsers. Het waren Grieken. Hij lachte. Zelfs zijn ontbrekende tand maakte een heldhaftige indruk.

In september 1966 kwam hij naar Somerville, enkele weken voor het bezoek van McNamara. Aan zijn schoenen zat modder, de boorden van zijn schone witte kousen waren omgeslagen, de gespierde korte benen kwamen goed uit in de zomerse korte broek.

Kameraden, zei hij; waarom ze zijn dochter Dial noemden wist hij niet. Kameraden, zei hij, en verkoos het dons op hun jongenslippen te negeren. Ook hij had eens zacht jongenshaar gehad, zestien jaar oud, babydons, strijder in de Macedonische bergen.

Weg met Stalin, zei hij tegen de leiders van de SDS. En ook weg met Churchill. In 1945 hadden de kameraden Griekenland veroverd. Eerst werden ze door de Britten verraden en daarna door de USSR.

Jullie hebben geen revolutionaire status, zei hij. Dit is Amerika. Moge God Amerika zegenen, zei hij, en nog steeds vonden ze hem, een arbeider uit Boston-Zuid, aardig. Hij kon zeggen dat Amerika zich niet in een revolutionaire situatie bevond zonder dat zij hem stenigden. Ze dronken zijn ouzo, speelden een spelletje knokkels slaan en een partij armpje drukken op de grond.

Papa flirtte met Susan en Melinda en Smith, dat lekkere stuk dat een geslachtsziekte had. Twee weken later lag mama op sterven in het St.Vincent-ziekenhuis.

Hij had de Harvard-kameraden gevraagd naar zijn huis te komen om zijn illegale worstfabriek te bezichtigen. Twee dagen later liet hij hun weten dat ze niet moesten komen.

Dat bleef hun, Susan Selkirk, Mark Dorum, Mike Waltzer, al die mensen die later in de krant stonden, dus bespaard, de worsteling met de dialectiek die zijn leven beheerste.

Eind 1966 waren zijn twee zonen weggelopen, de een om drugs te dealen in New York, de ander om het bed te delen met een vrouw in Gloucester, Massachusetts. Hij bleef alleen achter met de student en zij was degene die 's avonds en in de weekenden uit Cambridge naar Boston-Zuid reed, en deed wat haar broers hadden moeten doen, halsstukken uitbenen, de maalmachine bedienen, de worstzak aan het kleverige toestel bevestigen. Ze tilde de grote plastic vaten met afvalvlees van de grond op de werkbank. Zij had die Harvard-jongens gemakkelijk met armpje drukken kunnen vloeren.

Wie moest het hun vertellen? Niet die schattige Dial. Iemand anders moest het hun bijbrengen – romantiseer alsjeblieft niet de werkende klasse, wat je ook vindt van de littekens op de kleine knuisten van die arme papa. Hij had in de bergen zijn mooie jongenshuid geriskeerd voor de werkende massa, maar toen een paar Ierse kerels na aflevering wilden afdingen, was het George Xenos die zijn breekijzer pakte en daarmee zo hard hun koelkast bewerkte dat de kakkerlakken bij bosjes neervielen.

Zo dingen we af in Griekenland.

Stap in de vrachtwagen, zei hij tegen zijn dochter. Jij rijdt.

Ze draaide de propaanlamp hoger, zodat die brulde. Op mijn vaders knie heb ik het geleerd, dacht ze, en huilen aan de borst van mijn moeder.

Ze dacht: als jullie vanuit het heelal naar me kijken, kijk dan goed, mensen.

Ze pakte een handvol spijkers en stopte er een paar in haar mond, liet de rest in de verkreukelde papieren zak vallen. Ze raapte de hamer op en een lange, soepele gele lat en legde deze tegen de muur, boven de lat die ze daar eerder had vastgespijkerd.

En toen sloeg ze de spijker erin. In één klap. Ze kon heus wel een echt huis voor hem bouwen. Zien jullie dat, mensen?

Twee spijkers per plank, één boven en één onder. En zo ging ze de hele nacht door, tot de ochtendnevel boven de grond optrok en zelfs toen wist ze niet van ophouden, niet omdat het er zo fantastisch uitzag, maar omdat ze wist dat ze van pure ellende zou doodgaan als ze niet doorging, omdat haar ogen prikten en haar keel dichtgeknepen zat en de pijn in enorme golven kwam opzetten, waarbij ze nauwelijks op haar benen kon blijven staan. Hij zou van haar zijn, zij zou hem voeden, zij zou hem zien opgroeien. Er waren mensen die een veel vreselijker bestaan leidden dan dit. Zij kende hen persoonlijk.

37

Niemand hield van hem. Hij trok zijn korte broek en onderbroek uit en vouwde ze zorgvuldig op. Toen hurkte hij boven de kuil en keek uit over de ingedamde, mistige vallei met zijn wit omfloerste bomen. Hij rilde over zijn hele lichaam. De vogels hielden zich tamelijk rustig, maar ver beneden weerklonk een gestaag klop-klop.

Hij vroeg zich af of hij ooit weer naar Kenoza Lake terug zou kunnen gaan.

Toen hij zich had afgeveegd, goot hij een ijsbekertje ongebluste kalk en nog een schep zaagsel in de put en sloot de zware scharnierende deksel.

Een zwartrugfluitvogel gorgelde toen hij zich omdraaide om weg te gaan. De wekker van Trevor rinkelde toen de jongen weer binnenkwam.

Trevor? Hij keek naar de open mond en de rare gebroken tand. Word je wakker?

Trevor opende een bloeddoorlopen krokodillenoog, kreunde, rolde zich om zodat zijn toegetakelde rug te zien was – zwart en paars als een japon van een oude dame. Het wekkermechanisme was afgelopen en Trevor begon weer te snurken.

Hij zou zorgen dat ze een vliegticket voor hem kocht. Dat dacht hij toen hij achter het bloemkolenbed neerhurkte en zijn arm in de muls stak. Met zijn wang tegen de aarde gedrukt vonden zijn vingers de blauwe bananenzak die hij daar begraven had.

Boven de mist uit raakte de zon de bomen en wekte een

aantal vogels die een luidruchtige regen van bast of zaden op het tinnen dak deden neerdalen. Toen hij de papajazalf rook, was het al te laat.

Wat ben jij een uitgekookt ventje, zei Trevor; hij stootte met zijn grote teen tegen de muls en bracht zijn geheim aan het licht. In die zak bewaarde hij geld en ook andere spullen.

Trevor zette zijn handen in zijn zij en bracht zijn gezicht vlak bij het zijne. Wat heb je daar?

Mijn vader, zei de jongen tot zijn eigen verbazing. Hij ging weer op de muls liggen en stopte zijn arm nog dieper in de zak. Hij voelde de Uno-kaarten, het pak pokerkaarten, zijn kaartje voor het Shea-stadion, een visitekaartje, een munt, drie bankbiljetten, een steen, en de opgevouwen bladzijde uit *Life*. Die had hij nog nooit aan iemand laten zien, maar nu moest hij hem wel aan Trevor tonen.

Hij is wel een beetje verkreukeld, zei hij.

Trevor bekeek de bladzijde uit *Life*. Hij kon hem niet lezen. Wat is er met haar aan de hand? zei hij terwijl hij het weer opvouwde. Slaat ze je?

Ik weet best dat ze mijn moeder niet is, zei de jongen, terwijl de tranen in zijn ogen sprongen. Dat weet ik best.

Je mag niet afluisteren, zei Trevor.

Jij bent gemeen, zei de jongen. Bemoei je er niet mee. Je weet nauwelijks wie ik ben. Hij graaide de foto van zijn vader terug en stopte die in zijn broek; hij gloeide van plezier over zijn vernietigende houding.

Ik zal je eens wat vertellen, zei Trevor. Er was eens een jongen zoals jij en die bezat een oortje van een theekop. Dat was net een botje, een stukje kippenbot, een wensbotje, de resten van een heilige die in een houten doos worden bewaard. Een reliquiarium, zei hij.

Maar de jongen was niet meer geïnteresseerd in Trevors verhalen.

De jongen met dat oortje, zei Trevor, vertelde ons dat zijn

oudere broer het kopje had dat erbij hoorde en zo zouden ze elkaar herkennen, omdat de broer het kopje zou laten zien en dan zouden ze kop en oortje bij elkaar houden en weer tot een geheel maken.

De jongen luisterde nauwelijks. Hij zat te bedenken hoe hij zelf aan een ticket kon komen.

Ik kende dat joch heel goed, zei Trevor. Hij vertelde overal dat zijn broer tien jaar ouder was en dat hij met het kopje op weg was van Brisbane naar Adelaide. Luister je wel?

Trevor wilde dat de jongen hem aankeek, maar de jongen zat met zijn wang tegen zijn knieën gedrukt naar de wildernis te staren. Ik ga later naar Harvard, zei hij ten slotte. Jij begrijpt niets van mij. Hij huilde zo hard dat hij niets zag. Hij wilde languit op de grond gaan liggen, maar de grond was te hard. Luid snikkend liep hij struikelend het paadje op, pakte de pallet en sleepte die hotsebotsend over het pad. In zijn verbeelding zag hij het oortje van de theekop, de uitgedroogde botjes, het houten kistje en de arme, stinkende weesjongen, hoogstwaarschijnlijk morsdood.

Nu kom je naar huis, zei Dial.

Ze stond achter hem, naast de kolen, over haar schouders een legerjas, in haar hand een hamer.

Ondanks de in hem opwellende woede rende de jongen naar haar toe, drukte zijn gezicht tegen haar buik en zij wikkelde de jas stevig om hem heen.

Je moet me dragen, zei hij. Zijn gezicht was nat en snotterig en hij begroef zich in haar naar rook en stof ruikende haren terwijl ze hem over de col zeulde waar de olievaten stonden en toen ging ze op een sukkeldrafje de gele heuvel af. Ze drukte hem zo hard tegen zich aan, dat hij bijna stikte. Als hij uit haar armen dreigde te glippen, hees ze hem weer op. Hij sloeg zijn benen om haar middel, en zij liet hem pas los toen haar legerjas van haar schouders gleed en in de modder viel en erbij lag als een grote oude hond.

Dat was naast de verroeste Volvo, waarin de kalkoen woonde. Maar de jongen had wel ergere dingen aan zijn hoofd dan daar nu bang voor te zijn.

Ze gaf hem een kus op zijn vuile voorhoofd en probeerde in zijn ogen te kijken, maar hij wilde niet dat zij zag waaraan hij dacht. Hij griste de hamer uit haar hand, rende naar de auto en sloeg de koplampen aan diggelen. Dat kostte meer tijd dan je zou denken, maar ze deed niet haar best om hem tegen te houden en toen er niet veel meer van de lampen over was begon hij tegen het gedeelte van de auto te beuken dat muurvast op de weg stond. Er was geen beweging in te krijgen.

Met over elkaar geslagen armen sloeg ze hem gade, haar ogen zacht en omfloerst.

Laten we dat stuk hout gaan halen, zei hij. Dat stuk hout waarmee je hem hebt geslagen, zei hij en wachtte om te zien wat ze zou zeggen. Hij raapte een steentje op en gooide dat naar de auto. We kunnen de plank zo onder de auto zetten dat die naar beneden valt.

Tuurlijk, zei ze.

Het is een rotauto, benadrukte hij. Het is een rotvogel. Ik ga 'm vermoorden.

Tot zijn verbazing zei ze niet dat je niet mocht doden.

Wacht maar, zei ze.

Wat betekende dat nou weer?

Je zult wel zien.

Hij fantaseerde dat ze hem foto's ging laten zien, ook al zag hij later, toen hij erover nadacht, in dat ze hem geen enkele aanleiding had gegeven zoiets te denken. Oma Selkirk had een heleboel bruine en stoffig gele foto's die ze in schoenendozen bewaarde. Als de wind ijzig vanuit het meer blies, bekeken ze de foto's bij het rokerige vuur. Er was een oom die helemaal gek was van Packards. En een tante die in Parijs al haar geld had opgemaakt met wijn drinken. Dat was zijn ware geschiedenis, in de doos. Wat wist Trevor er nou helemaal van.

Wat dan, Dial?

Wacht maar. Je ziet het zo.

Ze liepen de heuvel af, om de diepe geulen heen die de regens hadden geslagen en de nog diepere gaten, waarschijnlijk door de wees gemaakt tijdens een woede-uitbarsting. In de modder hadden breekijzers sporen nagelaten als steekwonden.

Wacht maar, zei ze en probeerde hem aan het lachen te maken, maar haar hand was klam en dus wist hij dat ze bang was en was hij ook bang. Toen ze bij de doorsteek naar hun oprit waren aangekomen, werd de zon verzwolgen door wolken die over alles een zweem van sombere treurigheid legden. Doe je ogen dicht, zei ze, terwijl ze nog maar halverwege hun pad waren. Zijn adem stokte in zijn keel toen ze hem aan zijn schouders over het smalle paadje tussen de huisjes leidde.

Til nou je voet op, zei ze. Nog één tree.

Hij rook het zaagsel voordat hij zijn ogen open had gedaan en de vers gezaagde planken zag die tegen de muren waren gespijkerd; het gele isolatiemateriaal zat verstopt als een brief in een boek.

We gaan het helemaal opknappen, zei ze, dat is het enige wat we kunnen doen. We gaan er een gezellig huis van maken. Die kromme spijkers moeten de planken plat houden zolang ze drogen. Daarna vullen we de kieren op met ander hout.

Latten, zei hij. Hier kon hij echt niet wonen.

Ja, ze noemen dat latten. En daarna schilderen we ze met lijnzaadolie. Weet je hoe dat ruikt?

Nee.

Ben je weleens op een schildersatelier geweest?

Jij bent niet mijn moeder, hè?

Ze stonden tegenover elkaar midden in het huisje, de keuken ergens achter hen en de grote open deur voor hen, en overal op de grond lag zaagsel. Dial hurkte neer om even groot te zijn als hij.

Ik ken je vanaf dat je net geboren was, zei ze. Ik heb je in bad gedaan. Je was zo glibberig van de zeep. Ik was doodsbang dat ik je zou laten vallen.

Was jij dan de oppas, Dial?

Ze huilde, maar het kon hem niets schelen. Je was nog zo klein, zei ze. Je had een duur, gebreid jasje dat je grootmoeder je had gegeven en ik verbrandde dat met het strijkijzer.

Hij vond de tranen eng, ze kreeg zo'n vreemde rode blik.

Dus daarom praat je zo raar, zei hij.

Hij deed expres gemeen; ze liep naar buiten de waranda op en hij hoorde hoe ze haar neus snoot.

Maar zij is wel mijn oma.

Ja.

En opa is mijn opa.

Ja natuurlijk.

Waarom heb je me dan ontvoerd? zei hij en hij zag hoe ze in elkaar kromp.

Maar ik heb je niet ontvoerd. Ik was met je op weg naar je moeder.

Hij voelde een enorme kwade kracht om haar pijn te doen, alsof hij tot alles in staat was zonder dat iemand hem kon tegenhouden. Je hebt me ontvoerd. Je hebt me ergens heen gebracht waar niemand me kan vinden.

Ze strekte haar hand naar hem uit, en al mocht ze hem niet aanraken, hij liet zich wel overhalen om op de kussens te gaan zitten. Ze ging naast hem zitten. Haar ogen waren rood en diep naast haar grote neus. Wat een lelijke neus, dacht hij, en dat hij net zo gemeen tegen haar kon doen als hij wou.

Ik heb je niet ontvoerd, zei ze.

Je hebt gelogen!

Hij wachtte tot ze haar armen naar hem zou uitstrekken om hem vast te pakken, maar ze sloeg alleen haar armen om zichzelf heen, alsof ze buikpijn had. Haar lippen zaten vol barsten en kloofjes en haar wenkbrauwen waren omlaaggetrokken.

Mijn mama is dood, zei hij.

Hij zag haar ineenkrimpen.

Je mama wilde jou zien, maar dat mocht niet van de wet.

Door jouw schuld werd ik bijna overreden door een auto.

Nee, dat was jouw mama.

Door jouw schuld was ik bijna dood.

Je moeder was ondergedoken. Weet je wat dat betekent?

SDS, zei hij. Dat weet ik. En jij weet dat ik dat weet.

Ze aarzelde alsof ze wilde zeggen dat hij zich vergiste.

Herinner je je nog het Greyhoundstation in Philly?

Hoezo?

Er waren een heleboel sirenes op straat.

Nee.

Ik zou je naar je moeder brengen, maar je moeder ging dood. En ik kon het je niet vertellen. Het was afschuwelijk.

Zijn keel brandde. Zijn moeder was dood. Hoe was ze doodgegaan. Hij durfde het niet te vragen. Je had me terug moeten brengen.

Lieverd, ik zou de gevangenis in zijn gegaan.

Hij haalde zijn schouders op. Dat begreep hij eigenlijk niet.

Kan het je dan niets schelen als ik naar de gevangenis ga?

Je had me niet mogen ontvoeren. Je had me naar mijn vader moeten brengen.

Dat heb ik gedaan.

Dat heb je niet gedaan, riep hij. Je mag niet zo liegen.

Luister nou eens, kleine idioot die je bent. Wie denk je dat jou afspoelde toen je in je broek had gepoept. Wie deed dat? Dat was die lieve papa van je. Tot dan toe had ik hem alles vergeven. Je moet niet zo tegen mij tekeergaan. Mijn hele leven is hierdoor naar de knoppen. Ik ben eigenlijk docent. Ik hoor hier helemaal niet.

Ga dan weg, zei hij.

Ga jij maar weg, zei ze. Ik ben je zat.

Wil je dat ik wegga?

Ja, zei ze. Ga maar. Schiet op.

Dus ging hij. Hij holde het pad tussen de huisjes af, met moeite zijn benen bijhoudend, alsof hij de heuvel af tuimelde. Naar Trevor kon hij niet meer gaan, dus rende hij door de vallei de andere kant op en hij rende nog steeds toen hij langs de zaal kwam.

Er stonden drie auto's. Het domme hocus pocusvolk stond op de waranda en ze kwamen allemaal naar hem kijken terwijl hij, brullend als een afschuwelijke kleine herrieschopper, door het stof de weg af rende.

38

Hij luisterde of hij het piepen, brommen, kuchen van de Peugeot hoorde die hem zou komen terughalen. Hij zou het best gehoord hebben, boven het bonken van het bloed in zijn oren uit, terwijl de lucht zijn borstkas aan flarden reet. Bij het wad aangekomen bleef hij staan en wachtte. Als dat hocus pocusvolk hem had geroepen, zou hij naar hen toe zijn gegaan. Hun stemmen zouden net als zagen of hamers langs de kreek weerklonken hebben, maar over het water kwam niets dan een prachtige, adembenemende, naamloze vogel – zwarte rug, oranje borst, die ongeveer vijf centimeter boven het wad vloog. Zijn grootmoeder zou de naam wel geweten hebben – zij kende alle namen, schaatsenrijder, atlasvlinder. Door een vergrootglas liet ze je naar een dode bij kijken. Zijn grootmoeder die van hem hield, hem over zijn hoofd aaide, er altijd was, nog steeds baantjes trok in het meer, maar haar hart was wel gebroken zoals Jed Schitcher zei.

Voorbij het wad werd de weg steil en levensgevaarlijk, maar hij ging niet terug. Het duurde niet lang of hij was weer op het vlakke gedeelte waar in het grijze stekelgras tussen de hoge, zwartgeblakerde bomen moddersporen liepen.

Het water waarmee hij destijds in Seattle op het grasveld werd schoongespoten, had aangevoeld als hagelstenen. Zij was niet zijn moeder. Ze keek alleen maar toe. Ze had een veel te groot gezicht. Haar huidskleur was donkerder, ze rook naar stof, als abrikoos onder jasmijn.

Hij moet wel een uur gelopen hebben, dacht hij, en nog

steeds was het alsof hij niets was opgeschoten. Toen hij een auto uit de richting van de redneckstad hoorde komen, was hij eerst opgetogen, maar vervolgens klom hij op de droge aarden wal en hurkte neer tussen de afgebroken struiken. Het ene moment was de weg nog leeg en toen was hij een en al blinkend blauw – een nieuwe auto met een aanhangwagen en een krullend spoor van rossig stof.

Toen de auto de bocht om kwam ging hij op de kriebelige grond liggen, steentjes prikten in zijn wangen en buik. De auto stopte en bleef, rustig in zichzelf sissend, net uit het zicht staan, onder de afgraving. Vervolgens reed hij heel langzaam en met horten en stoten een sluipweggetje in dat aan de overkant van de weg lag. Toen de motor zweeg, was de stilte zo groot en roerloos als het water in een meer, zodat hij duidelijk de zwartrugfluitvogels kon horen en de bruine, zwarte en gele vogeltjes die zo groot waren als winterkoninkjes.

Een deur ging open, werd daarna dichtgeslagen. Nu zag hij de chauffeur – ongeveer dertig meter verderop, geen hippie, maar een redneck met brillenglazen zo dik als jampotjes en met haar dat met olie plat op zijn kleine verschrompelde oude schedel geplakt was. Zijn magere nekje was te iel voor zijn boord en hij hield, min of meer snuivend, zijn neus vooruit. Toen urineerde hij met veel geklater, als een beest op een boerderij.

De rednecks van Sullivan County droegen geruite hemden en baseballpetjes met DIESEL of wat voor tekst dan ook voorop. Deze man was anders. Hij liep een stukje rond. Toen knielde hij op de grond. De jongen voelde zijn haren recht overeind gaan staan. Maar vervolgens hoorde hij het geluid van een zaag.

De man werkte ongeveer een uur. Eén keer ging hij zitten om een sigaret te roken. Eén keer nam hij iets te drinken of iets dergelijks.

Eén keer zei hij Mary.

Over de armen van de jongen liepen gemene zwarte miertjes. Hij zou ze het liefst dooddrukken, maar dat had geen zin. De zon verdween achter de wolken en liet alles dof doods groen, geblakerd zwart, glansloos zilver achter. De jongen krabbelde heel voorzichtig overeind en baande zich een weg door het lage, verlepte struikgewas; zijn plan was om achter de bergkam langs te lopen en dan een heel eind verderop weer terug naar de weg te gaan.

Koee-wiee! De kreet sneed door de stilte, een afschuwelijk geluid.

De man hield zijn handen voor zijn brillenglazen alsof hij een verrekijker vasthield.

Hallo jongeman, riep hij.

De jongen liep snel door; van top tot teen huiverde zijn huid van angst.

Kom jij eens hier, zei de man.

Hij hoorde hoe de man hijgend tegen het talud op klom om hem te pakken te krijgen. Hij zette het op een hollen totdat hij achter de bergkam was. Tussen bomen met dinosaurusveren – wattles – maakte hij een scherpe bocht naar links en probeerde geen lawaai te maken tussen de krakende twijgen. Een tijdlang hoorde hij de ademhaling, maar ongeveer aan het einde van de kam werd het stil en zelfs de hoog oprijzende oceaan van melancholische bomen was kalm.

Hij wist zeker welke kant hij was uitgegaan, maar de weg was niet daar waar hij hem verwachtte. Als hij in Australië geboren was, zou hij op tijd rechtsomkeert gemaakt hebben, maar hij kwam uit New York en voor hem lag een lang droog ravijn met keien en aan het einde daarvan waren suikerrietakkers en enkele hoogspanningsmasten te zien.

Hij was er zeker van dat hij die masten en dat suikerriet eerder had gezien en toen wist hij wat hem te doen stond.

39

Dial viel in slaap, opgerold op bed, alleen met haar hamer, haar ruiende kussen en de klamboe die ze als een sluier over haar blote timmermansknieën had getrokken. De jongen was al kilometers ver weg toen ze wakker werd. Maar ze wist van niets, omdat ze had geslapen tot het middaguur waarop de hete zon rechtstreeks op de ijzeren golfplaat brandde, totdat die zich van de door de hippie aangebrachte bevestigingen probeerde los te trekken. *Pang* – plofte het dak. Wie had ooit kunnen denken dat levenloze zaken zo tekeer konden gaan.

Toen ze haar ogen opende, zag ze Trevor Dobbs zwijgend naast haar bed staan. Hij komt vertellen dat de jongen bij hem gaat wonen, dacht ze. Ze zag zijn glimlach en dacht, hij begrijpt niet hoe gemeen hij is en wat hij kapot heeft gemaakt. Hij zag er droog en koel uit in deze meedogenloze hitte, een Engelse appel, hier en daar een plekje, maar gezond.

Een vlieg had het net binnen weten te dringen. Toen hij over haar hals kroop, sloeg ze hem dood.

Hij komt de kleren van de jongen halen, dacht ze.

Ze willen je spreken, zei hij.

De FBI, dacht ze. Ze had dit verwacht.

Trevor trok het net opzij en ze liet hem haar hand pakken alsof ze invalide was. Haar mond was kurkdroog.

Je buren, zei hij. Je moet met ze praten. Ze kunnen jouw koop ongedaan maken. Hij zei, makuh, zachtjes.

Het feit dat Dial vroeg hoe ver de wettelijke arm van de FBI reikte zorgde voor de nodige verwarring.

Je búren, jemig. Waar heb jíj het over?

Dus stemde ze in de buren te ontmoeten, en ze volgde, als een gevangene, met haar handen op haar rug, dit merkwaardig elegante wilde wezen in zijn afzakkende witte pyjamabroek. Ze liepen door het hoge gras, de weg over, naar de schaduwrijke kreek en toen langs de ondiepe stroompjes waar Trevor voor haar uit lichtvoetig van steen op steen sprong. Kinderen hadden dammen gebouwd, stenen gestapeld, monumenten die haar naar adem deden happen.

Het riviertje lag op nog geen honderd meter van haar huisje, maar ze had hier nog nooit gelopen. Ze had dit nooit aan de jongen laten zien voordat ze hem kwijtgeraakt was aan Trevor Dobbs. Er waren vochtige, met mos begroeide plekken die haar treurig stemden. Dat kwam natuurlijk door haar vader. Hij zou het prachtig gevonden hebben, dit drassige, groen geschakeerde gebied. Hij kwam van Samos, een eiland dat voor de ene helft groen en voor de andere helft dor was. Enerzijds perziken, anderzijds priesters. Hij had zich thuis gevoeld in het naar mos geurende New England, waar hij met zijn brakken en zijn geweer door tunnels van bladeren had gelopen. Samen hadden ze op katoenstaartkonijnen gejaagd.

Remus Creek was een paradijs met allerlei soorten varens, palmbomen, klimplanten met de huid van babyolifantjes, water dat ondiep maar glashelder was zodat de kiezeltjes helderrood en geel glansden in het rimpelende grijs. Arme papa.

Ze kwamen bij een groepje gombomen, hoge dunne eucalyptussen, met glanzende witgroene schors en daar voor hen lag de fundering van de rottende, kromgetrokken vloer en toen ze achter Trevor aan de brede houten trap op liep dacht ze aan oerwoudplateaus, Azteken, Maya's, offerplaatsen.

Het hocus pocusvolk zat in een halve cirkel op haar te

wachten en Trevor ging aan de ene kant naast Rebecca zitten en liet Dial, die schuin tegen de zon in keek, alleen staan.

Rebecca zei: Wij hebben regels, en in die drie woorden proefde Dial de bittere gal van haar vijandigheid.

Dial gaf geen antwoord, maar ze zag dat zelfs de mooie Roger haar blik ontweek. Het meisje met de ingevallen borstkas speelde met haar tenen.

Je weet waar ik het over heb, Dial, zei Rebecca. Terwijl ze dat zei keek ze opzij naar Trevor. Opnieuw dacht Dial: ze gaat met hem naar bed.

Ja, zei Dial, je hebt gezegd dat jullie regels hebben.

Over katten.

Ja, dat heb je al eerder gezegd.

Ja, en jij hebt gezegd, dat jij je volgens de een of andere advocaat geen zorgen hoefde te maken, maar die heeft zich vergist, Dial. En hij heeft toegegeven dat hij zich vergist heeft, zei Rebecca. Ze hield een brief omhoog.

Dial knikte naar de brief, maar deed geen stap naar voren om hem aan te nemen. Ze zoeken het maar uit, dacht ze. Ik laat me niet koeioneren. Ze dacht ook aan de jongen die besloten had boven op de heuvel bij Trevor te gaan wonen. Zijn kleren zouden worden weggehaald, alsof hij dood was, niets zou achterblijven, nog geen plastic speeltje dat haar hart zou breken. Ze dacht: ik moet wel toegeven. En toen dacht ze, en niet voor de eerste, noch voor de laatste keer: dit is er nu van mij geworden.

Wat wil je dat ik doe? Ze probeerde te glimlachen.

Zorgen dat je van die kat af komt.

Ik neem aan dat niemand van jullie hem wil hebben?

Haha, zei Rebecca.

Niemand anders zei iets, maar Rebecca stond op en liep het platform af; haar enorme, dikke achterwerk wiebelde in haar katoenen broek. Even later werd er een portier dichtgegooid en toen Rebecca terugkwam, hoorde Dial Buck. Gevangen in een metalen kooi verscheen hij op het platform.

Rebecca hield de kooi voor zich uit. Dial pakte hem aan.

Buck miauwde hartverscheurend.

Jij vindt dit natuurlijk gemeen, zei Rebecca, maar gezien het feit dat hij een moordenaar is...

Dial las het metalen plaatje van de fabrikant op de zware kooi. WILD-VAL. Ze zette hem neer, opende het deurtje van draadwerk en binnenin zag ze Bucks klaaglijke roze bekje. Hij kwam overeind en ging weer liggen. Zijn voorpoot zat vast in een soort muizenval voor poezen.

Wild, zei ze.

Dat wil zeggen geen huisdier. Onder de regionale verordening ter bescherming van de diersoorten valt de wilde kat onder diersoort tweede klasse.

Je hebt verdomme zijn poot verbrijzeld. En hij is niet wild. Het is de kat van mijn zoon.

Hij is je zoon niet, zei Rebecca.

Dial keek naar Trevor die de andere kant uit keek. Ze zette de kooi neer, tilde voorzichtig de gespannen veer van de val omhoog en haalde Buck eruit. Hij gilde en schraapte met zijn klauw over haar arm.

Je hebt hem verbrijzeld. Je weet dat dit niet geneest.

Het is een zij, zei Rebecca.

Dial ging rechtop staan op het platform onder de verblindend blauwe lucht. Deze imbecielen zijn niet van deze tijd, dacht ze. Waarom vechten jullie niet voor iets wat echt belangrijk is?

Jij kunt niet voor die kat zorgen, zei Rebecca. Je kunt niet eens voor het kind zorgen.

Maar Dial kon wel voor Buck zorgen. Daar was ze heel goed in. Als je op een katoenstaartkonijn had geschoten, trof je hem vaak gewond aan, in doodsstrijd. Dan pakte je hem snel op, zette je kaken op elkaar, brak zijn nek. En klaar was Kees.

Ze ging voor hen staan. Ze deed het snel. In nog geen seconde was Buck een warme pels in haar bebloede armen.

Ga jij maar lekker Walt Disney kijken, zei ze tegen Rebecca.

Ze draaide zich om en liep het Aztekenplateau af, tussen de gombomen door, langs de in de schaduw liggende kreek met zijn stenen en dammen. Ze huilde, maar niet hardop. In de tuin vond ze een schop en ze droeg Buck naar het regenwoud en daar, voor het lege huisje met de rare stenen kop, groef ze een gat in de grond, hakte door de verse, witte gewonde wortels, legde hem in de verbrokkelde zwarte aarde en bedekte hem.

Zij kende geen gebeden, kameraad. Lieve papa, dat was alles.

40

Toen de jongen vier jaar was, maar waarschijnlijk ook al daarvoor, nam oma Selkirk hem mee naar het Guggenheim Museum waar ze hem opdroeg de spiraalvormige helling af te rennen, die daarvoor – zo beweerde ze – was ontworpen door de architect Frank Lord Right. Zo had de jongen het altijd verkeerd verstaan. Oma gebruikte de naam te pas en te onpas. Prachtig, zei oma. Frank Lord Right had geen kruisweg gebouwd, zei ze, het was niet zijn bedoeling geweest dat wij ons naar onze kruisiging omhoog zouden slepen. Druk op het OMHOOG-knopje van de lift, zei zijn grootmoeder, en ren dan zo hard als je kunt.

Naar men zei kreeg hij driemaal problemen met de suppoosten – zelf herinnerde hij zich dat niet, maar wel de discussie van zijn grootmoeder met de kleine zwarte suppoost toen zij haar handen om de Brancusi-kop had gelegd. Achteruit, zei de suppoost en toen ontbood oma een hogergeplaatst persoon en het einde van het liedje was dat zij de enige persoon in New York was die de kop mocht aanraken.

Het is kunst, zei ze tegen de suppoost, die haar, beweerde ze, haatte omdat ze een bohemienne was.

Later zei ze: Die suppoost kon zich gewoon niet voorstellen dat ik bevriend ben geweest met Brancusi. De geschiedenis zou leren dat dit niet geheel de waarheid was, maar dat deed er niet toe. Ze raakte het hoofd van de jongen op dezelfde manier aan als ze de Brancusi aanraakte: ze legde haar handpalm eromheen. Ze hield van hem. Zo voelde hij dat, een bijna exacte waarneming van hoe dierbaar hij haar was. Ook was ze een echte neus, altijd bezig zout en dood in zeewieren op te snuiven, de golven van het meer, de fijngewreven gedroogde lavendel. Ze had een kleine, rechte neus. Dat was, zei ze, haar beste 'instrument'. Samen met haar lag hij op de bank in de grote kamer in Kenoza Lake, dan viel ze in slaap en terwijl de jongen rechtop zat, zijn handen op zijn knieën, was het zijn diepste wens dat ze bleef ademhalen, de geur van martini op de zomerse avond, voor eeuwig en altijd, tot in der eeuwen eeuwigheid.

De jongen kende de namen van de geuren, maar het was zijn 'visuele intelligentie' die als zijn 'talent' werd gezien. Dat openbaarde zich toen het Guggenheim op een winterse zaterdag 'activiteiten' organiseerde. De jongen kon niet aan de 'activiteiten' ontkomen en moest zich onderwerpen aan een foldertje waarop een heel klein fragment van een schilderij van Jackson Pollock stond. Oma zei dat hij moest uitvinden bij welke van de drie complete Pollocks die in het museum hingen het kleine stukje schilderij hoorde.

Dat ging hem vrij gemakkelijk af en ze keek hem zo indringend aan dat hij wist dat hij iets goeds had gedaan. Je hebt het oog van de Selkirks, zei ze.

De week daarop kwam ze terug met haar gepoederde vriendinnen van de English-Speaking Union om te zien of zij het ook konden. Ze konden niet tippen aan haar kleinzoon. Vier jaar oud.

Niet dat dit hem op wat voor manier dan ook van enig nut was geweest.

Toen hij de hoogspanningskabels zag en de suikerrietvelden en hij zich een weg baande door de droge geul, had hij geen idee dat de Australische jungle bestond uit lagen, kreukels, vouwen, lange grijze plooien en lichte diepe kloven waar de aarde geprobeerd had zich in tweeën te scheuren, of dat hij als een mier zonder plattegrond zijn weg in een Jackson Pollock zocht. Hij had nooit gehoord van het kind dat verdwaald was of van de vrouw van de veedrijver en hij liep, springend van afgebroken rots op afgebroken rots, door de geul en toen hij de weg voor zich niet meer zag, maakte hij zich om van alles en nog wat zorgen, voornamelijk over hoe hij ooit weer terug zou komen in Kenoza Lake, maar het kwam niet bij hem op dat hij hier misschien zou omkomen.

Hij prikte zijn hand aan een doorn die onderhuids afbrak, hij schramde zijn wang maar toen hij het levenloze dennenbos aan het einde van de kreek betrad, liep hij zonder te aarzelen door de onheilspellende stilte naar de droge witte weg.

Hij kwam weer in het zonlicht en begreep dat hij linksaf kon gaan om in Yandina te komen, maar hij sloeg rechtsaf en ging dus nog dieper de jungle in, sjokte langs de verlaten weg die hij zich herinnerde van de dag na de storm. Wat glibberige modder was geweest, was nu opgedroogd en de geulen en sporen van vrachtwagenbanden werden nu stofwolken, dode zielen die al opwervelend met elkaar slaags raakten.

Even verderop, achteraf tussen de bomen en achter een afrastering van kippengaas, stond een klein huisje met een bloementuin ervoor. Het was smaragdgroen geschilderd en het dak was roestrood. Bij het gammele hek stond een dikke oude vrouw in een gebloemd schort en grijzige kousen om haar rimpelige benen. Haar gezicht was vriendelijk, rond.

De vrouw groette hem en vroeg of hij een glas water wilde vanwege al het stof. Ze praatten hier zo raar, misschien wel als Hobbits.

Hij zei dat hij liever een glas melk wilde.

Lust je ook een kakie?

De jongen wist niet dat een kakie een koekje was en zei nee.

Hij wachtte bij het hek, zag hoe bijen rondkropen in het zwarte gedeelte van de papavers en toen de vrouw terugkwam, dronk hij de melk op.

Hij bedankte haar en zei dat hij verder moest.

Ze keek hoe hij wegliep zonder iets te zeggen en toen hij een stukje gelopen had, bedacht hij dat ze misschien aan iemand zou vertellen welke kant hij was op gegaan. Hij was nergens goed voor, zou zijn grootmoeder gezegd hebben. Dus liep hij terug naar het hek, waar de vrouw stond, nog steeds met zijn lege glas.

Neemt u mij niet kwalijk, zei hij, maar is dit de weg naar de stad?

Je liep de verkeerde kant uit, zei ze. Ik wistte het wel.

Dank u wel, m'vrouw, zei hij. Hij liep in de richting van de stad totdat hij uit haar gezichtsveld verdwenen was en toen sloeg hij af naar het dennenbos en liep over het onheilspellend stille tapijt terug tot hij uitkwam bij de achterkant van haar huis en pas toen hij dat niet meer kon zien keerde hij terug naar de weg. Nu was hij alleen.

Hij kwam uit het dennenbos op de plek waar de weg zich in tweeën splitste. Hij wist dat de enge steile weg Bog Onion heette. Aan het einde ervan was de plek met de blauwe plastic zak.

Laat dit maar aan mij over, zei hij.

Aan de uitgebrande auto's en de uitgebluste houtvuren zag hij hoe hij moest lopen en hij betrad de jungle op precies dezelfde plaats waar Trevor zich een weg had gebaand met een kapmes. De kapwonden waren grijs verkleurd en zagen er dood uit, maar uit sommige groeiden jonge blaadjes en kleine roze stekeltjes die net zo zacht aanvoelden als een raspige kattentong.

Hij baande zich een weg door het dichte struikgewas en

toen door een verenveld van kniehoge visgraatvarens. Hij liep door langs de rand van de pas tot hij op de rode modderoever stuitte, de omgevallen boom met de met kiezelstenen aangekoekte wortels. Hij trok zijn T-shirt uit zodat hij het zou voelen als een buldogmier een poot op zijn rug zou zetten en hij bleef naar de grond kijken terwijl hij langs de omgevallen stam liep. Hij sprong zoals hij de keer daarvoor had gedaan.

Hij liep de poel in en voelde de modder over zijn voeten sijpelen; hij bukte zich, maakte van zijn handen een kommetje en dronk het water dat naar schors en bramen en *lantana*-blad en aarde smaakte. Hij wist wat er achter hem was, in de holte van de omgevallen boom die als een kanon uit de oever stak – je zag een heel, heel klein stukje blauw, heel diep naar binnen geduwd. Hij klom op de stam en stak zijn hoofd in het donkere gat van het zoete, gele, rottende hout. Hij legde zijn hand om de glibberige zak en trok totdat die eruit floepte, bobbelig en veel zwaarder dan hij gedacht had. De zak viel op de grond en zakte zuchtend in elkaar.

Met zijn handen voor zich gevouwen, zijn oren gespitst, wachtte hij af en probeerde te verstaan wat de kreunende bomen verborgen. Toen zeulde hij de zak een heel eind het bos in, als ging het om iets dat hij in zijn eentje ging verorberen. Toen hij de bovenkant had losgemaakt, stak hij zijn arm erin en greep het eerste het beste wat hij tegenkwam. Deze rolletjes stopte hij in zijn onderbroek. Hij haastte zich niet, maar hij telde ze evenmin en hij legde de gladde biljetten met hun scherpe randen zo tegen zijn middel en billen dat ze zijn penis geen pijn zouden doen ongeacht hoe ver hij nog moest lopen.

Het had niet meer dan vier minuten geduurd voordat hij de blauwe zak weer terugpropte in de boom. Toen hij op de open plek bij de auto's kwam, krijsten de kraaien naar elkaar in de zich spreidende schaduw en vliegend van boom naar boom gaven de kookaburra's de grenzen van hun territorium aan. Hij liep zonder door hen te worden opgemerkt.

41

Dial legde de laatste hand aan Bucks graf. Ze veegde haar gezicht af en stampte de aarde boven op hem stevig aan. Papegaaien, boven de grillige bergrug net zo groot als circusvlooien, klapwiekten in het laatste licht. De jongen was daarboven bij Trevor, en zij was hem kwijt, dacht ze. Beneden in het dal kwamen de muggen al opzetten. Die roken haar lichaamsluchtjes al op vijftig meter afstand.

Wat voor luchtjes, Dial?

Melkzuur. Koolzuur.

Alleen was er nu niemand die haar vragen stelde. Het maakte niemand een zak uit wat zij dacht.

Haar vader was dood. De jongen was weg. Buck had ze begraven. Ze liep over het tapijt van rottende regenwoudbladeren naar de douche in de donkerende schaduw onder het slaaphuisje. Ik heb dan wel een krot gekocht, dacht ze, maar met het hete water hoef ik niet zuinig te doen.

Het water uit de douche was als een gemakkelijke belofte en stroomde over haar lange eenzame witte torso, koelde af in een plasje rondom haar lelijke voeten. Dat dacht ze. Ooit had men van haar gehouden. Ze had de vader van de jongen ontmoet op geheime adressen in vier verschillende steden. Ze had zich in rozenolie gebaad. Ze was aan hem geschonken als een prinses aan haar bruidegom, vertrouwde bedienden in Volkswagens, de trap aan de achterkant van een parkeertoren. Hij had haar kuiten gekust, de holten van haar voet. Zelfs toen ze door zijn toedoen een ziekte opliep, beweerde zij dat hij een man was, een soldaat in de oorlog, de koning.

Ze was een godin geweest, één meter vijfenzeventig lang, en een dwaas. Wie had kunnen denken dat ze zo klein en waardeloos zou worden, zo zou smachten naar een kleine jongen.

Zolang ze de douche niet had uitgezet, werd ze alleen in beslag genomen door haar eigen warnet van zorgen. De eerste kreet van de kat werd overstemd. Maar de tweede hoorde ze duidelijk en de schrik sloeg haar om het hart, alsof ze een enorme elektrische stoot kreeg waarvan haar haren overeind gingen staan.

Ze stond naakt in het plasje zeepwater. Iets ritselde. Water druppelde. De lamp in het grote huisje was niet eens aangestoken, maar toen ze Buck weer hoorde, rende ze het bos in. Er was net genoeg licht om te zien dat het graf was zoals ze het had achtergelaten. Ze wist wel dat het niet diep genoeg was. In Massachusetts zouden wasberen of honden hem 's nachts opgraven en er mee aan de haal gaan. Maar hier? Voor zover ze wist waren hier geen beren. Muggen boorden hun holle tuitjes in haar huid. Ze haalde het grijze stuk steen met de afbeelding weg van de voordeur van het verlaten huisje en plaatste dat boven op de zwarte aarde.

Lady Macbeth. Ten voeten uit.

Ze rende naar het huis, dode bladeren kleefden aan haar modderige voeten, maar als een doodsbange zesjarige peinsde ze er niet over om haar voeten af te spoelen. Buck miauwde opnieuw. Ze kromp in elkaar. Ze zocht de Redhead-lucifers en het propaan raasde wit en belichtte haar naakte huid in al zijn angst en zwakheid. Naast de douche lag een overall, maar ze was te bang om weer daarheen te gaan en de bladeren van de bananenbomen langs haar schouders te voelen strijken .

Ze trok Adams prikkende legerjas aan. Het was niet zijn oorlog, en evenmin die van haar. Ze draaide het licht laag en ging op de waranda aan de voorkant zitten waar ze alles wat de nacht haar aan vage zwarte schepsels zou brengen in de gaten kon houden.

Ze had de kat gedood, hem van zijn leven beroofd om iets te bewijzen, een ruzie te winnen. En nu was het: Was je handen, trek je nachthemd aan; kijk niet zo bang. Ze luisterde naar de geest totdat hij ophield, en dat was best snel, maar nog steeds kon ze met geen mogelijkheid de slaap vatten.

Ze klom naar het bed op de vliering en nestelde zich tussen de gewatteerde dekens en sjaals. Die roken naar de jongen. Ze kon niet slapen omdat ze aan hem dacht, maar pas vlak voor het aanbreken van de dag, toen ze weer die kat hoorde miauwen, kwam ze op de gedachte dat er nog andere katten moesten zijn en zij haar glanzende lieve stoute Buck voor niets had gedood.

Ze lag te draaien en woelen totdat ze de auto Trevors heuvel af hoorde rijden. Met prikkende ogen en een zwaar hoofd klom ze de ladder af, rende om haar overall die klam van de dauw was te pakken en toen ze hoorde hoe de auto bonkend en dreunend met zijn chassis de weg raakte, rende ze de heuvel af naar de weg, recht door het niet gemaaide pluimgras. Toen ze op het moment dat de motor de gele rots raakte de dreun hoorde, sprong ze van de ophoging af en stond ze in zijn dodelijke baan.

Geen koplampen.

Ze stak haar handen omhoog en keek toe hoe de auto op haar af reed; de voorwielen misten haar ternauwernood en de dampende neus drukte zich in de bramen.

Het was Rebecca die reed, maar ze zag Trevor het eerst; het ging haar echter om geen van beiden. Ze rukte de achterdeur open.

Waar is-ie?

Niets dan een onwerkelijke, glimmende duisternis, zwarte plastic zakken. Ze bevoelde ze, bedacht onmiddellijk dat ze het snoeisel van de heg naar de vuilnisbelt brachten.

Waar is-ie?

Laat 'r opsodemieteren, zei Rebecca. Die vuile gluurster.

Waar is-ie?

Waar is wie?

Waar is mijn zoon? brulde ze en haar stem echode door de vallei, over de ondiepe stroompjes.

Hou je kop, zei Trevor. Hij greep haar bij de schouders. Rustig.

Ze keken haar allebei bevreemd aan.

Waar is hij? vroeg ze.

Bij jou, zei Trevor.

Hij is bij jou.

En toen barstte ze echt in huilen uit. Het was haar te veel; het was meer dan waarop ze voorbereid was geweest, meer dan ze kon bevatten.

Ze heeft het gewoon verkloot, zei Rebecca en ging weer terug de auto in. Ze deed de koplampen aan, reed voorzichtig achteruit en draaide om.

Blijf hier, zei Trevor tegen Dial. Met zijn twee vlezige handen hield hij haar bovenarmen beet. Niet weggaan.

Hij stapte weer in de auto en smeet het portier zo hard dicht dat het pijn aan je oren deed en Rebecca met haar grote tieten en harige benen reed Trevor terug de heuvel op en liet Dial als enige troost de witte verpulverde aarde die van de weg opdwarrelde en als witte talk op haar haren viel. De kat riep. De lege dag begon.

42

De jongen had twee van Trevors geheimen ontdekt, maar hij wist dat er in Trevors dozen weer dozen zaten waarin dozen zaten. Trevor vertrouwde de banken niet, maar hij had rekeningen, in Sydney, Lismore, Tweed Heads. Zijn rechterhand wist niet dat er een linker was. Zijn longen wisten niets van zijn hart af. Er waren allerlei soorten geheime bergplaatsen – Canadees geld in stationskluizen, verlopen Australische ponden, een bundel geligniet bevestigd in een betonnen buis en ingegraven in zijn weg. De springstof had er twee natte seizoenen gehangen zodat het elektrische snoer was gaan krullen en de pakking los was gegaan, maar nog steeds liepen draden naar de greppel van rode aarde, lagen roerloos in het struikgewas als dodelijke adders onder afgevallen bladeren. De ontsteking had Trevor tussen de spanten van zijn huis verstopt. Hij was een man van geheimen, maar hij was zo vol van zijn geheimen dat hij het de jongen wel moest vertellen.

Trevor was naar eigen zeggen audiovisueel. Hij had de Openbaring op cassette. Hij kon wel niet lezen of schrijven, maar hij kon het einde van de wereld beter verbeelden dan een professor aan de universiteit, en ook de verwoesting van Noosa Heads door een orkaan, en een politieauto die door geligniet bijna tweehonderd meter de lucht in wordt geslingerd. Hij bolde zijn wangen op en blies zijn handen uiteen. Hij bezorgde de jongen nachtmerries – scherp geschut, zwarte vuurwapens, boomstammen die 's nachts als lont in brand vlogen.

Rebecca was Trevors meisje, af en toe.

Zou Rebecca ook bang zijn van Trevor? Misschien, dacht de jongen, vast wel, nou en of. Wie wou er nou weten wat Rebecca wist, dat wil zeggen: de sporen, huisjes, schuurtjes, de afzonderlijke marihuanaplanten die als begraven lichamen in het bos verborgen waren. Rebecca en Trevor liepen, zo beweerde Trevor, samen door de ongerepte jungle; de riemen van hun rugtassen sneden in hun naakte schouders. De jongen had hen beladen gezien met stinkende mest, bloed en botten. Hij wist dat Trevor een wees was, onzichtbaar voor infrarood. Zelfs de spionnen uit de ruimte konden niet zien waar hij echt mee bezig was.

Rebecca's huis stond onder aan de heuvel, tegenover de betonnen pijp met zijn explosieve lading. Trevor had een bed voor haar gemaakt. Hij had een goot aan haar dak bevestigd.

Daar lag ze op de loer, onder aan het pad naar hun huis en ze haatte Buck, ze haatte Che, ze haatte Dial omdat ze Amerikaanse was.

43

Buiten adem van opwinding trof Trevor Dial aan als een aangeschoten dier dat op het pad naar haar huis lag.

Sta op, zei hij. Zijn bevel was een pijl; hij wees op haar auto.

Rijden, zei hij. Niet daarheen, zei hij. Daarheen, zei hij. De wegen weefden zich door de jungle.

Nog even en de dag zou drukkend heet zijn, maar voorlopig was het licht nog koud en treurig. Dial bleef achter het stuur zitten terwijl Trevor de hippies in hun huizen toeriep. De mooiste huizen waren als cocons vervaardigd van aan elkaar gelijmde twijgen, de lelijkste als helemaal vanuit Harvard afgeschoten buckminsterfullerenen.

De motor van de Peugeot ronkte en braakte wit gif uit. De hippies kwamen van hun stokken, slaperige vogels met achter hen aan slepende dekens, zilverreigers in de rokerige uitlaatnevel. Sommigen hebben gestudeerd, dacht ze. Ze staarden haar aan. Gisteren had ze haar kat gedood. Vandaag was ze haar zoon kwijt.

Ze reed Trevor nog wat rond.

Het meisje met de ingevallen borstkas dook op uit een afschuwelijk A-vormig huis, liep recht op de auto af en tikte op de ruit. Dial draaide langzaam het raampje naar beneden. Het meisje omhelsde Dial, alleen maar botten, nog warm van de slaap, geparfumeerd met patchoeli en armoe.

Een kettingzaag zette in met een rauwe, harde kuch. De twee vrouwen wachtten terwijl de zaag zijn werk deed. Even later zagen ze vijf mannen uit het bos komen, iedere man met een vers gezaagde stok. Ze liepen achter elkaar het pad af zonder naar de auto te kijken.

Ze vroeg het meisje wat ze gingen doen.

Ze gaan de kreek afzoeken.

Niet-begrijpend vroeg Dial of ze gingen vissen. Het meisje met de ingevallen borstkas legde haar ruwe knokige hand op Dials arm.

Ze gaan jouw kleine jongen zoeken, zei ze.

Waar zijn die stokken voor?

Dial zag duidelijk de vlekjes van ontzetting – onuitgesproken angst dat het meisje het vreselijke waarvoor de stokken gebruikt zouden worden bij de naam moest noemen.

Ze gaan ook naar de zwemkreek, zei ze.

O. Ze had zin zich weer op de grond te laten vallen en in de schoot van Moeder Aarde te wachten tot ze verpletterd of gedood zou worden. De mannen riepen.

Wat roepen ze?

Koee-wiee.

Nee, hij heet Che.

Ja, zei het meisje. We weten hoe hij heet.

Dial herkende dit vreselijke medeleven. Ze keek verstrooid naar de blijken van hippievlijt, bijenkorven, regenwoudplanten in potten onder een doek tegen de zon. Toen Trevor terugkwam bij de auto verwachtte ze dat zij ook naar de zwemkreek zouden gaan, maar in plaats daarvan beval hij haar de raampjes open te draaien en heel langzaam te rijden. Ze hoorde hoe de kleine kiezeltjes in haar banden bleven zitten, een zacht rollend geluid en de echo van die vreemde, messcherpe kreet: Koee-wiee.

Bij het wad stopte ze en keek angstig naar het gestegen water dat langs haar banden stroomde en naar de zwemkreek vloeide.

De heuvel op, zei Trevor. Hij leunde uit het raampje en tuurde het bos in. Hé verdomme, jij moet wel aan jouw kant kijken.

Nu keek ze terwijl ze tegen de steile helling op reed, en daarna keek ze weer toen ze over de houthakkerssporen hobbelden. Met zijn hoofd uit het raampje riep Trevor koee-wiee. Er was zo veel jungle, zonder einde, zonder hoop of vergeving.

Ze kwamen bij een hooggelegen plek boven de kreek, bijna aan het einde van het pad en Trevor zei: Stop. Doe de motor uit.

Hij riep: Koee-wiee.

Er werd teruggeroepen.

Natuurlijk was dat niet Che. Het leek niet op een jongen, maar toch wilde ze dat hij terugriep.

Trevor verliet de auto zonder zelfs maar naar haar te kijken. Hij rende blootsvoets door het wad en sprong over omgevallen boomstammen, koee-wiee.

Koee-wiee, werd er geantwoord.

Dat is hem niet, dacht Dial, maar ze stapte toch uit de auto. Ze stonden op een soort hoge oever boven de kreek. In andere omstandigheden zou ze het prachtig gevonden hebben, maar nu was het een verschrikking en toen ze een man tegenkwamen met een blauwe auto met aanhangwagen was ze kwaad dat ze hun tijd verdaan hadden.

We gaan, zei ze.

Trevor legde zijn hand op haar arm en praatte met de man, met brillenglazen zo dik als jampotjes en haar dat met olie op zijn kleine, verschrompelde hoofd zat geplakt. Trevor streelde haar schouder met zoveel tederheid dat ze bijna moest huilen. De nek van de man was mager en te iel voor zijn boord en hij hield zijn neus naar voren, snuivend. In Trevors warme handen waren Dials armen kippenvel.

De oude man was een gepensioneerde schoolmeester die een lading brandhout had gekapt om in de stad te verkopen. Hij had Che gezien. Nou en of, zei hij. Hij had hem heel goed gezien. Klein kereltje, goed stel schouders.

Dial probeerde niet bang te zijn van zijn handen, waarvan de knokkels bijna tweeënhalve centimeter breed waren.

Maak je maar geen zorgen, moedertje, zei hij. Ze liet hem haar handen vastpakken; het was net of ze zich in een grote warme buidel bevond of in contact stond met God of buitenaardse wezens.

Hij komt wel weer terug, zei hij.

Hij was dood geweest. Maar nu leefde hij. Niemand zou met een stok in zijn opgezwollen witte worstenlijf prikken. Ze rende zo snel naar de Peugeot terug dat ze de auto al omgekeerd had toen Trevor arriveerde.

Trevor ging op zijn plaats zitten maar liet het portier open, één blote voet op de grond.

We gaan, zei ze.

Hij keek haar vermoeid aan, zijn ogen samengeknepen. Wat dacht je te gaan doen?

Woedend reed ze het pad af en hij kon niets anders dan het portier sluiten.

Wat dacht je te gaan doen?

Ze dacht verdomme niets te gaan doen maar ze kon zich niet meer in de vallei vertonen. Ze was te ver gegaan. Ze had haar poes gedood. Ze had haar jongen gedood. Eenmaal terug op de weg boog ze linksaf naar Yandina, keek uit het raampje naar het taaie stekelige kreupelhout en aangekomen bij de splitsing naar Cooloolabin nam ze niet de afslag naar de stad. Ze kon de blikken van de mensen niet verdragen. Ze reed langs het huis waar de jongen melk had gedronken. Ze wist niet dat ze, nog maar pas geleden, deze weg had gelopen met honderddollarbiljetten in haar zoom genaaid.

Keer hier om, zei hij. Ze had Bog Onion niet herkend, maar ze deed wat hij zei, terwijl haar maag in opstand kwam bij het steile pad, de duizelingwekkende afgrond langs de rand.

Plotseling was Trevor als een hond met gespitste oren.

Wat is er?

Hij leunde voorover, met zijn voorhoofd tegen de stoffige zonneklep en keek naar voren en naar opzij.

Stop, riep hij.

Ze trapte op de rem en de Peugeot sloeg af en gleed weg. O god, zei ze. Wat is er?

Maar Trevor was al uit de auto, en rende struikelend de heuvel op. Ze trok aan de handrem, maar die hield niet. In de met speeksel besmeurde spiegel zag ze Trevor iets oppakken – een papiertje van een snoepje, dacht ze. Hij sprong in de rijdende auto en gaf het aan haar.

Ben Franklin. Honderd Amerikaanse dollars.

Ze kneep haar ogen tot spleetjes.

Rijden, zei hij.

De hele weg met remlichten.

44

Dial stopte naast het uitgebrande karkas van een Volkswagen, de deur vol kogelgaten, een puinhoop die leek op haar maag, verstrikt in een kluwen van angst. Ze keek in de spiegel toen Trevor uitstapte en achter haar om liep. Was hij haar weldoener of haar moordenaar?

Bij haar open raam gekomen zette hij de motor af en pakte de sleutel.

Toe nou, zei ze. Ik was heus niet van plan weg te rijden. Maar waarom zei ze dat eigenlijk? Wat dacht ze eigenlijk – dat hij van de maffia was? En ging het dan zo? Ze probeerde zijn gedachten te lezen; hij hield de deur open, een lucifer tussen zijn tanden.

Ik kan beter hier blijven, zei ze. Voor het geval dat.

Hij liep met haar mee naar het pad, het pad dat hij haar de eerste keer had verboden. Zijn hand op haar arm was ruw noch harteloos, eigenlijk eerder zacht, alsof hij haar aardig vond en haar zou beschermen, maar toen bedacht ze hoe voorzichtig poezen hun prooi in hun bek houden.

Was hij zo boos vanwege dit ene honderddollarbiljet dat van hem was? Als een lammetje volgde ze hem, door de prikkende *lantana*-struiken, de fluisterende varens, willoos, niet bij machte hard te lopen. Hij was een woedende crimineel, die over de horizontale stam van een omgevallen boom klom en plotseling vooroverboog als een opossum, een fret, een onverwacht soepel en lenig dier, met spieren en pezen die door de huid zichtbaar waren. Hij trok de blauwe bananenzak tevoorschijn, liet zijn tanden zien voordat hij

hem liet vallen, als afval in een stortkoker, haastig en drif-
tig, stof opjagend. Hij trok er een plastic zeil vol verfspat-
ten uit en een handvol plastic boterhamzakjes, elk groot
genoeg voor vijftig gram. Hij stopte de zakjes in de zakken
van zijn winkeldiefbroek en legde het zeil in de sombere
schaduw van de omgevallen boom. De wind kwam met
vlagen uit het westen. Het plastic woei voortdurend op
totdat hij het met stenen en stukken hout onder controle
had.

Een moment lang keek hij haar strak aan. Ze wist niet
hoe ze moest terugkijken. Zijn pupillen waren sleutelga-
ten. De wind woei en een myriade van eucalyptusbladeren
dwarrelde als zilveren messen boven haar hoofd.

Hij knielde voor zijn zak neer, haalde er een handvol pa-
piergeld uit en stopte dat onder het plastic zeil. Een goed teken, dacht ze – maar hoe kon ze weten wat ze kon hopen of
moest vrezen in de vreselijke leegte van deze dag.

Flitsend snel was hij, verrukkelijk in zijn ongetemde, gespierde manier van doen, terwijl hij zijn geheime schat tegen de kapende wind verdedigde. Hij gaf een laatste stapeltje aan Dial en wees naar het bot, een bot van een koe dat
groot genoeg was om hem ermee de hersens in te slaan.

Leg het Australische geld daaronder.

Prima, zei ze met bonkend hart.

Amerikaans, hij wees naar twee brokken gele steen.
Amerikaanse dollars daaronder.

Ze zat met gekruiste benen op het plastic, haar huid zweette als fabriekskaas. Hij hield het verkreukelde honderddollarbiljet omhoog, het biljet dat hij op de weg had gevonden.
Een harde windvlaag deed het plastic opbollen en bruine
blaadjes dwarrelden over hun knieën. Ergens viel of plofte
iets.

Wat?

Sst.

Hij hield zijn vinger op zijn lippen en keerde naar het pad terug.

Zij kwam ook overeind.

Blijf daar, siste hij.

Hij klauterde zo snel tegen de modderige oever op dat het klontjes modder regende op het zeil. Ze wachtte, zich hoofdzakelijk bewust van de lucht, het sprookjesachtige blauw, het verborgen gewelddadige leven.

Hij was snel weer terug.

Was hij het?

Ze keek toe hoe hij de rest van het geld pakte.

Oké, zei hij. Dat is jouw geld.

Zijn blik hield de hare zo stevig vast dat het even duurde voordat ze zag dat hij twee met geld gevulde boterhamzakjes ophield. Als je het nodig had, had je zelf kunnen komen. Zijn stem klonk heel neutraal. Je had het kind er niet op af hoeven te sturen.

Het duurde lang voordat ze hem begreep.

Dit is jouw geld, ging hij door. Ik bewaar het voor jou. Zonder volwassene had hij nooit helemaal hiernaartoe kunnen komen.

Denk je echt dat ik dat van hem zou vragen?

Hij haalde zijn schouders op.

Ze moest opstaan zodat hij het plastic zeil kon oppakken. Toen hij weer tegen de oever op klom om de zak te verstoppen, wachtte ze.

Wil je je afspoelen? zei hij.

Dat zou ik nooit van hem verlangen, zei ze. Waar zie je me voor aan? Wil je beweren dat dit allemaal mijn schuld is?

Hij liep voor haar uit, terwijl hij zijn handen afdroogde aan wat voor zijn achterwerk doorging. Ze bleef naast de Peugeot staan terwijl hij in beide uitgebrande autowrakken keek en ook onder een van de twee. Ze vond de beschuldiging onuitstaanbaar.

Maar toen slaakte hij een kreet en haar hart bonkte in haar keel en zij stond naast hem, klaar om hem te helpen, hurkte op het grind toen hij vanonder de Volkswagen tevoorschijn kwam; de donkere sluier van woede was verdwenen uit zijn ogen.

In zijn hand hield hij nog een honderddollarbiljet, en een groene avocado.

Hij hield haar de avocado voor – er was aan geknabbeld, hij was nog betrekkelijk vers, bleek romig groen. Hij liet zijn tanden zien.

Ga in de auto, zei hij.

Ze gehoorzaamde en startte de motor toen hij daartoe stilzwijgend het sein gaf.

Ze zette de auto in de eerste versnelling en hoorde de schreeuw, de bonk tegen haar stoel en toen ze zich omdraaide zag ze Trevor een spartelend jongenslijf van de achterbank af trekken. Het was een puppy die hij bij zijn nekvel hield, onder het slijk en de modder, wit, met wijd gespreide armen en vingers en het jongensgezicht helemaal opgezwollen van verdriet of van beten, het linkeroog dicht, de mond open.

De auto trilde en schokte. Dial sprong eruit terwijl hij verder rolde, rende met gevaar voor eigen leven voor de voorkant langs, opende de achterdeur, rukte aan de verstekeling met een kracht alsof ze een konijn uit zijn hol trok, en drukte het trillende, jammerende ding tegen haar borst.

Toen Trevor op hen afstormde, had ze niets om zichzelf te beschermen tegen het onstuimige hart van dat dikke weeskind, het zilt, snot, de vreselijk buil van verdriet die zo groot was dat hij vanzelf openbarstte.

Zo vonden ze elkaar, alle drie, in een chaotische ontmoeting – het was iets wat Dial nooit had durven dromen.

45

Op de terugweg naar Bog Onion liet Dial tweemaal de motor afslaan. Je kon wel zien, dacht de jongen, dat ze nooit iemand naar Montana had gereden. Ze had nooit een geweer bezeten, was nooit gewond geraakt, had nooit een kind gekregen. Heb je het niet koud gehad vannacht? riep ze naar hem.

Ging best, zei hij en hoorde haar aan terwijl zij een grapje probeerde te maken met best en best koud. Maar hij lachte niet.

Na het vlakke stuk reden ze door het dennenbos en hij vertelde hun niet dat hij midden in de nacht in het huis van die oude vrouw was geweest. Dat huis. Daar. Dial keek naar hem in haar achteruitkijkspiegel, maar de jongen hield zijn geheim voor zich. In het pikkedonker was hij via de achterdeur naar binnen geslopen. Hij kon het, dus hij deed het. Hij had verwacht dat het binnen lekker warm zou zijn, maar eenmaal binnen was hij zo uitgeput, dat hij geen vin kon verroeren. Hij stond in de blauwzwarte blinkende keuken en luisterde naar het snurken van de oude vrouw. Was hij daarom gekomen? Als dat zo was, dan was dat een enorme vergissing, want toen het snurken ophield, dacht hij dat ze dood was. Hij kende dat gevoel van Kenoza Lake, het wachten totdat het ademhalen weer begon. Laat haar niet nu doodgaan. Vaak had hij zich voorgesteld wat hij moest doen als hij zijn grootmoeder dood zou aantreffen. Hij griezelde bij het idee, hoe ze er dan zou uitzien. De oude Australische vrouw kuchte. Hij stelde zich haar grote starende ogen voor en haar grijze haren die over het kussen waren uitgespreid. Ze verschoof iets, misschien een glas. Hij griste de avocado van het aanrecht in de veronderstelling dat het iets anders was. Voor dekens was er geen tijd. Hij pakte het kleed van de keukenvloer en rende de achterdeur uit. Er viel een stoel om. Het kleed bleef haken. De deur sloeg dicht. De tuinlichten gingen aan en bijna had hij het kleed achtergelaten. Uiteindelijk zeulde hij het het bos in als een dode stinkende beer. Toen zat hij in de buik van de nacht en keek naar de brandende muil. Hij hield zich muisstil. Niemand die hem kon zien of horen. Al gauw kwam er een auto. Zonder zwaailicht, wel met de radio hard aan. Hij rende weg voor de lantaarn die de dennenbomen bestookte. Wie weet zouden ze hem aftuigen zoals de priesters Trevor hadden afgetuigd, met een stok of een riem. Hij zeulde het zware kleed de donkere nacht in, het dennenbos uit, de jungle in en toen hij vond dat hij genoeg was gestruikeld en genoeg zijn hoofd en handen had opengehaald, rolde hij zich in het kleed en viel eindelijk in slaap.

Het tapijt stonk naar ranzig vet. Hij had zich moeten laten oppakken, maar hij wilde niet de gevangenis in omdat hij geld had gestolen.

Hij gaf groen over.

Toen er genoeg licht was om te zien, rolde hij het kleed op en stopte het in de afvoerpijp onder Bog Onion. Zijn maag smaakte naar een zinklood en hij wist dat hij het geld zolang moest terugleggen. De avocado zou hij niet eten. Hij stopte het geld terug in de blauwe zak en kroop onder de uitgebrande Volkswagen. Daar bleef hij, het grootste deel van de tijd slapend. Hij werd wakker toen hij de Peugeot van de heuvel hoorde komen.

Ze hadden hem te pakken gekregen, maar niemand wist wat hij had gedaan. Zonder iets te vragen ging Trevor op de voorbank zitten en de jongen lag languit op de kapotte achterbank, met zijn neus tegen het hete leer gedrukt en de auto reed schokkend over de hobbels van de lange rechte weg naar de stad. Bij de haarspeldbocht namen ze de weg terug naar de vallei en eventjes gleed de zon over zijn benen en nek. De kronkelweg waar meer werd geremd dan gereden hield al snel het licht buiten en hij ademde het gebarsten Peugeotleer in dat ooit eens een schepsel was geweest met eigen jongen. Hij werd heen en weer geschud totdat ze de steile weg af glibberden naar het modderige wad waar hij nog maar een dag tevoren een blauw met oranje ijsvogel gezien had die als een engel boven zijn pad zweefde.

Nu sloten de Australische bomen zich boven hem als apenvingers en het licht werd groen en de weg was glad en zanderig, zodat de banden suisden. Zelfs God zag hem hier niet, opgerold als een verdwaalde rups, boordevol groen spul dat wachtte uitgeknepen te worden.

Een bons op het dak. Een tweede tegen het raam.

Shit, zei Dial.

De auto slipte en hij was verstijfd van angst en had overal jeuk alsof stekelzaden met pluimstaartjes zich in zijn huid boorden. Voor de ramen verdrongen zich lichamen, geplet velours, baarden en boezems.

Het was haar schuld dat de buren een hekel hadden aan Amerikanen. En nu verdrongen ze zich allemaal rondom de Peugeot. Toen hij rechtop ging zitten, zag hij dat er misschien wel tien auto's waren, of twintig, sommige waren beschilderde Volkswagens, andere oude stationcars van de schroot, en achter hen bevond zich de kromgetrokken zogenaamde zaal en daar op het platform zat het hocus pocusvolk.

Dichterbij stonden hippies met toegeknepen monden; in hun handen de afgestroopte, zwetende stokken. Ze zwermden om de auto heen als bijen, braken als buldogmieren los uit hun nest. In de Bijbel zouden ze hem gestenigd hebben.

Hij stopte zijn hand in zijn zak en vouwde het honderddollarbiljet op.

Rebecca trok Dial uit de auto.

Toen zijn deur werd geopend, schoof hij vlug naar de andere kant, waar de vrouw met de ingevallen borstkas hem eruit trok en voor hij iets kon zeggen, drukte ze zijn gezicht tegen haar onwelriekende ribben.

Hij zag Trevor praten met een man met een lange stok. Er was zo veel rumoer en geren en alle kinderen – sommige had hij weleens gezien, sommige nog nooit – plukten aan hem met hun wrattige hippiehanden. Een klein meisje met een snotneus en een brede, bolle toet, klitte aan zijn been. Hij wist haar met geen mogelijkheid van zich af te schudden.

Hij keek of hij Dial ergens zag, maar Rebecca stond met haar armen om Dials nek en Trevor liep weg door de *lantana*-struiken en de jochies die Rufus en Sam heetten namen de jongen mee. Ze hadden een stretcher gemaakt – een bruine jas met twee stokken – en Rufus en Sam zeiden: Ga maar liggen.

Waarom?

Kom op, Che, zeiden ze.

Hij dacht: jullie weten niet hoe ik heet.

Ga liggen Che, ga liggen.

Ze waren groter, maar hij had ze best aangekund. Hij werd draaierig van het gewiebel en zijn buik zat vol met oude ballonlucht toen hij werd opgetild: vier kinderen pakten de stokken, ook het meisje met het brede bolle toetje dat misschien vier jaar oud was en ze hielden hem scheef terwijl ze al struikelend de weg af liepen. Toen ze het bos in liepen, zag de jongen, recht voor zich uit, Trevor. Hij hield zijn schouders ietwat gebogen. Hij was alleen en begon aan de eenzame klim naar zijn fort.

De hippiekinderen lieten hem los en hij bezeerde zijn arm en boerde en gaf binnensmonds over.

Wat wil je eerst? Je wassen of eten?

Hij ging op de jas op de grond zitten en spuugde. Hij wreef over zijn arm en ze kibbelden onderling en daar gingen ze weer, rechtstreeks door het zwiepende, stekende bos.

Hé, hé, Che, Che.

Rufus was misschien veertien. Hou je hoofd omlaag, Che, zei hij.

Ze hotsten en botsten en liepen veel te vlug en toen ze hem voor een derde keer lieten vallen, zeiden ze tegen het meisje met de bolle toet dat ze hem los moest laten en toen nam Rufus de voorkant en ging alles veel rustiger en de Bolletoet probeerde zijn hand te pakken terwijl ze ernaast meerende. Even later liep ze tegen een boom op en ze begon te huilen en toen zetten ze hem voor een vierde keer op de grond en Rufus vroeg of hij het erg vond om te lopen. Helemaal niet.

Rufus' haar was lang en knalrood. Hij sloeg zijn arm om de schouder van de jongen en de jongen die Sam heette sleepte de stretcher door het dichte struikgewas, en het bolletoetmeisje pakte zijn hand en ze bereikten een open stuk grond, waar een lange, lage loods stond, opgetrokken uit planken en blik en glasplaten waarop, in eindeloze herhaling, TELECOM stond gedrukt.

Binnen trof hij een droefgeestige kaarsenmakerij aan met tegen alle muren lange smalle banken en op een daarvan lieten ze hem plaatsnemen en schoven een aantal kaarsen opzij om ruimte te maken voor een glas melk.

De Bolletoet vroeg of hij het lekker vond. Op haar bovenlip zat snot, maar haar gezichtje was rond en knap en haar haar was bijna wit. In een straal zonlicht zag hij zacht dons op haar bruine armen vol schrammen.

Lekker, zei hij. Dank je wel. Maar eigenlijk smaakte het harig.

Zeg nog 's wat, zei ze.

Oké.

Iets Amerikaans.

George Washington, zei hij. Hij wist bijna zeker dat hij moest overgeven.

Het komt van de geit, zei de jongen die Sam heette. Daarom vind je het niet lekker.

Wat?

De melk. Ik vind het ook niet lekker. Sam had een smal gezicht met een puntige neus als een dier uit de jungle, een opossum, grote zwarte ogen en zijn tanden stonden schots en scheef.

Smaakt naar achterwerk, zei hij. Zijn stem klonk afgeknepen en schrapend als houtraspsel. Het kwam uit zijn neus en mond tegelijk.

Zeg nog 's wat, vroeg Sam. Zijn manier van spreken maakte van alles een puzzel die je moest lospeuteren en gladstrijken. Zeg nog eens wat Amerikaans, vroeg hij.

Mag ik een glas water?

Ze hadden zich allemaal om hem heen verdrongen maar nu renden ze allemaal weg. De Bolletoet kwam terug met water.

Ik heet Sara.

Hij knikte, opeens erg blij.

De jongens kwamen met brood en boter en een schaal honing. Rufus sneed een boterham met een mes dat wel vijftig centimeter lang was.

Is dat een dolk? vroeg de jongen.

Het is een hakmes.

Ja, maar is het een dolk?

Niemand begreep wat hij bedoelde. Rufus sneed zwijgend een dikke boterham en smeerde er boter en honing op.

De jongen was niet echt gelukkig, maar voelde zich beter dan hij zich in tijden gevoeld had.

Man, we dachten dat je dood was, zei Sam. We dachten dat je er geweest was.

De jongen begreep het niet.

Rufus vroeg: Heb je in de jungle geslapen?

Ja.

Was het eng?

Nee, zei de jongen. Ik ben het gewend.

Jij hebt wel lef, zei Rufus ten slotte.

De jongen zei: Mijn vader, die heeft pas lef.

Toen vroeg hij om nog een boterham met honing en terwijl hij die opat, keek hij om zich heen en probeerde uit te vinden waar hij was en hoe hij zich eigenlijk voelde. Hij at verrukkelijk brood met een dikke laag honing, maar hij dacht aan Trevor, zijn snotterende neus, zijn gebogen schouders, zijn sjokkende pas daar in zijn eentje op weg naar zijn huis.

46

Toen de jongen een man was, stond hij bekend als iemand die grootse en roekeloze daden verrichtte en vaak dacht hij dat hij voor het eerst zo was opgetreden in Remus Creek Road, toen hij voor het eerst de grenzen van wat hij eigenlijk durfde had overschreden en daardoor een ander was geworden.

Terug bij Dial bleek dat ook daar alles veranderd was – opgeknapt met wrakhout, ouwe spullen en lijnzaadolie. Boven het aanrecht hing, geel geschilderd en met slagershaken vastgezet, een drieënhalve meter lange houten ladder. Hij hing evenwijdig met de vloer. Boven het aanrecht stonden er potten en pannen op, maar de ladder liep veel verder door langs de gouden muur en boven de kussens lag er niets anders in dan één mosterdkleurige sjaal.

De jongen kon niet weten dat dit de echo was van een kamer op Vassar, een verloren leven met een Tabriz-tapijt.

Ze was lief voor hem, maar meer op haar hoede en soms, als ze kaartspeelden, voelde hij een wolk van verdriet over hen beiden neerdalen, als insecten om een lamp. Ze hield niet van hem op dezelfde manier als voorheen, zo voelde het, alsof hij zonder het te willen iets had uitgerekt of gebroken. Hij had spijt van alle gemene dingen die hij had gezegd. Hij wou dat ze haar hand op zijn schouders legde, niet dat ze dat niet deed, maar minder vaak, of niet op dezelfde manier. En schreeuwen tegen hem deed ze helemaal niet, alsof ze hem daarvoor niet goed genoeg kende.

Heb jij Trevor nog gezien? vroeg hij haar.

Jij zou eens bij hem langs moeten gaan, zei ze, terwijl zij er zelf voor zorgde uit zijn buurt te blijven, buiten bereik van zijn handen.

Maar hij had Trevor, die zijn vriend was geweest, bestolen. En hij was ook gesnapt.

En toch was dit eveneens de fijnste tijd van zijn leven tot nu toe. Beter dan Kenoza Lake, beter dan het verdrietige gevoel over zijn zwemmende grootmoeder en het luisteren naar haar ademhaling, terwijl hij in het blauwe maanlicht stond. In Sullivan County had hij door de voorruit van zijn grootmoeders auto straatjongens gezien, jongens die stenen over het water lieten stuiteren of op hun fietsen door het bos stoven. Toen had hij gedacht dat hij zijn leven achter de voorruit moest leiden.

Maar nu was hij de knul die de nacht in de jungle had doorgebracht; hij leerde de hippiekinderen hoe ze een schuilplaats in de jungle moesten maken, door een gat te graven in de zwarte bodem van het regenwoud. Op zijn aanwijzingen spreidden ze visgraatvarens uit, en daarop stokken en takken. Dat hij dat nooit eerder van zijn leven had gedaan, wist niemand. Hij kon liegen als de beste. Met onder water zwemmen won hij twee dollar. Hij kon onder de waterval staan en met zijn tanden kiezels van de bodem oppakken. Het water was koud, maar het smaakte naar adelaarsvaren en nog iets, misschien goud. Hij wist het wel zeker. De hippiekinderen waren wilde wezens met voeten die hard waren als leer. Ze renden over het vlechtsel van sporen. Van een ijzeren kleerhanger maakte hij een wichelroede en daarna tekende hij een plattegrond waarop stond waar zich goud en water bevonden. Het goud gaf hij aan met rood, het water met blauw. Terwijl hij het tekende, wist hij dat het uit zou komen.

De laatste zwarte verf werd uit zijn haar geknipt. Dat krulde door het water en bleekte wit op door de zon, net zoals in Kenoza Lake.

Rufus had rood haar. Sam zwart. De jongen en de Bolle-toet hadden allebei dezelfde kleur. De jongen vertelde hun dat ze een bende vormden.

Hij en zijn bende beklommen de steile bergrug achter Dials huis en liepen in noordelijke richting helemaal door tot de zogenaamde Weilanden. De jongen liet hen teruglo-pen via Trevor en daar was het hele avontuur eigenlijk om begonnen. En toen ontdekte de jongen dat iedereen bang was van Trevor. En de jongen kon alleen maar denken aan hoe Trevor was geslagen en toegetakeld en geen moeder had.

Maar Rufus zei: Man, hij heeft een geweer, en wilde niet naar binnen.

De jongen ging alleen en herkende de luchtjes van bederf en groei en de afschuwelijk zware lucht van bloed en bot-ten en Wappa-algen. Hij trof Trevor naakt liggend in zijn hangmat aan terwijl hij naar de oorlog luisterde.

Mogen we een paar wortels, Trevor?

Trevor wierp een vluchtige blik op hem, als een hond, schuw. Hoe gaat het met Dial? vroeg hij.

Goed. Mogen we een paar wortels?

Ga je gang, zei hij en sloot zijn ogen.

De jongen spoelde de wortels af onder de groene slang. Trevor had daar nooit iets over gezegd.

Ik heb een bende, zei hij, zodat Trevor naar hem zou kij-ken. Maar Trevor hield zijn ogen dicht.

Mooi zo. Wie zijn er lid?

Sam en Rufus. Het koude water spoelde over zijn voeten en hij miste de tijd dat Trevor zijn vriend was en toen hij het groene loof op de composthoop gooide, was het alsof hij iets heel bijzonders verrichtte wat hij nooit meer zou mo-gen doen.

Voor wie is de andere wortel?

Zijn ogen leken dicht.

Voor Sara, zei hij. Waar is die ouwe knol? vroeg hij.

Ik ben de knol, zei Trevor.

De jongen stond voor hem, hopend dat hij naar hem zou kijken. In zijn zak zaten de honderd dollar en al het andere geld dat hij van hem had gestolen. Hij kon het niet langer bij zich houden.

Ik heb wat geld van jou, zei hij ten slotte.

Trevors ogen bleven gesloten. Weet ik.

Ik heb het bij me, zei hij tot zijn eigen verbazing.

Goed zo, zei Trevor.

Waar zal ik het leggen?

Op de tafel.

En dat was dat. De jongen legde een biljet van honderd dollar en eenentwintig biljetten van één dollar op de opklaptafel met de meloenschillen en nam de wortels mee naar buiten voor Rufus, Sam en de Bolletoet.

Gehurkt, terwijl hij een wortel at, verontwaardigd en opgelucht, hoorde hij dat Trevor vroeger vuilnisman was geweest en een gelignietbom onder aan de weg had. Dat wist hij toch al. Hij hoorde hoe detective Dolce op een paasochtend een inval bij hem had gedaan en hij leerde de namen: kasuarbomen, terpentijnboom, gomboom, *ironbark*, *wattle*, *jacaranda*, vuurboom, citroengras, *bluetop*, *lantana* en kruiskruid, waar de bijen hun honing oogstten voor Sara's vader. Tussen de middag at hij linzen, hij slaagde erin zijn hoofd in de stalen kookketel te stoppen waarin Rufus' vader papaja droogde die hij aan de reformwinkel verkocht. Met al het vocht eruit smaakte het niet bepaald lekker.

Niemand had hem verteld dat dit vakantie was geweest en dat Rufus en Sam binnenkort weer naar school moesten. Plotseling was er alleen nog de kleine Bolletoet.

Waarom mag ik niet naar school? vroeg de jongen aan Dial.

Dial stond boven op een groot metalen vat en bracht nog

een laag lijnzaadolie aan op de achterwand. Ze spatte er rijkelijk mee in het rond, op haar korte broek, op haar lange sterke benen, terwijl ze een diepe frons trok en haar ogen tot scheve spleetjes toekneep. Ze keek niet eens naar hem op totdat hij met zijn vraag op de proppen kwam.

Toen sprong ze van het vat af en deed dat hurkgedoe.

Wat, vroeg hij zenuwachtig.

Ze streek met haar vette hand door zijn haar.

Volgens de wet, zei hij, hoor ik naar school te gaan.

Ze schonk hem een scheve glimlach en haar neus leek groot en van rubber. Volgens de wet, zei ze, horen ze mij op te sluiten wegens kidnapping.

Ze was een Turk, zei ze. Een halfbloed. Hij keek haar aan, in haar vreemde ogen, en wist niet wie ze was. Hij wou dat ze weer van hem hield, maar toen ze haar hand naar hem uit strekte, deed hij een stap opzij.

Waar is Buck? vroeg hij.

Weer die glimlach.

Ik ben docent, zei ze. Ik kan jou beter lesgeven dan wie dan ook daar in de stad.

Hij bleef haar aankijken, totdat zij haar blik afwendde en verderging met schilderen. Hij stond een tijdje op de trap aan de achterkant en keek omhoog naar de heuvel in de grijze jungle. Om zijn gezicht en zijn knieën zoemden vliegen. Plotseling, zomaar, had hij genoeg van alles. Er zat niets anders op dan naar de kaarsenmakerij te gaan waar hij de kleine Bolletoet aantrof die met een pop op de grond voor de keuken zat te spelen. Samen liepen ze langs de kreek, zonder iets te zeggen en toen ze uitkwamen in de buurt van Dials huis, zei de Bolletoet: Laten we een gat graven.

De jongen had het gaten graven uitgevonden en nu was hij het spuugzat, maar hij pakte haar kleine kleverige handje, liep het regenwoud in en begon wat te rommelen, stenen uit de wirwar van wortels en modder te trekken. Vroeger was dat vast een rivier geweest. Hij nam niet de moeite haar dat te vertellen. Ze trok haar kleren uit, zodat ze niet vies zouden worden en vond een scherf waarmee ze in de wortels kon hakken.

Terwijl ze aan het graven waren, hoorde de jongen Buck miauwen. De Bolletoet keek hem aan, maar hij wilde niet over Buck praten. Hij had al nare dingen gehoord. Misschien waren ze waar, en misschien ook niet. Nu hoorde hij het gemiauw en hij bedacht dat ze een zogenaamde schuilhut konden maken. Opa Selkirk maakte schuilhutten om op watervogels te schieten.

De Bolletoet hoopte dat ze een dinosaurusbot zou vinden en bleef daar maar over praten. Hij luisterde niet, maar ze werkte heel hard en al snel gingen ze stokken zoeken voor het dak en gingen ze de *lantana*-struiken in om soepele twijgen te snijden die ze konden vlechten. Dat was waar ze waren, op nog geen honderdvijftig meter van de Peugeot, toen er een witte Land Rover arriveerde met een blauw licht op het dak.

47

De politiestaat Queensland werd bestuurd door mannen die nooit hun middelbare school hadden afgemaakt. Ze overvielen de hippies in Cedar Bay met helikopters en staken hun huizen in brand. 's Avonds kwamen ze naar Remus Creek Road en doorzochten zonder rechterlijk bevel de auto's van de hippies. Dus als je had gedacht dat je in Remus Creek Road kon ontkomen aan je illegale status, had je het mooi mis. De jongen wist dat. En Dial moest het begrepen hebben toen de politie kwam om haar toe te voegen aan wat zij hun kleine kaartsysteem noemden.

Toen de jongen hun Land Rover zag, liet hij de Bolletoet zonder iets te zeggen aan haar lot over. Het had geen zin Dial te gaan waarschuwen. Hij nam de kortste weg door het regenwoud naar het gele pad. Hij kon hard rennen maar de heuvel was steil en de zon heet en tegen de tijd dat hij bij de Volvo met de kalkoen aankwam, had hij steken in zijn zij.

Het duurde niet lang of de politie wist onder bedreiging naam en geboortedatum van Dial los te krijgen. De jongen hoorde niet zo ver achter hem de Land Rover met veel geraas over de stenen en kuilen rijden. Er zat niets anders voor hem op dan zich van de doodenge steile kant van de weg te laten zakken en zich vast te klampen aan een wortel van een wattle. Boven de motor uit hoorde hij een stem zeggen: Verdomme, weer ei op m'n brood.

Als ze eerst naar Trevor gingen, dacht de jongen, dan had hij nog tijd om de motor van de ijsblauwe auto te starten en te laten draaien. Dat was natuurlijk waarom Trevor hem dat had geleerd. Hij trok zich met zijn geschramde, bloedende armen en benen weer op de weg en volgde de politie door een neerdalende stofwolk. Onder het lopen moest hij zich zijwaarts buigen en met zijn hand op de steek in zijn zij drukken, maar toen het tot hem doordrong dat de politie links had aangehouden, rende hij naar de schimmige onbestemde plek die bestond uit camouflagenetten en struiken. Trevor was bezig stokken voor de tomatenplanten te kappen, maar hij liet zich door de jongen bij zijn modderige hand pakken, ondertussen een grote rugzak van een geroeste spijker trekkend die hij over één schouder gooide, en hij volgde hem door de tuin heen naar de col tot de jongen uitgleed en viel. Vanaf dat punt droeg Trevor hem. Ze waren allebei buiten adem; de paarse, van uitputting opgezwollen oogleden van de jongen hingen slap neer. Ze dachten slechts aan één ding terwijl ze over de losse, vlijmscherpe steentjes liepen, naar de weide met de paarse klaver en langs de omheining waar satellieten niet konden kijken. Hier tilde Trevor het prikkeldraad op, en de jongen liet zich eronderdoor rollen en hield het op zijn beurt omhoog. Toen liepen ze samen, hand in hand, naar de geheime auto, ijsblauw, cyaanblauw, turkoois – allemaal namen die Trevor eraan gaf.

De jongen verwachtte dat ze nu zouden gaan rijden. Trevor duwde hem achter het stuur. Che hield zijn vingers tegen de zilveren ring van de claxon waarin zijn angstige gezicht piepklein weerspiegeld werd.

Trevor opende de rugzak en haalde er een zak met gedroogde papaja en net zo'n kaki waterfles uit als Cameron mee op kamp nam.

Zijn de smerissen bij je thuis geweest?

Het enige waar de jongen aan kon denken was: rijden.

Hebben ze naar mij gevraagd? Trevor bekeek de papaja,

nu eens van deze, dan van de andere kant. Hebben ze mijn naam genoemd?

Ik heb alleen maar hun auto gezien.

En zij hebben jou gezien!

Nee! riep hij.

Hé, rustig maar.

Maar zelfs de vader hield niet meer van zijn jongen toen de FBI door zijn toedoen aan diens deur klopte. Nee, zei hij. Hij hield zijn handen voor zich uit zodat Trevor al zijn verwondingen kon zien.

Ik weet waar ze voor kwamen, Trevor. Voor Dials geboortedatum en geboorteplaats.

Heb je gehoord wat ze zeiden?

Daar komen ze voor, Trevor.

O ja?

Ja, Trevor, en daarna reden ze bij de grote olievaten het pad af.

Trevor goot water in de palm van zijn hand en liet het over het hoofd van de jongen lopen, terwijl hij hem klopjes gaf. Dat is het huis van de Rabbitoh, zei hij. Dat zal wel een gezellig lang gesprek worden.

Gaan we nu aan de haai, Trevor?

Trevor sprenkelde nog meer water over de hete huid van de jongen.

We moeten gaan, Trevor. Hij opende zijn deur zodat Trevor kon opschuiven en het stuur overnemen. Hij bedacht dat ze uit de geheime plaats geld voor zijn ticket konden pakken. Nu waren ze immers samen.

Trevor trok het portier dicht. Er loopt een weg binnendoor van mijn huis naar Eumundi.

Daar zat ik ook aan te denken.

Die staat niet op de kaart. Wel op de ouwe, maar niet op de nieuwe.

Dat dacht ik ook.

Ze gaan natuurlijk naar mijn huis. Daar pikken ze dan groentes om thuis aan hun vrouwen te geven. Hier zullen ze niet komen.

Maar we moeten nú gaan.

Trevor verbeet zijn glimlach. Geen paniek, Tex. Denk aan Pearl Harbour.

De jongen verstond panietekst. Hij had om uitleg willen vragen, maar Trevor draaide langzaam het raampje open.

Wat is er?

Stil even.

Toen hoorde hij de Land Rover hun kant uit zwoegen en Trevor gleed weg als een schaduw door een net. Toen hij niet terugkwam, goot de jongen nog meer water over zijn gezicht waarbij hij op zijn broek morste. Hij wachtte nog een hele tijd, maar er kwam niemand terug. Toen baande hij zich een weg door de droge braamstruiken om poolshoogte te nemen. De Land Rover was heel dichtbij – uit het raampje aan de passagierskant stak een behaard mannenbeen.

Met luid bonkend hart nam hij weer plaats achter het stuur, klaar om de sleutel om te draaien zodra hij het sein kreeg.

Hij bevoelde de sleutel. Hij draaide hem een slag om, zodat hij startklaar was. Het was als de trekker van een .22, één keer overhalen, en dan nog eens. Dat had hij van zijn opa geleerd.

Hij hoorde een zwartrugfluitvogel, zoemende vliegen binnen in de auto. Toen stemmen.

Nogmaals kroop hij door het droge kreupelhout en ging achter de dode wattles op zijn knieën zitten. Een politieman schopte tegen het gras.

Hij ging terug naar de auto en zat daar met de glimmende claxon voor zijn neus. Hij voelde eraan met zijn vinger en zag zijn duim groter weerspiegeld dan zijn neus. Hij veronderstelde dat hij twee standen had, zoals de sleutel, zoals de trekker. Hij drukte om de eerste stand te vinden. De claxon loeide.

Een hand klemde zich om zijn mond.

De jongen wilde schreeuwen, maar er was geen lucht.

Ik draai je verdomme je nek om, siste Trevor achter hem.

Zelfs toen de hand weg was, kon hij zich niet verroeren; hij voelde zich doodellendig, was verlamd, schaamde zich kapot. Hij wachtte dat ze hem kwamen halen, en zelfs nadat de politie de motor had gestart en was weggereden en het licht verdwenen was en alles in de auto donker was en wee van de gedroogde papaja, verroerde hij zich niet.

En nu eruit.

Hij kwam eruit. Hij zag bijna niets. Trevors hand was droog en hard. Die pakte de zijne en leidde hem door het stekelige donker.

Wilde je me soms laten oppakken?

Ik deed het niet expres, Trevor.

Jezus!

Hij wilde zeggen dat het hem speet, maar het woord opende de weg naar een gierende uithaal. Hij huilde en huilde en Trevor tilde hem op en droeg hem terug naar zijn kampement, terwijl hij luid snikte en jammerde, en vervolgens over de weg langs het huis van Rebecca tot hij beneden bij zijn eigen huis was en daar zette hij hem neer en de jongen voelde, in het donker, dat hij hem een zoen op zijn hoofd gaf.

Welterusten, kerel.

Welterusten Trevor.

Hij bleef in het donker op de oprit staan en wreef in zijn ogen. Na enige tijd hoorde hij Trevor aan het raam van Rebecca roepen en toen ging hij terug naar huis, naar Dial.

48

Het is nu eenmaal zo dat een kind zelden onmiddellijk gestraft wordt maar in doodsangst moet afwachten of zijn misdrijf aan het licht komt. Zo verging het de jongen, nadat hij naar de politie had geclaxonneerd. Nu schaamde hij zich al vreselijk, maar hij wist dat de ellende pas echt zou beginnen wanneer Dial het te horen kreeg en omdat hij zich beneden in de vallei verschool en Trevor boven op zijn heuvel bleef, hield deze folterende periode eindeloos aan. Hij zag Trevor niet, hoewel hij langsgekomen moest zijn tijdens de lange uren dat de jongen sliep, met de groezelige, gehaakte hippiedekens over zijn hoofd getrokken om zich tegen het licht te beschermen.

Midden in de vierde nacht kwam Che de ladder van de vliering af, waarvan elke sport zo hoekig en hard was dat hij pijn deed aan zijn tenen, en ging naar buiten om te plassen. Als Dial had geslapen, had hij naar de waranda kunnen gaan en de stinkende aarde nog stinkender kunnen maken. Maar daar zat Dial te roken, dus sloop hij de achterdeur uit en ontdekte dat het weer was omgeslagen, niet koud naar Sullivan County-maatstaven, maar evengoed behoorlijk koud. Er lag dauw, en toen hij binnenkwam, liet hij volmaakt natte voetafdrukken achter op de immer stoffige vloer.

Hij was al bijna bij de ladder, toen ze hem riep.

Vertel me eens wat je op je hart hebt.

Hij bleef tussen het aanrecht en de ladder staan, met zijn armen om zich heen geslagen, en had zijn slechte ik het liefst verstopt.

Kom eens hier, jochie.

Ook de planken van de waranda waren nat van de dauw. Ze voelden nog kouder aan dan de grond. Hij zag dat de vallei gevuld was met nevel en blauw maanlicht, natte bladeren, zwarte *papaws*, een donkere ijzige lucht boven de verre bergkam. Hij wachtte.

Je hebt me niet alles verteld, zei ze. Hij keek omlaag naar haar en zij, met haar zware zwarte wenkbrauwen, keek hem recht in de ogen.

Hij heeft een geheime auto in de jungle, zei ze. Niet weglopen.

Ik pak even een deken.

Hij klom de ladder op en gooide een van Adams gestikte dekens naar beneden.

Dat wist je, zei ze. En dat heb je me niet verteld.

Hij spreidde de deken binnen op de grond uit en wikkelde zichzelf erin.

Niet je ogen dichtdoen, jochie.

Ik heb slaap.

Kijk me aan. Was het je bedoeling Trevor te laten oppakken?

Ik wilde hem waarschuwen, riep hij uit.

Was het je bedoeling mij te laten oppakken?

Hè!

Was het je bedoeling mij te laten oppakken?

Nee, riep hij, zo hard dat het in de vallei weerklonk.

Stil.

Wees zelf stil! De politie kwam eraan. Ik ben naar Trevor gerend om hem te waarschuwen. Laat me met rust. Ik wil slapen.

Nu knielde ze neer en keek hem aan alsof hij een arm vlindertje was dat ze in haar net verschalkt had. Ze probeerde de deken terug te slaan.

Je toeterde.

264

Dat gebeurde per óngeluk, zei hij terwijl hij de deken teruggriste.

Hoe kon dat per ongeluk gebeuren, jochie? Ze legde haar hand op zijn schouder en hij voelde tranen opkomen.

Ik dacht dat hij twee standen had, zei hij, rechtop zittend.

Hè?

De claxon, Dial. Twee standen.

Ik snap er niets van.

Dan snapte ze het maar niet, dacht hij. Ze zou het nooit snappen. Ze was niet technisch, maar dat mocht hij niet zeggen, want dan werd ze razend.

Een eerste en een tweede. Gewoon.

Hij zag dat ze niet naar hem luisterde en hij bedacht dat zijn grootmoeder het wel zou hebben geweten – de trekker van een .22 kun je twee keer overhalen en de auto had twee standen voor de sleutel en hij had gewoon gedacht dat er twee standen op de claxon waren, maar hoe meer hij het probeerde uit te leggen, hoe meer ze dacht dat hij zat te liegen.

Je wilt dat ik word opgepakt, zei ze.

Hij liet zijn deken genoeg zakken om haar te slaan, ervoor te zorgen dat ze zweeg, ervoor te zorgen dat ze van hem hield. Ze pakte zijn hand beet. Oké, zei ze. Dat is heel normaal.

Hij rukte zichzelf los. Maar zo ben ik niet.

Iedereen is zo, zei ze.

Maar hij was helemaal niet zo. Hij had wat geld gestolen, meer niet. Dial, zei hij, ik wil niet dat je wordt opgepakt. Wat gebeurt er dan met mij?

Ze veegde zijn haren uit zijn ogen alsof dat wat hij gezegd had niets betekende. Je kunt niet begrijpen wat je voelt, zei ze.

Ik begrijp best wat ik voel, Dial. Maar jij niet, dat is het. Jij kunt het niet begrijpen.

Jij kunt er niets aan doen.

Ik begrijp best hoe ik me voel.

Je wilt naar huis, jochie. Natuurlijk wil je dat. Ze stak haar armen naar hem uit en hij kroop op haar schoot, met zijn hoofd tussen haar borsten en ze boog zich over hem heen en trok de deken om hen beiden stevig aan bij zijn schouders, bakerde hem stijf tegen haar aan gedrukt in.

Als je groot was, zou je weten dat je om een bepaalde reden toeterde.

Het ging per ongeluk, zei hij, maar nu was hij gesust en wilde niets liever dan dat ze van hem hield.

Omdat je boos bent op Trevor, of op mij. Als je groot was, zou je dat inzien. Het voelt aan alsof het per ongeluk ging, maar dat was het niet. Je had iemand nodig die je naar huis kan brengen. Sst. Het is niet erg. Je bent zomaar weggehaald bij je grootmoeder. Het is niemands schuld.

Ze begreep het echt niet. Het was veel erger dan dat. Hij wou gewoon dat ze haar mond hield en hem streelde totdat hij in slaap viel.

We moeten een oplossing vinden. Ze wreef over zijn hoofd. Een die voor ons allemaal het beste is.

Doe jij dat maar. Hij geeuwde. Beslis jij maar wat het beste is.

Het gaat om jouw toekomst, zei ze. Ik kan dit niet in mijn eentje doen. Je moet me helpen. Het punt is, dat jij rijk bent.

Misschien. Ik weet het niet.

Dat moet wel. Je moeder heeft geen broers of zusters. Je grootmoeder is een Daschle en Daschle Kent is een familiebedrijf.

Daar weet ik niets van af, Dial. Ik weet niets van geld.

Er hangt voor miljoenen dollars kunst in dat appartement.

Wat kon hem dat schelen.

Op Park Avenue. Jochie, er staat jou een heerlijk leventje te wachten, met een mooi huis, en vooral met mooie schilderijen. En Kenoza Lake.

Hij stopte zijn vingers in zijn oren.

Allemaal fijne dingen.

Pas jaren later zou hij het begrijpen: zij was socialist. Wat was er door haar hoofd gegaan?

Je snapt er niets van, zei hij. Je snapt niets van mij.

Daarom heb ik je hulp nodig om voor jou te beslissen.

Ik weet niet wat je bedoelt, zei hij.

We moeten zorgen dat je teruggaat naar je grootmoeder, zei ze. Daar gaat het om. Dat is het enige waar het om gaat. We zijn heel stom geweest, maar we houden van je, jochie; begrijp je dat?

Hij begreep genoeg om in slaap te vallen. De volgende ochtend werd hij in het andere huisje wakker met zijn neus tegen haar schouder gedrukt.

49

Trevors rug had weliswaar strepen in alle kleuren van de regenboog, maar nu ze van plan was om de jongen te redden kwam hij, overdag, langs met groenten. Hij vermeed het pad dat langs Rebecca's huis liep maar baande zich zwetend een weg door het struikgewas van het regenwoud, en dook op met waterdruppels op zijn bruine huid, takjes in zijn haar, blakend van dierlijke gezondheid. Hij zag er echt prachtig uit. Natuurlijk was hij altijd zo geweest, maar nu zag Dial dat hij van de jongen hield, niet op een beheerste volwassen manier, maar desalniettemin op een goede manier. Hij was geen vijand, dus mocht ze aandacht hebben voor zijn huid, voor de heldere toch wel prachtige lichtblauwe ogen. Ze vond het goed dat hij het propaangas uitdraaide zodat ze niet vanuit de ruimte gezien konden worden en op de een of andere manier leek dit ook niet meer op een stap terug van de verlichting. Bovendien, dat moest gezegd worden, scheen het kaarslicht goud op haar muren en de rook steeg op in de duisternis van de dakspanten en kleine hoopvolle vleermuizen vlogen bij de schemering via de achterdeur naar binnen, vlogen een rondje voordat ze via de voordeur weer vertrokken. De jongen leek gewend te raken en vrede daalde op hen allen neer. Ze hadden iets fatsoenlijks gedaan en dat zou een kortstondige beloning opleveren, niet veel, maar meer dan ze verdiende, waarschijnlijk meer dan ze in Vassar gekregen zou hebben.

Tijdens de lange avonden vol koekoeksuilen, als de jongen diep in slaap was, zaten zij en Trevor Dobbs op de waranda te praten en het kon niet alleen aan de marihuana liggen dat een lichaam dat voordien zo onbekend en dierlijk had geleken, nu zowel vreemd als verleidelijk was, terwijl het naar schors rook, naar de kuilen die hij groef, naar de donkere groene snijbiet in zijn enorme modderige handen. Haar haren waren weliswaar verwilderd, maar zij was niet verwilderd en wat het tijdschrift *Time* ook over haar generatie beweerde, zij was in heel haar leven slechts met één man naar bed geweest. Ze was een loyale dwaas geweest die haar tijd verdaan had en ze was niet van plan zich ooit nog met criminelen in te laten, hoe aardig of principieel ze ook waren. Maar toch kuste ze Trevor, en meer dan eens, en op een avond viel ze in slaap terwijl ze de lucht opsnoof uit de geurige holte tussen zijn nek en schouder. Hij straalde een zekere gewelddadigheid uit, maar eerlijk gezegd kon het haar niet schelen. Deze speciale huivering was haar niet onbekend: een vluchtig contact van een *fugu* met je lippen, niet genoeg om eraan dood te gaan. En waar ze zich het meest over verwonderde was dat Trevor Dobbs haar niet besprong – ze wist weliswaar niet precies wat hij voelde, maar sarongs hielden weinig verborgen.

Ze voelde een soort prikkeling, een aangename opwinding, en dat was voldoende. Ook al duurde het maar even, ze genoot ervan.

Het was Trevors idee om met Philip Warriner te bespreken hoe ze de jongen terug konden laten gaan zonder Dial in gevaar te brengen.

Dat ze daarin toestemde, kwam niet omdat ze haar dierbare Harvard-normen had opgegeven, maar omdat er niets anders op zat.

En terwijl hij zich bediende van alle mogelijke middelen – waartoe telefoons niet leken te behoren – nam Trevor contact op met Phil en ten slotte kwam de advocaat aan het einde van een natte dag opdagen, een warme avond, terwijl het nog steeds zachtjes regende en zich in de bananenbladeren kleine plasjes vormden, die vervolgens overstroomden als kristallen watervalletjes waar je geen genoeg van kon krijgen. Phil parkeerde zijn Holden Monaro en Dial kwam naar buiten op de waranda en keek een tijdje toe voordat het tot haar doordrong dat hij zich stond uit te kleden, zijn hemd en pak als een handelsreiziger over een hanger hing voordat hij over het door regen doorweekte pad naar haar toe liep, op zijn blote voeten, in zijn blote billen, met niets anders dan zijn koffertje en wat een pakje Drum bleek te zijn.

Oehoe, riep hij.

Mijn god, dacht ze.

Hij betrad nogal verlegen het huis, een grote man met harige dijen en glimmende kuiten; Trevor leverde geen commentaar op zijn verschijning. Ze wist dat de jongen boven op de rokerige vliering lag en deed alsof hij sliep, of misschien sliep hij echt – ze zou het niet kunnen zeggen. Phil plaatste zijn natgeregende achterwerk op de stoffige vloer, haalde een blocnote tevoorschijn en stelde hun enkele vragen; Dial keek hem strak in de ogen om maar niet naar zijn penis te hoeven kijken die als een paddenstoel tussen zijn gekruiste benen door gluurde.

Ze nam zich voor later aan Trevor te vragen wat Phil nu eigenlijk voor ogen had, maar het kwam er nooit van. Ze veronderstelde dat de advocaat, die een heleboel hippies als cliënten had, beter dan zij wist wat hem te doen stond.

Uiteraard gluurde de jongen naar beneden naar de drie schikgodinnen die zich over zijn leven bogen. Maar dit waren niet Clotho, die de levensdraad spint of Lachesis die de lengte van de draad bepaalt of Atropos die de laatste fatale knip doet. Ze waren, dacht Dial, eerder Karlo en Slothos en Zappa. Ze voelde hoe de jongen aandachtig toekeek.

Hoe noemde het grootje jou? vroeg Phil.

Het wat?

De grootmoeder.

De jongen ving ieder woord op. Hij zag de lichtsluier voor de jacaranda, termieten die met zilveren vleugels werden geboren.

Ze noemde me Anna, zei Dial, terwijl ze drie vloeitjes natmaakte en aan elkaar plakte als een hippielappendeken.

Anna Xenos?

De jongen had de naam nooit eerder gehoord. Hij zag dat Dial omhoog keek naar hem, maar hij gluurde door het gehaakte kleed. Ze kon zijn ogen niet zien.

Dat is de eerste les, zei Phil. Rijke mensen kennen de namen van hun personeel niet.

Niet zo snel, zei Dial.

Je hebt voor haar gewerkt. Ze wist verdomme niet eens wie je was. Betaalde ze je sociale lasten?

Ik werkte zwart.

Kijk, zei Phil en nam de joint aan die Dial hem voorhield. Hij trok een diepe rimpel in zijn gezicht om de rook diep in zijn longen te inhaleren terwijl hij zijn tenen krulde. Om zijn borstelige bakkebaarden bleef wat rook hangen als valleimist. Nooit zal iemand weten, dacht de jongen, hoe het is om hier te zijn.

Kijk, zei Phil.

Waar moet ik kijken? vroeg Dial lachend.

Ze weten niet wie jij bent.

Ik weet niet wie jij bent, zei Dial en toen barstten ze alle drie in lachen uit.

De jongen zag hoe Trevor klopjes op Dials knie gaf. Dial plukte iets uit zijn haar. Misschien een beestje.

Je bent heel lief, Phil, zei Dial. Maar ze kunnen er gemakkelijk achter komen wie ik ben. Ik heb aan Harvard gestudeerd.

Het was niet de eerste keer dat de jongen zag wat voor effect dat had. Phil trok een wenkbrauw op en nam nog een trek.

Ik snap het, zei hij. Nu was iedereen ernstig.

En verder is er Che.

Die kerels zijn niet zo efficiënt als je zou denken, zei Phil. Echt waar. Immigratie heeft heel wat problemen met het kaartsysteem. Vraag maar aan Trevor.

Trevor keek Phil scherp aan, haalde toen zijn schouders op naar Dial terwijl hij op zijn onderlip zoog.

Phil, ik wil niet naar de gevangenis.

Waarom zou je naar de gevangenis gaan? De moeder van de jongen wil hem zien. Jij doet wat ze vraagt. Zij is jouw werkgever.

Voormalig werkgever.

Voormalig. Oké. Maar werkgever, die dag.

Zo zat het niet, Phil. Het was de moeder van de jongen wettelijk verboden contact met hem te hebben. Ik heb de jongen bij zijn wettige voogd weggehaald.

Met haar toestemming.

Luister, begon Dial.

Nee, zei Phil. Hij trok een streep over zijn blocnote. We gaan als volgt te werk.

De jongen zag dat. Hij zag dat Dial naar hem keek.

Ik zal jouw advocaat zijn, zei Phil.

Oké.

Ik ga mevrouw Selkirk opzoeken.

Jij gaat naar New York?

Naar Park Avenue. Ik zal als jouw adviseur de zaak uitleggen. Ik zal jouw belangen behartigen. Je handelde volgens instructies van de wettige voogd.

Phil, ik ben naar Philly gegaan.

Oké, oké, heel leuk, maar zij krijgt haar, je weet wel, ongeluk. Jij brengt het joch naar de vader, maar de vader wil niets met hem te maken hebben. Op dat moment word jij beschuldigd van ontvoering. Je wordt bang. Je gaat ervandoor. Dom, maar niet misdadig.

Phil, je bent een schat, maar dat gaat niet werken.

Ik ben advocaat.

Een advocaat in overdrachtsrecht. Dat heb je zelf gezegd.

Als je denkt dat ik debiel ben, moet je het maar zeggen.

Natuurlijk niet.

Overdrachtsrecht, knikte Phil, testamenten, vermogensbeheer. Dit is een erfeniskwestie. En zelfs al was ik debiel, vertel me dan maar eens welke andere stommeling bereid is dit voor jou te doen?

Hoe kom je daar?

Jij koopt een ticket voor me.

Oké.

Ik neem een kamer in een hotel. Ik behandel jouw zaak en ga wat rondkijken in de Village Vanguard. Je weet wel. Max Gordon. Waarom niet? Vanuit Remus Creek Road kun je niets beginnen. Je moet stappen ondernemen. En jij kunt geen stappen ondernemen, want je zit vast.

Phil, heb je al eens eerder zoiets bij de hand gehad?

Phil straalde. Hij trok zijn wenkbrauwen op en draaide zijn snor omhoog.

Dit is prachtig, zei hij.

Vind je? zei Dial, en de jongen hoorde haar oude sarcastische stem en hoopte dat ze geen ruzie zouden maken. Het was juist zo fijn, vond hij, zoals ze takjes uit Trevors haar plukte.

Voor geen goud wil ik dit missen, zei Phil, uitblazend.

En wat mag dat betekenen?

Dat wat je me ook betaalt, zei Phil, en hij vulde zijn longen weer met rook, dat wat je me ook betaalt, ik me dit niet laat afnemen.

En toen lagen ze alle drie, de schikgodinnen, dubbel van

het lachen, alle drie waarschijnlijk zo stoned als een garnaal.

Tegen die tijd sliep de jongen.

50

Aan de gebeurtenissen in Remus Creek Road werd later het woord complot toegekend, maar in de weken dat Phil zich op zijn reis 'voorbereidde', merkte de jongen slechts één keer, op de waranda, iets van koppen die bij elkaar werden gestoken toen hij zag dat Dial Trevor een kus gaf, 's avonds laat. Misschien ook wat geluiden in het donker.

's Ochtends vroeg klom Dial naar de vliering; dan speelden ze poker en aten de restjes van de avondmaaltijd. Hij wist dat dit gebeurde omdat hij binnenkort naar huis zou gaan, maar toen dat eenmaal besloten was, waren de weken of maanden die erop volgden net vakantie en hij hoefde zich niet langer zorgen te maken dat zijn grootmoeder dood zou gaan of dat zijn vader hem niet zou kunnen vinden.

's Nachts had hij enge dromen, maar elke nieuwe dag waren er vele typische Dial-ritjes van de bergen naar de kust, van de ene rode telefooncel naar de andere. Deze telefooncellen zouden uiteindelijk bekend komen te staan als onderdeel van het complot, maar voor de jongen waren ze nauwelijks van betekenis. Wat hem interesseerde was het strand, parelbaars eten en Trevor leren zwemmen. Hij vroeg niet waarom ze zoveel reden, maar ze reden over de bochtige misselijkmakende wegen omhoog naar Mapleton, Maleny, en dan weer omlaag naar de modderige rivier bij Bli Bli, weer omhoog naar het droge Pomona, terug naar Maroochy, dat de naam was van een mooi inheems meisje van heel lang geleden. De jongen zat op zijn rechtmatige plaats. Trevor lag op de achterbank, en draaide aan zijn orkaanradio. Hij zei dat het motorblok de ontvangst stoorde – een leugen die de jongen twintig jaar lang zou geloven – en dat hij nooit voorin zou zitten ook al gaf je hem geld. Hij kon niet lezen, maar hij wist alles – vijf man werden gesnapt toen ze inbraken in het Watergate Hotel. Vietnam werd gebombardeerd door B-52's. De jongen wilde niet aan de oorlog denken; die had kennelijk alles van hem afgepakt. Hij bestudeerde liever de lijn tussen zijn buik en zwembroek om te zien hoe bruin hij was. Soms zat hij op de stoffige bodem. Dial had een enkelband van jade. Hij keek toe hoe haar voet bewoog, en ook hoe de versnellingspook bewoog. Hij zou het beter kunnen, maar hij mocht niet.

Ben je nou helemaal. Weg daar.

Ze parkeerden naast een rode telefooncel te midden van het suikerriet in een bocht van de weg tussen Coolum en Yandina, en naast een andere boven de branding bij Peregian Beach.

Er was ook een telefooncel in Pomona, het piepkleine slaperige stadje waar ze zwempakken in een tweedehandszaak kochten. Wellicht gebruikte Trevor enkele twintigcentmunten uit de pot met telefoongeld die ze overal mee naartoe namen. Deze telefoons hadden een knop A en een knop B; hij probeerde ze niet uit. In Pomona kocht Dial een zwart badpak met witte bloemen, sommige erop gedrukt en andere op de borst genaaid. Trevor noemde haar mevrouw Bloem. Omdat ze een Griekse was met Turks bloed werd haar huid snel donker.

Ook de jongen werd heel donker, en zijn haar bleekte spierwit op, terwijl hij hardnekkig Trevor wilde leren hoe hij in het water moest ademhalen. Hoe verdrietig je ook was, zwemmen zuiverde altijd je ziel. Dat zei de jongen tegen Trevor, precies in die bewoordingen. Hij deed Trevor voor hoe je als lijk kon drijven, maar hij werd door de branding opgetild en op het strand gegooid en al snel renden ze alleen maar achter de golven aan en het maakte niet uit dat de wees uit Londen niet kon zwemmen, want hij ving de golven, op het strand van Marcus, van Sunshine, Peregian, Coolum.

Che, Trevor, mevrouw Bloem werden op het strand geworpen, met hun gezichten in het zand, en hun benen schopten wild in de lucht en daar ging het om, dat en het gevoel dat je huid zich strak over je rug en je gezicht spande en op sommige dagen waren ze bijna de enigen tussen Coolum en Sunshine. Het was bijna winter maar volslagen volmaakt – niemand anders, op een enkele oude man met gelooide knieën na die met een zak over het natte strand sleepte om wormen te verzamelen. Veronderstelden ze; maar ze wisten het niet zeker.

Trevor was dol op een groep die The Saints heette. Hij speelde ze steeds opnieuw: *I'm from Brisbane and I'm rather plain.* Hij nam een complete tros bananen mee op de achterbank waarvan ze de hele dag aten, maar toen de zon in het westen de lage wolken aan de oostelijke horizon raakte, dansten en sprongen ze onder de koude douche van een caravanpark en gingen op zoek naar vis. Parelbaars. Rode snapper. Rifvis. Tussen Noosa en Alexandra kwamen ze ouwe opa's met ontbrekende vingers tegen, die vis verkochten vanuit hun triplex bestelbusjes. En daarna reden ze terug naar de vallei, waar het licht altijd eerder verdween dan uit de wereld erbuiten en daar kookten Dial en Trevor terwijl de jongen de etiketten van de ijsbekers afspoelde en schoonmaakte om ze als souvenirs te bewaren.

Hij had precies achttien van zulke papiertjes verzameld, stuk voor stuk hetzelfde, wit en blauw, waarop BUDERIM stond, en eenmaal afgespoeld legde hij ze plat op de waranda en de volgende dag waren ze droog en dan legde hij ze weg. Andere dingen die hij bewaarde waren schelpen, stenen, gedroogde sprinkhanen. Het was duidelijk dat hij zich voorbereidde op zijn afscheid, maar dat besefte hij niet, en niemand probeerde hem duidelijk te maken wat hij eigenlijk voelde.

Gedrieën begonnen ze Dials tuin in orde te maken en hoewel een tuin gemaakt wordt door de factor tijd, dacht de jongen daar niet in die termen aan. Met harken reden ze naar het Wappameer en verzamelden daarmee de dikke, stinkende laag algen om als muls te gebruiken. Hij zat onder de modder, omdat hij de natte bundels in zijn armen droeg om ze in de kofferbak te leggen. De Peugeot zakte door en lekte de hele weg naar huis water.

Van de vader van de Bolletoet leenden ze een motorploeg, daarna verbrokkelden ze de kluiten met hun handen, en over hun bruine huid vormde zich een laag modder en zweet. Ze bonden touw om een stok en trokken rechte lijnen. Ze plantten broccoli, kool, bloemkool, peterselie, sla, spinazie, snijbiet, uien, wortels, radijs.

De jongen bewaarde de zakjes waar het zaad in zat en in elk zakje stopte hij een enkel zaadje en verzegelde het met afplakband.

Je kon bijna niet geloven dat hij niet nu al vreselijke spijt had en toen zijn bruine rug begon te jeuken en te vervellen, toen hij zijn verpoederde huid op de Australische bodem afwierp, keek Dial met haar hand voor haar mond toe.

Wat is er, Dial?

Niets.

Waar denk je aan?

Aan niets bijzonders, zei ze. Ze had het aan niemand kunnen uitleggen, het waren gewoon stofdeeltjes in het zonlicht, iets wat nooit iemand zou zien.

51

Trevor besteedde een bespottelijke hoeveelheid twintigcentmuntjes om met Phil te bespreken hoe hij op het vliegveld van Brisbane moest komen, aangezien elk gesprek ge-
baseerd was op het idee dat zelfs een telefoontje uit een
openbare telefooncel in Bli Bli werd afgeluisterd, en soms
vond Dial dat komisch en andere keren vond ze het ver-
standig en meestal vond ze het beter om maar voorzichtig
te zijn. Trevor verbloemde zijn tegenzin om in de buurt van
het vliegveld te komen niet en zij wilde zeker niet dat hem
door haar toedoen iets zou overkomen. En zo haalde ze op
een heel vroege mistige morgen, toen de vallei tot haar verbazing koud én kil was, haar Vassar-rok en -twinset uit de
stomerijverpakking en liep voorzichtig, met haar schoenen
en T-shirt in haar handen, naar de smerige Peugeot. Het
T-shirt was om de modder van haar enkels te vegen.

Op de politieauto's lag dauw toen ze via Eumundi richting Tewantin reed. Om precies zes uur 's ochtends passeerde ze de brug naar Gympie Terrace, en even zweefde er voor
haar vooruit een pelikaan die uiteindelijk door witte mist-
flarden heen neerstreek op de rivier de Noosa. Haar keel
was dik en droog, maar ze had toch oog voor de schoonheid van de plek en besefte met verwondering dat hier en
nu mensen konden wonen en werken. Je kon arm zijn, zonder cocaïne en heroïne en Whitey Bulger met zijn kornui-
ten, en zonder je hele leven te proberen om je noodlot te
ontlopen. Natuurlijk was dit wat ze dacht voor ze Phil zag.

Ze reed de kade op en draaide bij de rotonde om. Nu lag

de Noosa Jachtclub aan haar rechterhand en zag ze, op het dakterras, een geestelijke met twee koffertjes, die, toen ze beter keek, Phil Warriner in een raar pak bleek te zijn.

Later tekende ze voor de jongen de kleren uit, de broeksknopen boven zijn navel en het jasje, als een lange overjas. Ze tekende heel goed, maar ze kon niet duidelijk overbrengen hoe soepel de broekspijpen vielen en als een jurk fladderden.

Wat is dat, Dial?

Dat is een zogenaamde *zoot suit*.

Mijn leven ligt in de handen van deze gek, dacht ze. God sta me bij.

Het buitengewone wezen had haar gezien. Hij liep de trap af, het gras over, bleef even op de middenberm staan. Waar ben ik in godsnaam mee bezig? dacht ze. Ze had hard weg moeten rijden.

Heb je dat gedaan, Dial? Ben je weggereden?

Ik bleef wachten. Als een brave meid.

Als een stomme koe, dacht ze, die op het punt staat de genadeklap te krijgen. Dit was haar advocaat. Haar zaakgelastigde. Toch was het niet voornamelijk angst die ze voelde toen hij de verlaten weg overstak – hetgeen heel begrijpelijk zou zijn geweest – maar verlegenheid. Hij had witte slobkousen, alles erop en eraan. Hij droeg twee koffertjes – een dikke schooltas en een trompetkoffer en ze zei niets toen hij ze voorzichtig achterin zette.

Goedemorgen, zei hij, terwijl hij zijn broekspijpen uitschudde voor hij ging zitten.

Het pak was narcisgeel.

Hoi, zei ze, maar ze kon hem niet aankijken. Straks zit het onder de sigarettenas, dacht ze. Ze zetten koers terug naar Eumundi, waarvandaan ze de Bruce Highway naar het vliegveld van Brisbane zouden nemen en de hele tijd voelde Dial dat haar passagier zat te wachten tot hij over zijn pak kon vertellen. Ze had tegen hem moeten zeggen: Trek dat belachelijke pak uit. Verbrand het. Waar in godsnaam aan de Sunshine Coast heb je een zoot suit gevonden? Zwarten in Amerika droegen dat, zwarten die allang dood en begraven zijn.

Waarom zei ze dat niet? Om hem niet te kwetsen? Was dat echt de reden? Tegen de tijd dat ze de strijd aanbond met de jachtige vrachtwagens op Bruce Highway had ze alle moed verloren. Het plezier van de afgelopen paar weken bleek plezier van zeer kortstondige dingen, de pracht van de blauweregen, des te meer gewaardeerd omdat het zo kort duurt.

Het was haar niet ontgaan hoe de jongen alles van zichzelf bewaarde. Hij legde zijn hoekige, met veel inspanning gemaakte tekeningen van de tuin en het strand uit. Ze zei niet het voor de hand liggende: Zul je dit niet missen? Zul je mij niet vreselijk missen?

Of ze het nu wilde of niet, ze reed Phil naar het vliegveld, twee uur naar Eagle Farm, en ze zat zich aan één stuk door op te winden over het pak.

Hij ging ook een kijkje nemen in Greenwich, vertelde hij haar, en ze verbeterde hem niet, en eventueel naar de Vanguard om Max Gordon te zien. Elk restaurant in New York serveerde enorme borden met eten. Witte mensen waren allemaal zenuwlijers, zei hij, alsof hij soms pikzwart was. Amerikanen hadden geen gevoel voor 'ironie'. Nikkers waren cool. Hij was van plan naar Brownies te gaan waar je aan de bar zo stoned als een garnaal kon worden maar er werd uitgegooid als je vloekte.

Ze reed langs de winkel met de brede galerij waar ze zandkrabben verkochten aan zakenlui die op het punt stonden het vliegtuig naar Melbourne te nemen. Phil vertelde haar het hele verhaal, de krab die ontsnapt was en bijna een 727 had laten neerstorten. Ze parkeerde langs de stoeprand van het vliegveld van Brisbane, overhandigde hem zijn onkosten in een enveloppe en gaf een zoen op zijn stoppelige wang die een vreemd luchtje had.

Toen Dial terugkwam van Eagle Farm sprak ze hardop de wens uit dat ze Phil nooit gevraagd had iets te doen. Dat was ook de wens van de jongen. Maar hoezeer hij dat wenste mocht hij niet zeggen.

Er ging een week voorbij zonder dat er iets gebeurde en toen nog een week en na enige tijd waren alleen Dials rollende ogen en de tekeningen van de zoot suit, zoveel beter, dacht hij, dan hij kon, het enige dat nog aan Phil deed denken.

Zes dagen achtereen gingen Dial, Trevor en de jongen naar het strand. Ze vonden de lekkerste avocado's van de Sunshine Coast, niet te zien vanaf de weg, achter een bosje Pinus radiata op de weg naar Coolum. De week daarop, op de terugweg van Bli Bli, kwamen ze langs een oude zonderling die kleine visjes verkocht, geen sardientjes, maar wel klein. Dial kreeg traanogen en bakte de visjes zoals ze ze ooit eens voor haar vader had gebakken die, zei ze, precies één meter zestig was.

De volgende ochtend kletterde de regen op het dak en iedereen bleef urenlang in bed. Toen volgden er een paar dagen waarin het voortdurend regende en de jongen zag hoe de zijige bleekgroene erwtenstengel zich ontvouwde en de verbrokkelde aarde opzijdrukte. In modder en miezer bedekte hij de erwten met een laag Wappa-algen zoals hij lang geleden van Trevor had geleerd, toen hij met zijn hoog opgetaste pallet over de paadjes hotsebotste. Hij stampte het zwarte spul aan, maar liet een opening zodat elke krullende baby naar de hemel kon reiken – de gevederde wolken die hoog en ijzig in het sciencefictionblauw stonden.

Van Phil taal noch teken.

Gedrieën liepen ze de heuvel op. Trevors tanks begonnen

lekker vol te lopen. Die avond gingen ze naar een maandans in de zogenaamde zaal en de jongen danste met Dial en daarna met de kleine Bolletoet. Hij leerde een Ierse dans, hoewel de maan bedekt werd door wolken. Voor geen goud wilde hij dit missen. Dat stond vast.

Bij al dit geluk ging de jongen nog steeds gebukt onder de schaamte over het claxonneren. Hij kon niet zeggen dat hij niet meer naar Kenoza Lake terug wílde gaan.

Als Phil oma ontmoette, zou hij in het geheim een telegram zenden om te zeggen dat men Dial haar misdaad had vergeven. Hamid de postbeambte zou het telegram opschrijven en in een postvakje leggen. Daar zou het liggen totdat zij vroegen: Is er misschien een telegram? Hippies kregen geen telegrammen thuisbezorgd.

Hij bleef in de auto terwijl Dial en Trevor het postkantoor in gingen. Toen hij hen met lege handen zag terugkomen, werd zijn hele lichaam slap als het nekje van een pup.

Het regende weer en Trevors tanks liepen over en het wad stond vol en ze waren juist thuis een spelletje canasta aan het spelen, toen ze hoorden hoe de kleine Bolletoet koeewiee riep en over de zompige aarde kwam aangerend, en met een plonk, bonk de achtertrap van het huis op kwam, niet wat je noemt een elfje, en haar benen, die je stevig zou kunnen noemen, vol schrammen en van top tot teen bedekt met zachte witte donshaartjes. De natte prop in haar hand was het gehate ding, het telegram. Haar vader had het de week daarvoor gekregen en toen hij thuis was gekomen, had hij de geiten in de moestuin aangetroffen.

Brian zegt, verkondigde de Bolletoet, terwijl ze rillend haar druipende armen voor zich uit hield. Hij zegt, zei ze, dat het niet zo dringend lijkt.

Buiten was het donker en bewolkt, donker was het ook binnen. De jongen zag hoe Dial huiverde en hoe ze haar armen voor haar borst hield. Ze sprak geen woord.

283

Trevor legde zijn stapeltje canastakaarten neer, met de plaatjes naar boven. Toen kwam Dial overeind. Ze nam het telegram van het kleine blonde meisje aan.

Verdomme, riep ze en gooide het op de grond.

Paniek in het gekooide hart van de jongen.

Wat een leeghoofd, zei Dial.

De jongen wist niet wat een leeghoofd was, maar Dial zag eruit als een aardbeving, haar brede mond vertrokken. Ze sloeg met haar hoofd tegen de muur; er viel een bord op de grond en brak. Wat een debiel, riep ze.

De Bolletoet draaide zich om en begon te rennen en ze hoorden hoe ze jammerend en spetterend de heuvel af rende.

Trevor knoopte zijn sarong opnieuw vast en liep naar het verkreukelde telegram dat zieltogend bij de deur lag. Hij overhandigde het aan de jongen om het hardop voor te lezen.

J.J. JOHNSON ONTMOET.

Ja, en dat wil zeggen?

Dat hij een trombonist heeft ontmoet, zei Dial, die naast het gebroken bord knielde.

En wat wil dat zeggen.

Dat wil zeggen dat hij geschift is.

De jongen dacht: misschien is dit wel goed.

52

De jongen zag het gebeuren: hoe het telegram Dial van gedachten deed veranderen.

Hij voelde de hitte van haar bloed toen ze de deur uit rende. Ze kwam terug met parels om haar nek en modder op haar kuiten. In haar hand hield ze haar pumps. Ze klom op zijn vliering en kwam naar beneden met de pot met twintigcentmuntjes.

Wie is J.J. Johnson?

Een trombonist.

Haar haar kroesde en zag er belachelijk uit. Ze veegde haar kuiten met een theedoek af en vroeg aan Trevor waarvandaan ze konden bellen.

Is hij echt trombonist?

Sst. Ja.

Trevor zei dat er een telefooncel was in de heuvels achter Maleny en zover begreep de jongen het wel, of bijna, dat wil zeggen, het willekeurige patroon is je sleutel naar vrijheid. Begrijp je?

Niet echt.

Je zette je wietplanten her en der in de jungle. Je deed niets wat vanuit de ruimte gezien of gehoord kon worden. Begrijp je?

Ja, nee, min of meer.

Kom jochie, zei Dial nu, we gaan een eindje rijden. Al deze alarmerende activiteit bracht het enge gevoel van de vliegtuigen weer terug. Hij zag haar enorme lange benen de heuvel af rennen naar de Peugeot 203.

Trevor ging achterin zitten en was heel stilletjes, at niet, draaide niet aan zijn radio, leunde enigszins voorover zodat zijn kleine mond vlak bij Dials oor was. Hij was net zo waakzaam en oplettend als toen de politie in hun wagen heel langzaam door het weiland was gereden.

Waar gaan we heen?

Sst.

De jongen dacht: nu word ik teruggestuurd. Zijn maag kromp ineen terwijl hij naar hen luisterde.

Hij kan verdomme mijn geld houden, zei Dial.

Wie, Dial?

Sst, zei ze, terwijl ze kalm maar snel tegen Trevor praatte. Ze zou hem extra geld sturen. Kon-ie lekker de hele avond in The Blue Note zitten. Of in The Gate. En zich in elkaar laten slaan op de A-trein, als hij dat zo graag wilde. Hier was hij echt te geschift voor. Ze had het wel geweten.

Wie? drong de jongen aan, en probeerde niet zeurderig te klinken.

Toe, zei Dial. Ik leg het je later uit. Geloof me.

In plaats van het uit te leggen reed ze bijna tien kilometer naar Nambour en toen bijna vijfentwintig naar Maleny en nog eens acht naar het zuiden totdat ze boven de stekelige struiken onder de fluwelen hemel de rare afgebroken tanden van de Glass House Mountains zagen uit steken. De weg was smal en glimmend zwart langs de met gras begroeide heuvelrug en toen ze bij de telefooncel kwamen parkeerde Dial de auto zo goed als ze kon, bang dat hij in de afgrond zou storten. Ze kwam de auto uit met tussen duim en wijsvinger een stuk papier, dat in de wind fladderde. In haar andere hand droeg ze de pot met munten en de jongen bleef in de auto met het raampje open; het zachte briesje streek over zijn huid.

Trevor wurmde zich ook in de telefooncel.

De jongen bleef achter en voelde zich een beetje misselijk.

Hij wilde niet weg, nog niet, later. Misschien kon Dial oma geld geven zodat zij op bezoek kon komen en zien dat het echt fijn was. Het was opgehouden te regenen en de wolk van konijnenbont stond hoog genoeg om helemaal tot aan de kust te kunnen kijken. Hij dacht aan Lex en Sixty-second Street en de diepe donkere straten, zonder dat hij zijn gedachten erg ver liet afdwalen.

Ze stormden de telefooncel uit, Trevor fronsend, Dial met opgebolde wangen.

En? vroeg hij toen ze in de auto stapten. En?

Dial ging helemaal op in het keren van de auto. Even bleven de achterwielen steken en toen schoten ze los en reden ze weg van Maleny, met achterlating van brokken gele modder langs het midden van de weg.

We moeten naar Brisbane, jochie.

Waarom?

We mogen niet internationaal bellen vanuit een openbare telefooncel.

In het hoofdpostkantoor van Brisbane liep overal politie, als mieren die uit een nest braken. Hij hield zijn ogen op zijn voeten gericht zodat niemand zijn gezicht zag.

Gewoon rustig blijven, zei Dial. Oké?

Hij pakte haar klamme, bange hand en bleef dicht bij haar terwijl ze de treden van het hoge, op een kerk of synagoge lijkende, gebouw op liepen. Geen airconditioning. Was wel nodig geweest. Bij een hoge balie betaalde Dial geld en kreeg een kaartje met een nummer en ze gingen naar een wachtkamer met lange houten banken en zwarte telefoons tegen de muren, elke telefoon in zijn eigen met hout beklede cabine.

Chic hoor, zei de jongen. Ouderwets.

Ja.

Toen hun nummer eindelijk werd omgeroepen, persten ze zich alle drie in de cabine die rook naar alle mogelijke menselijke uitwasemingen van angst of verdriet.

Hallo, zei Dial.

Hij drukte zich tegen haar aan toen ze meneer Warriner te spreken vroeg. Phil.

Geschift, dacht de jongen.

Hij moet nu wel in het hotel zijn, zei ze tegen Trevor.

Hallo, zei Dial. Hallo, Phil.

Ze luisterde. Ze zei: Is dit de kamer van Phil Warriner? Toen luisterde ze weer.

Dat gaat u niet aan, zei ze. Ik wil met Phil spreken.

Vervolgens, zonder verder iets te zeggen, legde ze de zwarte hoorn terug op de haak. De jongen zag Trevor niet weglopen, maar Dial vond hem terug tussen de mensen buiten. Trevor hield zijn hand voor zijn mond en zijn ogen flitsten razend heen en weer en de jongen wist dat hij bang was.

Een smeris, zei Dial. In zijn kamer.

Trevor keek in de verte.

Hij was uit Brooklyn, zei Dial. De smeris. Ze keek omlaag naar de jongen.

Je weet vast wel het telefoonnummer van je grootmoeder?

Trevor zei: Ik zie jullie om drie uur bij de auto.

De jongen dacht: wat gaat er met mij gebeuren? Hij zag Trevor heuploos wegsluipen, tussen een menigte politiemensen door, en op een bus stappen.

Waar gaat hij heen?

Weet je het telefoonnummer van je grootmoeder?

Hij keek in Dials glanzende gespikkelde ogen. Alles was verborgen in het zwarte plekje waar volgens opa zelfs God niet in kon kijken.

Waarom?

Ze pakte zijn hand en hij liep met haar mee terug naar de hoge balie waar ze weer dat hurkgedoe deed.

Luister, zei ze. De sukkel zit in de problemen.

Trevor?

Phil. Als hij in de problemen zit, zit ik ook in de problemen. Ik wil het alleen maar aan je grootmoeder uitleggen voordat Phil het nog erger maakt.

Ik heb het je gezegd, zei de jongen. Ik heb het je eeuwen geleden al gezegd.

Nu huilde hij, zonder te weten wat goed was en wat verkeerd. Ze hadden geen zakdoek. Ze pakte een telegramformulier om zijn neus te snuiten en dat was hard en bleef aan zijn huid plakken en hij moest zijn pols gebruiken. Dial pakte een nieuw formulier en schreef beide nummers op, van Sixty-second Street en Kenoza Lake. Door zijn tranen heen keek hij hoe ze aan de balie betaalde.

Het was nacht daar waar oma was, haar kleine zwemlichaam moest nauwelijks te zien zijn in dat hele grote bed, terwijl de krakende radio aanstond om de nachtmerries weg te houden. Ze moest vreselijk geschrokken zijn toen de telefoon ging.

Hallo, zei Dial. U spreekt met Anna Xenos.

Xenos? De jongen hoorde een ambulance. Zo wist hij dat Dial eerst naar de stad belde.

Ik ben de vriendin van uw dochter, zei Dial. Anna Xenos.

De jongen kwam niet ter sprake. Zijn grootmoeder kon hem niet zien en zich niet voorstellen waar hij was. Een politieagent stond tegen de balie geleund een boterham te eten terwijl hij in gesprek was met een mooi mollig meisje dat de nummers voor de telefoons uitdeelde. Zeker weten, zei de politieagent.

Dials zintuigen waren even gevoelig als de snorharen van een kat. Ze zag hoe de politieman naar de jongen stond te kijken. Ze hoorde hoe op het glazen tafelblad in New York City een glas werd verschoven.

Juist, Anna Xenos, zei de oude dame. Weet je hoe laat het is?

Dial dacht: ik lijk wel gek om dit gesprek te voeren.

De politie heeft jouw handlanger gearresteerd, zei de grootmoeder.

Het woord – handlanger – schiftte in haar maag.

Hij zit momenteel in de Tombs.

Ze wist niet precies wat de Tombs waren, maar wat ze zich erbij voorstelde kwam behoorlijk dicht in de buurt en ze haatte de oude dame om het feit dat ze in een huis op Park Avenue *toembs* zei.

Ze keek omlaag naar de jongen en zag hoe ellendig hij zich aan haar vastklampte. Hij zag er uitgewrongen uit, zijn neus bezweet, en hij trok aan haar rok. Arme jongen. Arme Phil in zijn zoot suit. Ze had zich te opgelaten gevoeld om erover te praten, maar door haar nuffige zwijgen zat hij nu opgesloten in een gevangenis.

Morgenochtend komt hij voor.

Mijn hemel, maar hij is advocaat. Hij is mijn advocaat.

Laat me met Jay praten.

Nee, nog niet.

Dial stelde zich een ouderwetse telefoon voor, waarvan het snoer net zo gerafeld was als het korset van haar moeder. Ze wachtte terwijl het in haar oor kraakte.

Moet je nou echt zo hardvochtig zijn, zei mevrouw Selkirk.

Dial hield de jongen de vettige telefoon voor die hij met beide handen aanpakte.

Schatje, ben jij het?

De jongen hoorde haar uit de martini-diepe slaap opgedregde stem.

Ja, oma.

Jay?

Ik ben het, oma. Hij zag haar grijze haar dat ze voor de nacht had uitgeborsteld.

Hebben ze je pijn gedaan, Jay?

Nee, oma.

De jongen had zijn grootmoeder best vaak horen huilen, als wind door herfstbladeren, maar niet op deze manier, een storm van snikken en uithalen en schokken. En toen hield het eigenlijk snel op.

Phil zal het u vertellen, zei de jongen snel. Ik maak het goed.

Wie?

De advocaat, oma. Hij ging om alles te regelen. Alles is in orde.

De politie heeft hem opgepakt, schat, maak je geen zorgen.

Iedereen is aardig voor me, oma. Phil is aardig.

Jay, waar ben je?

Misschien had hij moeten zeggen waar hij was. Hij wist het niet. De politieman had rossige wenkbrauwen die zwaar neerhingen en hij stond met zijn achterwerk achteruitgestoken, zodat de sla van zijn sandwich op de grond zou vallen en niet op zijn insigne.

Jay, je moet het zeggen.

Dial hield haar rechteroor tegen de telefoon. Ze pakte hem van hem af en hij was blij dat hij niet hoefde te beslissen. Luister, zei Dial. Ik heb voor zes minuten betaald, dus u moet geen tijd verspillen.

Ik zal zorgen dat je in de bak komt, zei oma Selkirk, terwijl ze in haar oor knetterde. Ik kan laten nagaan waarvandaan je belt, stom wicht. Hoeveel geld wil je?

Waarom praat u niet gewoon met mijn advocaat om te zien of u iets kunt regelen? Ik hoef geen geld.

Advocaat. Ach, kom nou.

In dat 'kom nou' hoorde Dial slechts macht en neerbuigendheid.

U bent een dom oud mens en u bewijst uzelf geen dienst.

Pardon?

Jay is hier. Wilt u hem? Of niet?

Nu ben ik een echte ontvoerder, dacht Dial.

Ik heb al een dochter verloren. Ik wil niet ook een klein-zoon verliezen.

Luistert u nou alstublieft eens, zei Dial. Wij willen alleen maar naar huis.

Heb je enig idee hoe erg je in de problemen zit? Laat hem aan de telefoon komen, laat me nog wat tegen hem zeggen.

Er is geen tijd meer.

Zorg maar dat hem niets overkomt.

Luister, zei Dial. U krijgt maar één kans. Pakt u die?

Nee, jij moet naar mij luisteren, zei de oude dame.

Kop dicht en luister, zei Dial. Ze maakte de jongen bang, maar ze kon niet anders. Ze was gek geworden en zwaaide met een stuk hout.

Goed, zei de oude dame heel rustig. Ga door, ik luister.

Toen hoorde ze Phoebe Selkirk huilen.

Kop dicht, zei Dial. Verwend kreng. Als u de jongen weer wilt zien, moet u met Phil praten. Zorgt u maar dat hij uit de gevangenis komt.

Ze legde de telefoon neer en begon na te gaan wat de schade was.

53

De jongen en Trevor waren achter het huis aan het graven. Als de kuil klaar was, kon je erin liggen en helemaal, boven het dak van het huis uit, kijken tot aan de onderbroken gele strepen van de weg. Dat was het plan, dat nu met grote haast werd uitgevoerd. In het huis voelde Dial het gestage bonken van Trevors houweel.

Achter het aanrecht was een smal in lood gevat raampje waardoorheen ze, afhankelijk van waar ze stond, kon zien hoe de jongen met zijn hoofd in de kuil als een hond modder achter hem wegkrabde. Grafdelvers, dacht ze, en dat weerspiegelde aardig haar stemming. Zij, Anna Xenos, was de aanstichtster van dit alles. Had ze dit maar niet gedaan. Had ze dat maar niet gedaan. Alles waar ze zich mee bemoeide, ging fout. Zoals Rebecca tegen Trevor had gezegd: Waarom bombardeert ze niet gewoon Cambodja?

Trevor was er heilig van overtuigd dat Phil binnen de kortste keren aan de New Yorkse smerissen de verblijfplaats van de jongen zou bekennen. Wie zou dat niet? zei hij en in de harde blik van zijn ogen zag ze voldoende verbittering om daarop te kunnen vertrouwen. Morgenochtend is de politie van Brisbane hier, zei hij. Voor zonsopgang. Wacht maar af.

Het was al laat en de vallei was de zon al kwijt en ook al was het in het huis meer dan schemerig, toch vond Dial het verstandiger om geen licht aan te steken. Dacht de Alice May Twitchell-docente echt dat ze vanuit de ruimte in de gaten werden gehouden, dat haar wekker haar sleutel naar vrijheid was, dat ze in een modderige kuil moest kruipen om haar onafhankelijkheid te behouden?

Ze trok een kort hemdje en een korte broek aan en liep blootsvoets de heuvel op waar ze de jongen naakt aantrof, op zijn buik liggend, gravend met zijn handen. Trevor, die uit een soort perverse beleefdheid een onderbroek droeg, was aan het scheppen, grommend, de spieren op zijn rug geaccentueerd met modder zoals houtskool op doek.

Het had genoeg geregend om het pad glibberig van de modder te maken, maar al die regen was niet erg diep in de grond doorgedrongen. Het was het droge seizoen, en na enkele centimeters vochtige aarde kwam er een harde gele kleilaag waar de jongen zijn nagels al op had gebroken.

Gaat het, jochie?

Ja hoor, zei hij, maar zij moest denken aan gevangen dieren die aan hun eigen ledematen vraten. Hij moest weg, vrijgelaten worden, maar eerst moesten zij de nacht overleven en zo zwoegden ze gedrieën door totdat de stormlampen uit het huis gehaald moesten worden. Het was nog steeds niet klaar toen de jongen van vermoeidheid niet meer uit zijn ogen kon kijken en bijna omviel en ze nam hem mee zodat hij zich kon wassen. Toen ging hij op het aanrecht zitten met een handdoek om zijn opgetrokken schouders en beiden luisterden ze naar het schrapen en schuren van Trevors schop, terwijl zij een soort ratatouille maakte van pompoen en aardappels, zomaar een gerecht zonder naam.

Terwijl de rijst kookte, liepen ze hand in hand omhoog en ontdekten dat Trevor de kuil al had afgedekt met een plaat ijzer en die weer bedekt had met modder en Wappa-algen. De binnenkant had hij bekleed met het zwarte plastic uit de tuin.

En hier zal de politie ons niet vinden? vroeg ze.

Ze zijn bang voor de jungle, zei hij. Geloof me maar.

Ze aten de maaltijd in het donker op de waranda van het huis en daarna namen ze een douche en droogden zich af en trokken schone kleren aan. Ten slotte zeulden ze dekens en kussens de heuvel op, met takjes en bladeren en spinnen die er in het donker aan bleven zitten.

Ze lieten zich in de gecapitonneerde duisternis zakken, de jongen tussen Dial en Trevor in en ook al deed de opstelling denken aan een beschermend gezin, Dial kon niet vergeten dat ze de jongen gekwetst had toen ze in dat stinkende koloniale postkantoor als een feeks tegen zijn grootmoeder tekeer was gegaan. In haar verbeelding was haar gebit als dat van een 'Mama' van De Kooning, helemaal doorlopend tot vlak onder haar neus, het gemene loeder, met kaken als muizenvallen om hem te vermalen. Maar natuurlijk was deze laatste wanhopige, criminele onderneming niet wat ze wenste, ze wilde hem oppakken als een arm gewond vogeltje, in een doosje met watten stoppen en met een druppelaar warme melk voeren. Ze hield van hem, van zijn gladde bruine huid, de loofachtige geur van zijn verwarde haren, maar het meest van zijn ogen die weer open en helder stonden, vol vertrouwen. Hij hield ook van haar.

Moge God Phil zegenen en hem voor kwaad behoeden, zei de jongen en in de verbijsterde stilte die op het gebed volgde viel hij in slaap, in een murmelend, bijna stil net geen snurken.

De kuil was nauw, de dekens verfrommeld en zoals gewoonlijk schopte de jongen in zijn slaap, maar Dial viel snel in slaap en verroerde zich niet totdat Trevor aan haar schouder schudde, één keer, heel hard. Ze werd wakker en hij legde zijn ruwe hand over haar mond en ze begreep dat de jongen overeind zat. Alle drie konden ze door het gat tussen het dak en de aarde kijken: gele koplampen en fellere, wittere kwartslichten zwiepten over het huis. Ze hoorden mannenstemmen, plotseling erg hard, toen de niet afgesloten deur van het huis in werd getrapt en lichten overal binnenvielen, als op hol geslagen omlaagschietende wezens met scherpe glazen vleugels.

Het ergste was het intrappen van de deur, de kwaadwilligheid ervan. Ze hield de jongen vast en bedekte zijn kleine platte oren en hij drukte zich tegen haar aan, maar hij moet het versplinteren, het gevloek, de stampende laarzen, het dissonante koor van radio-instructies gehoord hebben. Ze was echt een dochter van haar vader zoals ze wachtte tot de mannen kwamen. Ze hadden zijn handen op een kussen gelegd voordat ze op hem schoten. Ze had hen allen levend kunnen verbranden.

54

De jongen lag tussen hen beiden in. Steviger dan hij ooit was vastgehouden hielden aarde, adem, zachte Dial, harde Trevor hem vast. Dials handen bedekten al strelend zijn oren en zij kuste zijn hoofd terwijl de politie het huis te lijf ging alsof ze het tot bloedens toe wilde pijnigen. Waarom waren ze zo boos. Vanwege hem?

Hij hoorde een laatste ding breken en ging op zijn rug liggen en keek hoe de koplampen over de toppen van de bomen zwaaiden terwijl de politie achteruitreed, vast kwam te zitten, duwde en eindelijk wegreed.

En net toen hij dacht dat het voorbij was, hoorde hij hen andere paden op rijden om te kijken of hij bij hun buren was. Hij werd wakker toen het klaarlichte dag was; Trevor stond aan hem te schudden. Ze liepen gezamenlijk de heuvel af, hun voeten nat van de dauw. De voordeur was nog wel rood maar totaal versplinterd, een rode bliksemschicht in het gras.

Blijf staan, zei Trevor. Dial hield zijn hand vast. Trevor liep de trap op.

Dial streelde zijn hoofd.

Trevor kwam terug met schoenen die ze moesten aantrekken om naar binnen te gaan.

Toen de jongen bij de deuropening stond, moest hij denken aan wasberen die de vuilniszakken van zijn grootmoeder openscheurden, zakken waren opengereten, kussens ontdaan van hun inhoud, de gouden muren in elkaar getrapt als de kratten achter in Pecks supermarkt. Neem ze maar mee naar huis als brandhout.

Toen hij zag wat hij teweeggebracht had, wist de jongen dat hij moest gaan. Er zat niets anders op. Dit wist hij voordat de Bolletoet kwam en ze gevieren door de jungle liepen om te zien wat er met de kaarsenmakerij van haar vader was gebeurd: de kaarsen vertrapt, de muren geheel vernield.

Tegen de kleine Bolletoet zei hij: Ik ga weg.

De zon rees aan de hemel en een groepje nam de schade op en overal waar ze kwamen, zei hij: Ik ga weg. De hemel was zo helder. De geluiden zo duidelijk. De roep van de Australische zwartrugfluitvogel, zoals niets anders ter wereld. Wie had gezegd als een engel die gorgelt in een kristallen vaas?

Niemand zei dat hij mocht blijven. Hij bleek helemaal alleen te zijn, op de rand van een klif, en hij leefde in de verwachting dat ze hem zouden wegtrekken, maar zelfs Dial kon niet met hem meegaan, al was ze wel de hele dag bij hem. Ze maakten een ronde door de jungle, aten hier een boterham met honing, dronken daar een glas melk. De hippies waren lief voor hem.

Hij zei tegen hen: Ik moet nu weg. En hij wist wat hij zei.

Het was te plotseling, maar het kwam altijd te plotseling, je wordt niet gewaarschuwd dat de ader op barsten staat. Je loopt in de veronderstelling dat je blijft lopen en zelfs als je zegt: Ik moet nu weg, dan zeg je dat op de plaats waarvandaan je zult vertrekken en dat is de plek, de plek die er spoedig niet meer zal zijn, die bezit neemt van jouw ogen, van jouw longen, en waarvan je de aarde in zwarte randjes onder je nagels meedraagt.

Je zegt dingen over de toekomst, maar je bent daar niet geweest, dus je kunt het niet weten.

Ik moet gaan, zei de jongen.

Iedereen ging voor hem opzij en ook toen Trevor de tas voor zijn tekeningen maakte en Dial geen centimeter van zijn zijde week en ze de ijswikkels uitstalden, de bladeren, de tekeningen, de foto van zijn vader, de tekening die Dial van Phil in zijn zoot suit had gemaakt en terwijl de tas werd dichtgedaan en vastgebonden en Dial aan beide kanten zijn naam schreef, Sixty-second Street aan de ene en Kenoza Lake aan de andere kant, voelde hij de atmosfeer van eenzaamheid tussen hem en alle anderen.

Alles was zo vertrouwd geraakt, de kookaburra's die bij het vallen van de schemering hun territorium markeerden, als ze in hun vlucht, in elk geval voor henzelf zichtbaar, vierkante en driehoekige barricades trokken, waarmee ze te kennen gaven dat dat hun terrein was.

Nu pas beseften ze dat de Peugeot meegenomen was, weggesleept. Ze gingen niet terug het huis in. Het was alsof daarbinnen iemand gestorven was, alsof alle vleermuizen en het gouden licht verstikt en vernietigd waren.

De jongen wilde in het regenwoud slapen, maar Trevor zei dat ze die avond weer op dezelfde plek moesten slapen.

Komen ze dan terug? zei de jongen.

Trevor zei dat ze niet terugkwamen en Dial begon te huilen. Ze zei dat het haar speet. Toen legde Trevor uit hoe ze hem naar zijn grootmoeder zouden sturen zonder dat Dial gepakt zou worden.

In zijn maag lag een klomp ijs zo groot als een ei.

Rebecca komt je halen, zei Trevor.

Hij lag stokstijf tussen hen in, volslagen alleen. Dial huilde, maar hij hoorde haar niet eens.

Zelf huilde hij niet. Als een steen lag de wees naast hem, en alle drie waren ze de hele nacht wakker. Het was kapot, hij had het kapotgemaakt. Zij had niet moeten huilen. Hij had niet boos moeten worden. Het was niet hun schuld en dat was wat hij de hele nacht voelde – ik heb het kapotgemaakt.

Langzaam en grijs als vuile handen brak de ochtend aan

en Dial kleedde hem aan en hij was beleefd en zo moe, zijn oogleden korrelig. Hij had geen zin om te douchen maar zijn huid rook zuur en hij had zijn tas met tekeningen en één biljet van honderd dollar en Trevor en Dial liepen met hem het glibberige pad af langs de plek waar de auto altijd had gestaan en waar nu niets anders meer was dan een donkere olievlek, naar de weg waar het nog te donker was om de rode en gele kiezels op de weg te zien. Hij pakte er toch twee.

Dial pakte hem bij zijn schouders en knielde op de weg.

Ik hou van je, Che. Het was het allemaal waard.

Hij wist niet wat hij moest zeggen. Hij was boos, maar hij moest weg en Trevor probeerde afscheid te nemen en toen suisde Rebecca's auto het zanderige pad op, stil als een dief, en voor ze het wisten zat hij op de voorbank met zijn koffer en nooit meer van zijn leven zou hij dat huis zien of erwten of papaja eten en de huid die hij achterliet zou tot stof vergaan en eeuwen zouden voorbijgaan en dat deel van hem zou nooit de vallei verlaten.

Gaat het?

Ja.

Dat was alles. Hij vroeg niet waar ze hem heen bracht, maar zijn kleine scrotum voelde stijf en hard aan als een kippenmaagje en in de koplampen van Rebecca's auto keek hij naar alle vertrouwde bochten.

Breng je me naar de politie?

Nee, niet bepaald.

Misschien dacht zij dat hij wist wat er stond te gebeuren, maar hij wist van niets. Toen ze aankwamen bij de Bruce Highway, sloeg ze af naar het noorden.

Gaan we naar Canada?

Nee, niet zo ver, zei ze. Maar toch reden ze een hele tijd, en veel sneller dan Dial. Er was niet veel verkeer op de weg en kort daarop sloeg ze linksaf en daar was net zo'n hek van ijzerdraad als Trevor had en die opende en sloot ze en toen reed ze over een pad naar een top waar ze uiteindelijk de auto tot stilstand bracht.

De zon kwam net op en vanaf Coolum tot aan de grote Mount Ninderry viel het licht laag over het bos van papierschorsbomen en het suikerriet. Toen hij uit de auto stapte met zijn multiplex kunstkoffer voelde hij de wind en op zijn blote armen en in zijn nek en over zijn hele lichaam stonden de haartjes recht overeind en toen keek hij naar Rebecca en begreep dat ze niet wist wat ze moest zeggen.

Ik had geen idee wie je was, zei ze.

Nee.

Je bent een behoorlijk bijzonder joch.

Dank je wel.

Het spijt me van je kat, zei ze.

Geeft niet.

Echt waar.

En ze huilde en drukte hem tegen zich aan, haar grote brede gezicht glimmend en rood en het speet hem voor haar maar hij kon niet denken.

En wat nu?

Ze snoot haar neus.

Ik moet nu weg om ze te vertellen waar je bent.

Aan mijn oma.

Aan de politie, zei ze terwijl ze over haar schouder keek. Er was niet veel te zien. Een groepje wattles in het verlengde van het verre hek en een paar koeien.

Is dat een stier?

Nee, zei ze, alsof ze het wist. Ik moet nu gaan.

Oké.

Sorry dat ik moest janken.

Geeft niet hoor, zei hij.

Ze stak haar hand uit en hij schudde hem en hij keek hoe de auto startte en hoe hij over de heuvel reed en omlaagging naar rechts. Vanaf de rand kon hij hem naar het noorden zien rijden, naar een andere stad. Hij vermoedde dat ze een telefooncel ver weg zou gebruiken.

Toen zat er niets anders op dan te wachten.

Ze hadden hem een trui moeten geven. Maar dat hadden ze vergeten. Hij ging staan en luisterde naar de eenzame droeve vrachtwagens beneden op de autoweg en keek naar wat misschien een havik was die boven zijn hoofd cirkelde. Inmiddels was hij behoorlijk bang. Misschien zou hij wel gedood worden of zo. Toen hij beneden op de weg een politieauto zag, ging hij liggen. Verderop was een hol waarin misschien een konijn had gewoond. Over het korte bruine gras kroop hij er centimeter voor centimeter naartoe. Kon hij maar tussen Trevor en Dial liggen en het bloed en de botten en aarde om hem heen voelen en zich nooit meer verroeren.

Niemand kon hem vanaf de weg zien en hij bleef misschien nog vijf minuten liggen en toen misschien nog eens vijf minuten en het was vast minstens een halfuur voordat hij de auto hoorde en wist dat het eindelijk was afgelopen.

Altijd te plotseling. Dat wist hij al toen hij acht was. Het einde komt als een boom die 's nachts omvalt.

Hij hoorde dat de chauffeur met ingetrapte koppeling reed. Hij draaide zich om en keek omhoog naar de lucht en pas toen, toen hij met beide oren luisterde, drong het tot hem door dat de auto niet van de weg kwam maar van de kant van de wattles en de stier, niet zo ver weg, de ijsblauwe elfhonderd kilometer Vauxhall Cresta reed snel, te snel, door het weiland, steigerend en stokkend, recht op hem af, en toen uitwijkend als een vliegtuig dat gaat landen en aan het stuur achter de glimmende voorruit zat Anna Xenos, met haar ellebogen wijd, haar hoofd naar voren en naast haar zat Trevor en ze reden zo hard dat de jongen opsprong om niet overreden te worden en ze zagen hem en openden

de passagiersdeur om hem op te pakken, hem vast te houden, hem te pakken, roekeloos, omdat ze hem niet uit hun
leven kwijt wilden.

Wat er op dat moment in de jongen omging voelde alsof
het gemeten kon worden met een liniaal, een scherpe pijn-
scheut die toch geen pijn deed. Hij werd door iets gestoken,
dacht hij. Zelfs als volwassene dacht hij dat iets tastbaars
in hem was achtergebleven – klein, glad, geen parel, glan-
zender, lichter, een zaadje waarvan hij uiteindelijk dacht
dat het een simpele herinnering was, niets meer, dat hij mee
zou dragen over dat rommelige pad dat zijn eigen komedie
en bij tijd en wijle rampzalige leven zou zijn.